D1211739

ROIS ET REINES DE FRANCE

Duc de Castries
de l'Académie française

ROIS ET REINES DE FRANCE

Librairie Jules Tallandier
17, rue Remy-Dumoncel
Paris XIVe

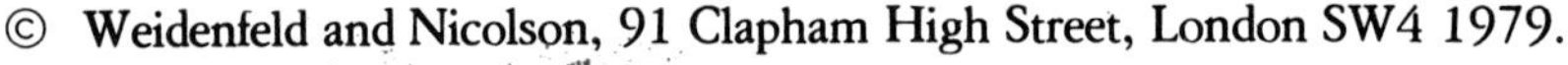

Printed in Great Britain

OUVRAGES DU MÊME AUTEUR

SYNTHÈSES HISTORIQUES

Le testament de la monarchie (5 volumes).
1) *L'indépendance américaine* (Fayard, 1958).
2) *L'agonie de la royauté* (Fayard, 1959), réédité sous le titre *L'aube de la Révolution*. (Tallandier, 1978).
3) *Les émigrés* (Fayard, 1962).
4) *De Louis XVIII à Louis-Philippe* (Fayard, 1965).
5) *Le grand refus du comte de Chambord* (Hachette-Littérature, 1970) (prix du Nouveau Cercle, 1970).

La vie quotidienne des émigrés (Hachette-Littérature, 1966).

Histoire de France des origines à 1976 (Robert Laffont, 1976) (1ère édition, 1971).

Orages sur l'Église (1967, Spes, Éditions ouvrières).

La fin des Rois (Tallandier, 5 volumes, 1972-1973).

La conquête de la Terre Sainte par les Croisés (Albin Michel) (Le Mémorial des siècles, 1973).

La France et l'Indépendance américaine, le Livre du bicentenaire (Librairie académique Perrin, 1975).

Papiers de famille (France-Empire, 1977).

La vieille dame du quai Conti (essai sur l'Académie française) (Perrin, 1978).

BIOGRAPHIES

Le maréchal de Castries (1956), couronné par l'Académie française (Fayard).

Les rencontres de Stanley (1960, France Empire).

Mirabeau ou l'échec du destin (1960, Fayard), premier Grand Prix Historia, 1961.

Maurice de Saxe (1963, Fayard, Toute l'Histoire).

La conspiration de Cadoudal (Del Duca, 1964).

Madame du Barry (1967, Hachette-Littérature, L'envers de l'Histoire).

Louis XVIII, portrait d'un roi (1969, Hachette-Littérature).

Henri IV, roi de cœur, roi de France (Larousse, 1970), épuisé.

Madame Récamier (1971, Hachette-Littérature).

Figaro ou la vie de Beaumarchais (1972, Hachette-Littérature).

La Fayette, pionnier de la liberté (1974, Hachette-Littérature), réédité par François Beauval.

Chateaubriand ou la puissance du songe (1976, Perrin).

DIVERS

Discours de réception à l'Académie française et réponse de M. Jacques Chastenet (1 vol., 1973, Hachette-Littérature).

Le château de Castries monographie (1974, Laurens CLT).

Merveilles des châteaux de Provence (Présentation, 1965, Hachette).

Réponse au discours de réception de M. Maurice Schumann à l'Académie française (Fayard, 1975).

Réponse au discours de réception de M. Edgar Faure à l'Académie française (1979).

Plusieurs romans épuisés et diverses participations à des ouvrages collectifs.

L'ensemble de l'œuvre historique du duc de Castries a reçu le prix des Ambassadeurs en 1968.

SOURCES PHOTOGRAPHIQUES

(les numéros en italique indiquent les pages des photos en couleur).

Alpenland 250

Archives Nationales 23 (en bas), 67

Archives Photographiques 75, 85 (à droite), 120, 190

Bibliothèque Municipale, Boulogne-sur-mer 87

Bibliothèque Nationale, Paris 8, 16, *17,* 18, 20-1, 22, 23 (en haut), *24 (en haut et en bas),* 26-7, 28, 31, 34, 36, 40 (à gauche), 40 (à droite), 43, 45, 47, 48, *51, 53, 54-5,* 58, 62, 63, 81, *89,* 90, *92, 93,* 94, *96* (en bas), 99, 107, 109, 110, 114-5, 119, 121, 123, 124, 130-1, *137,* 139, 149, 152, 156, 158, 161, *170, 174,* 199, 225, 238, 242-3, 255, 264, 295, 300, 312-3.

Jean Bottin 263

Boudot-Lamotte 65, 153

Bulloz 128, 147, 187, 205, 207, 212, 222-3, 248, 274, 282-3

Caisse nationale des monuments historiques 181, 200

Cooper-Bridgeman *266, 271*

Mary Evans Picture Library 127, 180, 286

John Freeman *215* (Wallace Collection), 234, 236, *270* (Musée de Versailles)

François Garnier 74

Giraudon 12, 13, 72-3, 76, 79 (en haut), 117 (en haut). 142, 155, 227, 260-1, 268, 279

Lauros-Giraudon 95, 103

André Held 182-3

Holzapfel 176, 209

Kunsthistorisches Museum, Vienne *267*

Kunstsammlung, Bâle 172

Lambeth Palace Library 117 (en bas)

The Mansell Collection 85 (à gauche), 86, 98, 163, 169, 185, 194-5, 196, 219

Princess Margaret of Hesse and Rhine 251

Cathédrale de Monza 56

National Gallery of Scotland 246

Österreichische Nationalbibliothek 243

Phaidon Press 66

Museo del Prado 162

By gracious permission of Her Majesty the Queen 16-45

Radio Times Hulton Picture Library 143, 146, 240

Reformationsgeschichtliche Museum, Wittenberg 166

Roger-Viollet 68-9, 231, 239, 253, 272, 281, 320

Collection Sirot-Angel 328 (en haut), 329 (en bas)

Scala 80

Snark International *50,* 96 (en haut), *140-1, 144, 175, 211*

Stiftsbibliothek, Saint-Gall 41

Archives Tallandier 101, 135, *171* (en haut et en bas), 178, 188-189, 197, 201, 203, *210, 214,* 216 (en haut et en bas), 220, 224, 228-229, 245, 256-257, 275, 288, 291, 292, 298, 302-303, 304, 307, 309, 314, 319, *322,* 323, *326, 327,* 328.

J.P. Vieil 284

Weidenfeld and Nicolson Archives 78, 79 (en bas)

NOTE LIMINAIRE

La composition de cet ouvrage a été guidée dans l'ensemble par son homologue *Rois et Reines d'Angleterre* d'Antonia Fraser.

De même que pour l'ouvrage anglais, chaque roi a bénéficié d'une biographie personnelle, en filigrane de laquelle se lit l'histoire générale. Mais la royauté en France commence plus tôt et aussi se termine plus tôt qu'en Angleterre. En France la royauté débute au Ve siècle avec la dynastie des Mérovingiens : elle disparaîtra en 754 pour être remplacée par une seconde dynastie, celle des Carolingiens, qui sera éliminée à son tour en 987 par une troisième dynastie, celle des Capétiens.

Cette troisième dynastie règnera plus de huit cents ans à travers quatre branches : les Capétiens directs, les Valois, les Bourbons, les Orléans. De même qu'en Angleterre, les révolutions ont fait intervenir des interrègnes et ont suscité l'ascension d'une quatrième dynastie, celle des Bonaparte, qui ont régné sporadiquement par deux fois au XIXe siècle.

La chute du Second Empire en 1870 a marqué en France la fin du gouvernement monarchique et le livre se terminera à cette date.

Toutefois la Maison capétienne ne s'est pas éteinte avec sa chute, pas plus que la lignée Bonaparte. Il paraît donc intéressant de considérer dans un épilogue la survivance de ces lignées qui ont fourni des prétendants comme jadis le firent les Stuarts.

Ces quelques indications tracent naturellement le plan de cet ouvrage.

Clovis reçoit le baptême des mains de l'archevêque Remi. *(Grandes Chroniques de France,* XVe siècle.)

Première partie

LES MÉROVINGIENS

450 ?-768

Depuis le mythe tribal jusqu'aux rois chrétiens

LES MÉROVINGIENS

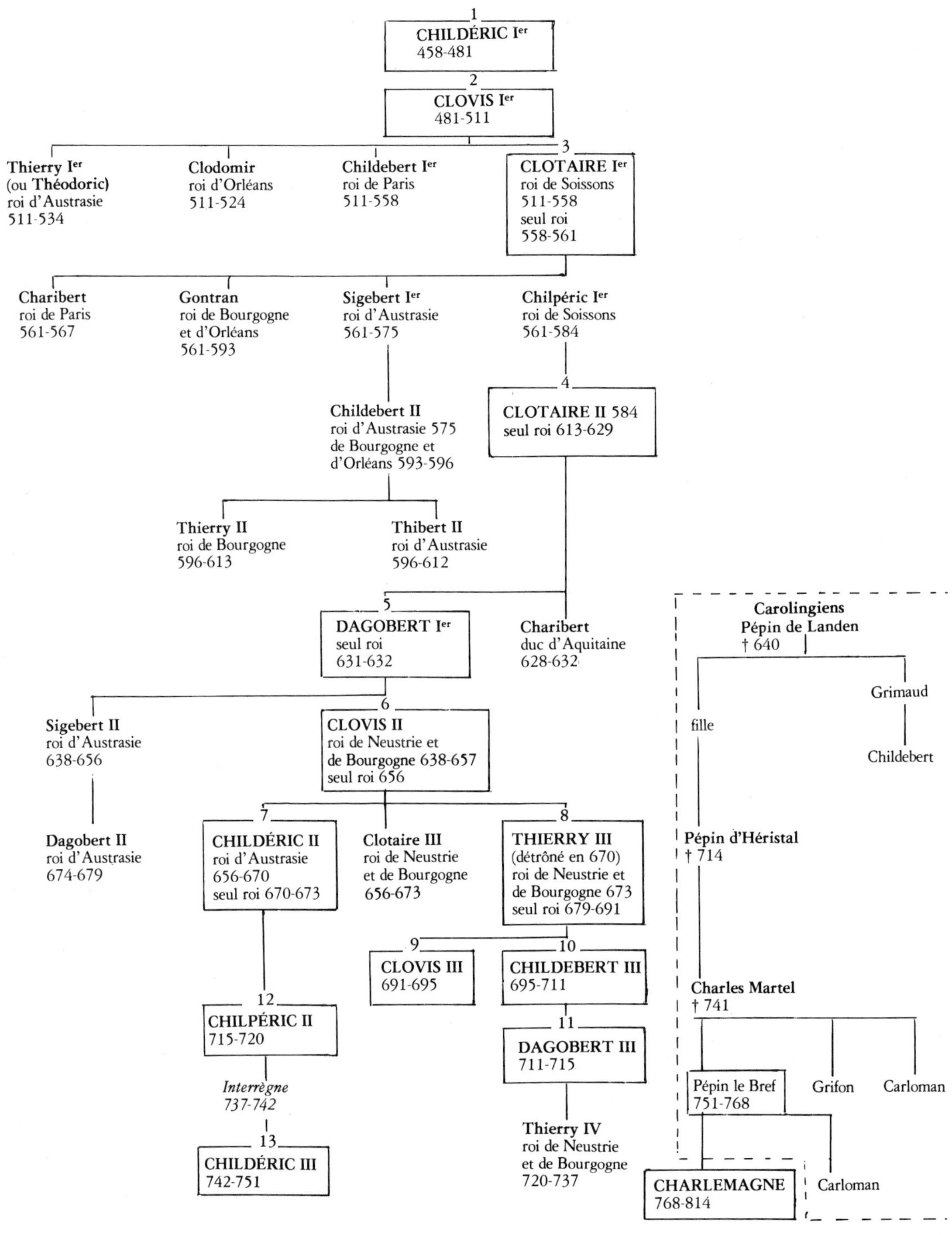

MÉROVÉE, CLODION ET CHILDÉRIC (450-481)

LA ROYAUTÉ N'A PAS ÉTÉ EN FRANCE un phénomène spontané ; elle ne s'est implantée qu'assez tardivement.

La Gaule vivait sous le régime tribal. On sait assez mal comment se dénommaient ces roitelets qu'étaient les chefs de tribus.

De tout un passé immense qui couvre des milliers d'années, l'Histoire n'a retenu qu'un seul nom, celui de Vercingétorix, fils d'un certain Celtillos, massacré par ses compatriotes pour avoir voulu devenir roi des Arvernes, aventure tragique qui ne révèle guère des sympathies monarchiques.

Après une défense héroïque, Vercingétorix fut vaincu par César et la future France, qui n'était encore que la Gaule, devint une colonie romaine, situation dont elle tira un grand profit et qui lui valut d'être administrée pendant quatre siècles et plus par des fonctionnaires.

Ceux-ci lui apportèrent une civilisation avancée et, bienfait plus notable, une longue période de paix, pendant laquelle les Gaulois, satisfaits de leur sort, virent leurs destinées se modeler sur celles de l'Empire romain. Sous la poussée des invasions, l'Empire commença à s'effriter au cours du IVe siècle ; la Gaule vit s'établir sur une partie de son territoire une peuplade venue du Rhin inférieur, peuplade dont la venue devait changer son destin, celle des Francs.

Ce fut au début du Ve siècle que la Gaule souffrit le plus des invasions : les Wisigoths occupèrent le sud du pays, puis, vers 450, un danger plus redoutable se manifesta dans l'Est, l'invasion des Huns.

Ceux-ci furent repoussés près de Troyes par le général romain Aétius qui leur infligea une défaite retentissante aux Champs Catalauniques (451).

Un des officiers généraux d'Aétius, Mérovée, est également considéré comme un des vainqueurs de la journée. Ce Mérovée est un personnage semi-légendaire. Il était le fils d'un certain Clodion le Chevelu dont on ne sait à peu près rien ; Clodion serait issu d'une manière problématique d'un certain Pharamond en qui une légende abusive voit l'ancêtre des rois de France.

Si l'on sait peu de Mérovée, sinon qu'il allait laisser son nom à la dynastie issue de lui, on possède en revanche quelques lueurs sur son fils Childéric.

On est assuré de la réalité de Childéric pour la bonne raison que sa tombe fut retrouvée en 1653 à Tournai : le roi était enseveli revêtu d'un costume d'apparat, avec ses armes, ses bijoux, son sceau annulaire portant la légende *Childerici regis.* Mais cette certitude matérielle apporte cependant peu de précisions sur sa vie.

Childéric avait été au service de l'Empire, comme Mérovée. Il aida le comte Paul à reprendre Angers aux Saxons en 468. On lui a attribué sans preuves le siège de Paris où sainte Geneviève sauva la ville de la disette.

On sait également de manière certaine que Childéric régnait sur le territoire de Tournai, qu'il mourut vers l'an 481, laissant son héritage à son fils Clodowich, dont les modernes ont déformé le nom en Clovis.

CLOVIS ET SAINTE CLOTILDE (481-511)

LE PERSONNAGE DE CLOVIS est assez mal connu car il n'a pas laissé d'archives. On ne peut reconstituer en partie son règne qu'à travers les écrits presque hagiographiques de l'historien Grégoire de Tours, rédigés vers le milieu du VIe siècle.

En dépit de la visible bienveillance de l'auteur, certains aspects de Clovis, concrétisés par l'épisode célèbre du Vase de Soissons, restent pour le moins inquiétants.

Clovis avait succédé sans difficultés à son père

Clovis (église Notre-Dame de Corbeil ; XIIIe siècle).

Sainte Clotilde (église Notre-Dame de Corbeil ; XIIIe siècle).

mais il n'était pas le seul roi des Francs Saliens ; deux autres de ses parents au moins régnaient en même temps, l'un, Ragnachaire, à Cambrai, l'autre, Chararic, vraisemblablement à Saint-Quentin.

Clovis, qui ne possédait que le Tournaisis, chercha à étendre son territoire ; pour ce faire il attaqua Syagrius, fils du général romain Aegidius roi de Soissons. Comme Clovis était trop faible pour conduire l'attaque, il contracta alliance avec Ragnachaire et Chararic.

Syagrius se déroba à l'attaque et s'enfuit à Toulouse chez Alaric II. Clovis exigea la remise du fugitif et, quand il lui eut été livré, il le fit mettre à mort en secret. Clovis se trouvait maître du Soissonnais, qu'il pilla consciencieusement.

Puis, se sentant maintenant assez fort, il fit mettre à mort également ses deux alliés, Ragnachaire et Chararic, et annexa leurs territoires. Les deux victimes avaient un frère, Rigomer, qui était établi sur la région du Mans : il fut également sacrifié.

Malgré sa bienveillance, Grégoire de Tours est obligé de reconnaître que Clovis tua encore d'autres rois ses proches parents, ce qui lui permit d'étendre son autorité sur la plus grande partie de la Gaule.

Mais la multiplicité de ces assassinats ne nous renseigne pas exactement sur l'importance des territoires conquis ; il semble vraisemblable que Clovis, vers 486, régnait sur tout le nord de la Loire et que les pays au sud lui payaient tribut.

On connaît quelques détails sur le siège de Verdun, quelques autres sur celui de Paris qui aurait duré dix ans. Grégoire de Tours assure qu'en 491 Clovis fit la guerre aux Thuringiens et les soumit à son autorité, ce qui semble au moins douteux ; il est plus probable qu'il s'agissait seulement de la région de Tongres en Belgique.

En cette année 491, Clovis, qui a vingt-cinq ans, a un bâtard, Théodoric ou Thierry, né d'une femme inconnue, qui n'est pas de race royale, et il songe à une alliance matrimoniale de caractère politique.

Il jette les yeux sur une fille de Gondebaud, roi des Burgondes. La jeune fille se nomme Clotilde ; elle est de religion arienne mais penche fortement pour le catholicisme romain. Le mariage s'accomplit et il offre un intérêt de premier plan, car de cette union naîtra la véritable ébauche de la France ; Clotilde, qui sera portée sur les autels, convertira son mari au catholicisme et l'empreinte de l'Eglise marquera durablement l'histoire des rois de France.

La tradition assure que la conversion de Clovis fut la conséquence de sa victoire sur les Alamans.

Ceux-ci se présentaient comme un peuple redoutable qui avait sa capitale à Cologne. Ils attaquèrent d'abord les Francs Ripuaires établis dans la région de Trèves, puis, en 496, ils portèrent leurs attaques sur les Francs Saliens, ce qui menaçait directement Clovis.

La bataille décisive s'engagea en un lieu dit Tolbiac qui paraît se situer aux confins de l'Alsace et de la Lorraine.

La lutte fut très dure et Clovis désespéra de vaincre. Alors, rapporte Grégoire de Tours, il pleura, leva les yeux au ciel et fit la prière suivante : « Jésus-Christ, que Clotilde affirme être le fils du Dieu de vie, toi qui veux bien venir en aide à ceux qui fléchissent et leur donner la victoire, s'ils espèrent en toi, j'invoque dévotement ton glorieux secours. Si tu daignes m'accorder la victoire sur mes ennemis et si j'éprouve cette puissance dont les gens qui portent ton nom affirment que tu donnes maintes preuves, je croirai en toi et me ferai baptiser en ton nom. »

Sitôt cette prière prononcée, les Alamans fléchissent ; leur roi est tué et l'armée en déroute fait sa soumission à Clovis. Celui-ci, de retour auprès de la reine Clotilde, lui raconte qu'il a remporté la victoire en invoquant le nom du Christ.

Alors la reine fait venir saint Remi, évêque de la ville de Reims, et lui demande d'instruire son époux dans la religion chrétienne.

Le pontife lui enseigne les rudiments de la foi et l'invite à se repentir de ses crimes passés. Clovis fait acte de contrition, mais assure l'évêque que son peuple ne voudra pas renoncer à ses dieux. Toutefois, sur l'insistance de saint Remi, il assemble ses troupes et par un véritable miracle ses soldats lui disent : « Nous rejetons les dieux mortels, pieux roi, prêts à suivre le dieu immortel que prêche Rémi. »

Alors l'évêque de Reims fait préparer les fonts baptismaux et le roi demande à être baptisé le premier. L'histoire a retenu la formule de saint Remi : « Courbe doucement la tête, Sicambre, adore ce que tu as brûlé et brûle ce que tu as adoré. »

Après que l'eau sainte eut coulé sur le front de Clovis, trois mille de ses soldats reçurent également le baptême.

En baptisant Clovis, saint Remi a créé un précédent qui marquera la suite de l'histoire des rois de France, celui de l'investiture canonique ; en France, le roi ne sera pas seulement un chef de guerre, mais un chef religieux, *dux et sacerdos*.

Telle a été la version généralement admise des circonstances du baptême de Clovis ; il en existe d'autres qui semblent au moins aussi douteuses.

Clovis, pour être devenu chrétien, n'en restait

pas moins un infatigable guerrier et il allait bientôt attaquer le pays des Burgondes dont son épouse était issue.

Son intervention était la conséquence de sombres intrigues dans la famille royale des Burgondes, où se dessinaient les rivalités entre Godegisèle et son frère Gondebaud. Godegisèle trahit Gondebaud au profit de Clovis et, dans une bataille livrée près de Dijon, les troupes de Gondebaud furent défaites. Gondebaud se vengea en faisant assassiner Godegisèle et se réconcilia avec Clovis.

Une alliance militaire fut alors scellée et Clovis, assisté de Gondebaud, partit à la conquête de l'Aquitaine, territoire des Wisigoths.

Alaric, roi des Wisigoths, rassembla ses troupes et marcha à la rencontre des envahisseurs. La rencontre eut lieu près de Poitiers en 507, dans la grande plaine de Vouillé.

Nous n'avons pas de détails sur le combat où Clovis remporta une victoire totale, « avec l'aide de Dieu », dit encore Grégoire de Tours.

Francs et Burgondes firent leur jonction à Toulouse : Thierry, fils de Clovis, occupa l'Auvergne et Gondebaud la Septimanie. Clovis, établi à Bordeaux, s'était chargé de soumettre tout le sud de la Garonne.

En remontant vers le nord, Clovis fit halte à la basilique de Saint-Martin à Tours où l'empereur de Byzance, Anastase, lui fit remettre non l'*impérium,* comme on l'a écrit à tort, mais les insignes du consulat.

Quittant Tours, Clovis vint s'établir à Paris dont il fit sa capitale. Il s'occupa de faire rédiger un code qui a passé dans l'histoire sous le nom de *« loi salique »*.

Puis il se préoccupa d'assurer les frontières à l'Est et il attaqua ses frères de sang, les Francs Ripuaires : fidèle à ses habitudes anciennes, il fendit la tête de leur chef Chlodéric, au moment où celui-ci lui montrait ses trésors.

Après cette dernière conquête, il était pratiquement maître d'un territoire analogue à celui de la France actuelle.

Clovis passa ses dernières années à Paris, surveillant la confection de son code.

En 511, année de sa mort, il réunit les évêques en concile à Orléans. Trente-deux prélats y assistèrent et l'on examina sérieusement les problèmes posés par le droit d'asile et le recrutement du clergé. Les hommes libres furent autorisés à en faire partie avec l'agrément du roi et les non-libres furent déclarés en principe inaptes à la prêtrise.

Le Concile d'Orléans fut le dernier acte politique de Clovis qui mourut peu après à Paris et fut enseveli dans la basilique des Saints-Apôtres qu'il avait construite sur la montagne Sainte-Geneviève ; la reine Clotilde y repose auprès de lui.

Clovis laissait une œuvre immense : il avait fait la France ; malheureusement il ne s'en était pas rendu compte et les difficultés de sa succession vont remettre en cause l'unité qu'il avait créée.

LES HÉRITIERS DE CLOVIS (511-629)

EN SUS DE THÉODORIC, Clovis laissait trois fils issus de Clotilde. Ce fut Théodoric l'aîné qui procéda au partage du *regnum Francorum.* L'aîné des fils de Clotilde, Clodomir, reçut la Loire, d'Orléans à Tours, plus les cités de Chartres, Sens et Auxerre ; Childebert obtint Paris, les vallées de la Seine et de la Somme, les côtes de la Manche jusqu'à la Bretagne, et enfin Clotaire reçoit Soissons, Laon, Noyon et le vieux pays franc : Cambrai, Tournai et le cours inférieur de la Meuse. Théodoric avait conservé le lot le plus exposé : le pays des Ripuaires, la vallée de la Moselle avec Metz et Trèves, la Hesse franque, la Champagne et le protectorat des Alamans.

Puis on dépeça le pays des Goths : Théodoric s'adjugea la part du lion : Quercy, Albigeois, Auvergne ; Clodomir eut Poitiers et Childebert Bourges.

Ce système de partage qui ne tenait aucun compte des réalités ethniques et politiques frisait l'absurdité et l'union était nécessaire pour maintenir, par appui mutuel, une sorte d'unité. Ce fut le premier réflexe des fils de Clovis mais il dura peu et les enfants pratiquèrent les méthodes qui avaient si bien réussi à leur père.

L'assassinat politique devint de règle : Clodomir était mort en laissant trois jeunes fils ; Childebert et Clotaire les firent mettre à mort, ou plus exactement Clotaire se chargea lui-même de l'opération alors que Childebert montra quelques hésitations. Les enfants morts, on tua également les serviteurs et les gouverneurs des victimes. Le troisième fils

« Comment le roi Clotaire et le roi Childebert occirent leurs neveux en présence de la reine Clotilde. » *(Grandes Chroniques de France,* fin du XVe siècle.)

de Clodomir parvint à échapper à la tuerie ; il se nommait Clodoald, et, dit-on, fonda un monastère et fut canonisé sous le nom de saint Cloud.

Théodoric, intéressé par ces méthodes, tenta de faire tuer ses frères mais son projet échoua. Il mourut peu après, laissant un fils, Thibert, qui se défendit, s'allia à Childebert pour accabler Clotaire. Celui-ci ne dut son salut qu'à une fuite tragique dans la forêt de Brotonne.

On assure que la reine Clotilde qui vivait encore passait sa vie en prières, suppliant Dieu de ne pas permettre la guerre entre ses fils.

Thibert mourut vers 548, laissant un fils dégénéré qui ne put régner que très peu et mourut en 555. Clotaire hérita de ce petit-neveu.

Childebert, jaloux, favorisa une révolte contre Clotaire, mais il mourut sans enfants en 558. Clotaire s'empara de ses territoires et l'unité du royaume se trouva rétablie par l'amas même des crimes. Mais la réunification ne dura pas longtemps parce que Clotaire mourut en 561.

Ces rois criminels étaient pourtant de bons guerriers et, au cours de leurs règnes, la France s'agrandit de la Bourgogne par une nouvelle série de crimes politiques. Théodoric s'empara de la Provence, Childebert mit en fuite les Wisigoths. Thibert occupa la Bavière et parvint jusqu'en Pannonie. En revanche, Clotaire ne put venir à bout des Saxons. Quelques expéditions en Italie furent poussées assez loin mais furent arrêtées par les Alamans.

De toutes ces aventures il est malaisé de faire un récit cohérent par absence presque totale de documents.

Comment le fort roy clodouee
fut couronne apres la mort
son pere et comment il rendit
lorcel a saint Remy

Clovis et le vase de Soissons. *(Grandes Chroniques de France, XVᵉ siècle)*

faisant a qui il appartenoit aux offices. Cy fine le second livre des croniques de france des fais et histoires aux iiii. filz le fort roy clovis.

Cy commence le iiie livre coment les quatre filz au roy clotaire partirent le royaume en iiii. parties si que chascun vint au sien royaume.

Apres la mort au roy clotaire fu le royaume departi aux quatre freres. mais chilperich qui le plus saige et le plus malicieux estoit que nul des autres a qui il ne souffist une tele partie comme il devoit avoir par droit sort, ala a paris au plustost quil pot et saisy les tresors de son pere

En revanche, la période de 561 à 595, qui est celle des petits-fils de Clovis, est la moins mal connue de l'histoire mérovingienne car Grégoire de Tours, contemporain des événements, les a notés avec exactitude.

Clotaire Ier, ayant laissé quatre fils, le partage du *regnum* recommença après trois ans seulement d'unité.

La succession allait se révéler difficile, des mésintelligences entre les héritiers s'étant révélées immédiatement.

Chilpéric était né d'un rapport incestueux de Clotaire avec la sœur de la reine Ingonde. Craignant d'être lésé, il prit les devants. Il mit la main sur le trésor de son père et s'installa à Paris.

Les fils d'Ingonde, enfants légitimes, se dressèrent contre lui et Chilpéric dut se contenter du plus mauvais lot, Soissons et sa région. Charibert eut le royaume de son oncle Childebert avec Paris, Gontran eut le royaume de Clodomir, avec Orléans comme capitale, augmenté de la Bourgogne, ce qui le fit résider ordinairement à Chalon-sur-Saône. Le dernier, Sigebert, reçut l'ancien lot de Théodoric, à savoir les dangereuses marches de l'Est.

Charibert mourut jeune, en 567, et son lot fut divisé. Sigebert, sous le nom de roi d'Austrasie, prit le Vendômois, Tours, le Poitou, une partie de l'Aquitaine. Gontran obtint la Saintonge, l'Angoumois, le Périgord, l'Agenais, le Nantais. Chilpéric reçut de tous les côtés : le cours inférieur de la Seine, la Normandie, le Maine et l'Anjou, le Limousin, Toulouse et Bordeaux, Dax, la Bigorre, le Comminges, le Béarn. D'un commun accord, Paris et son territoire furent neutralisés.

Ce partage incohérent, réalisé en 568, fait clairement comprendre l'incapacité politique des Mérovingiens.

Sigebert, le seul des frères dont les mœurs soient pures, contracte une belle alliance avec Brunehaut, fille du roi des Wisigoths. Pour ne pas être en infériorité, Chilpéric demanda et obtint la main de Galswinthe sœur de Brunehaut. Ce mariage ne fut pas heureux : Galswinthe fut trouvée morte dans son lit, étranglée, vraisemblablement par Frédégonde, maîtresse de Chilpéric, qui se fit épouser après le veuvage du roi.

Les rivalités de Brunehaut et de Frédégonde ont passé dans la légende et l'imagerie.

Sigebert, en dépit de ses vertus domestiques, était peu scrupuleux dans le domaine politique et il tenta d'enlever Arles à son frère Gontran, entreprise qui échoua piteusement.

Encore moins scrupuleux, Chilpéric refusa de rendre le douaire de Galswinthe et demanda une compensation, pour le cas où il serait forcé d'obtempérer. Les fils qu'il avait de la reine Audovère, Clovis et Thibert entrèrent en guerre avec Sigebert. Celui-ci ne se sentant pas en force fit appel aux nations d'outre-Rhin.

Chilpéric refusa le combat à Havelu (574) et restitua les territoires conquis par ses fils. Mais les forces d'outre-Rhin, imprudemment sollicitées par Sigebert, pillèrent l'Ile-de-France. Chilpéric récidiva. Sigebert rappela les nations d'outre-Rhin. Après avoir marché sur Reims, Chilpéric s'enferma dans Tournai. Son fils Thibert avait été tué au combat. Sigebert paraissait assuré de la victoire quand il fut assassiné par deux séides de Frédégonde (575).

Chilpéric crut pouvoir s'emparer du royaume de Childebert. Mais le fils de celui-ci, Heudebert, avait été miraculeusement enlevé et, bien qu'il n'eût que cinq ans, on le fit proclamer roi.

Un autre coup de théâtre se produisit : Mérovée, dernier fils de Chilpéric et d'Audovère, épousa Brunehaut. La veuve de Sigebert était jeune et belle, ce qui explique en partie cette union qui fut considérée comme incestueuse. Chilpéric fit casser le mariage, interna son fils et pardonna à Brunehaut.

Clovis, frère de Mérovée, fut victime de la haine de Frédégonde qui le fit assassiner. Les débordements de cette reine en furie allaient s'aggraver et parer son nom d'une réputation sinistre.

Ayant perdu ses enfants, Chilpéric adopta son neveu Childebert II. Il le regretta vite car un autre fils lui naquit qui sera Clotaire II. Peu après, Chilpéric périt assassiné (584).

La chronique de Grégoire de Tours s'arrêtant à l'an 591, on connaît moins bien la suite des événements.

On sait cependant que Frédégonde essaya de faire assassiner Childebert II et Gontran, que Brunehaut fit, de son côté, mettre à mort tous ceux qui la gênaient à la cour de Childebert II. Tout est horrible dans cette période où, suivant une formule célèbre, « le pouvoir absolu est tempéré par l'assassinat ».

Childebert II et Gontran, s'étant unis devant le danger représenté par la férocité de Frédégonde, contractèrent une alliance à Andelot et on procéda de nouveau au partage de la succession de Charibert. Ce nouveau partage dépassa peut-être en incohérence tous les précédents puisque Paris fut divisé en trois parts. Toutefois, l'acte de partage semble, pour la première fois, avoir délimité les frontières exactes des divers royaumes et réglé le problème délicat des droits de passage.

Ci-contre : Chilpéric et ses trois frères partagent le royaume de Clotaire à sa mort devant Paris. *(Grandes Chroniques de France,* enluminées par Jean Fouquet.)

« Comment à la mort de Clovis le royaume fut départi entre les quatre frères. »
(Grandes Chroniques de France, XIVe siècle.)

Gontran transmet son royaume à son neveu Childebert devant Orléans. *(Grandes Chroniques de France,* enluminées par Jean Fouquet.)

Les rapports entre Gontran et Childebert II redevinrent orageux mais Gontran mourut le 28 mars 592 ; Childebert II hérita de lui mais le suivit de peu dans la tombe car il mourut, âgé seulement de vingt-cinq ans, à la fin de 595.

On ne possède, pour connaître la suite des événements, qu'un manuscrit latin portant le N° 10 910 à la Bibliothèque nationale nommé *Compilation de Frédégaire.* Ce document est malheureusement très succinct et l'on doit s'y référer avec précaution.

On arrive aux problèmes qui se posèrent aux arrière-petits-fils de Clovis. Childebert II laissait deux fils : l'aîné Thibert reçut en partage l'Austrasie, avec Metz pour capitale, le second Thierry la Bourgogne, avec Orléans pour capitale. En face d'eux se dressait le fils de Chilpéric, Clotaire II.

Celui-ci perdit sa mère Frédégonde, ce qui redoubla l'influence de Brunehaut à la cour de son petit-fils.

Clotaire II voulut reprendre le territoire entre Seine et Loire qui appartenait à Thierry : une bataille eut lieu, près d'Etampes, en 604. Clotaire II fut battu et son fils fait prisonnier.

En dépit de ce succès, les fils de Childebert, au lieu de s'unir, commencèrent à s'entredéchirer.

A droite : La mort de Brunehaut. *(Miroir historial,* de Vincent de Beauvais, XVe siècle.)

Ci-dessous : L'acte le plus ancien que possèdent les archives de France : une confirmation par Clotaire II d'une donation faite à l'abbaye de Saint-Denis d'un terrain situé dans Paris. Il est daté de 625 (juin ou juillet.)

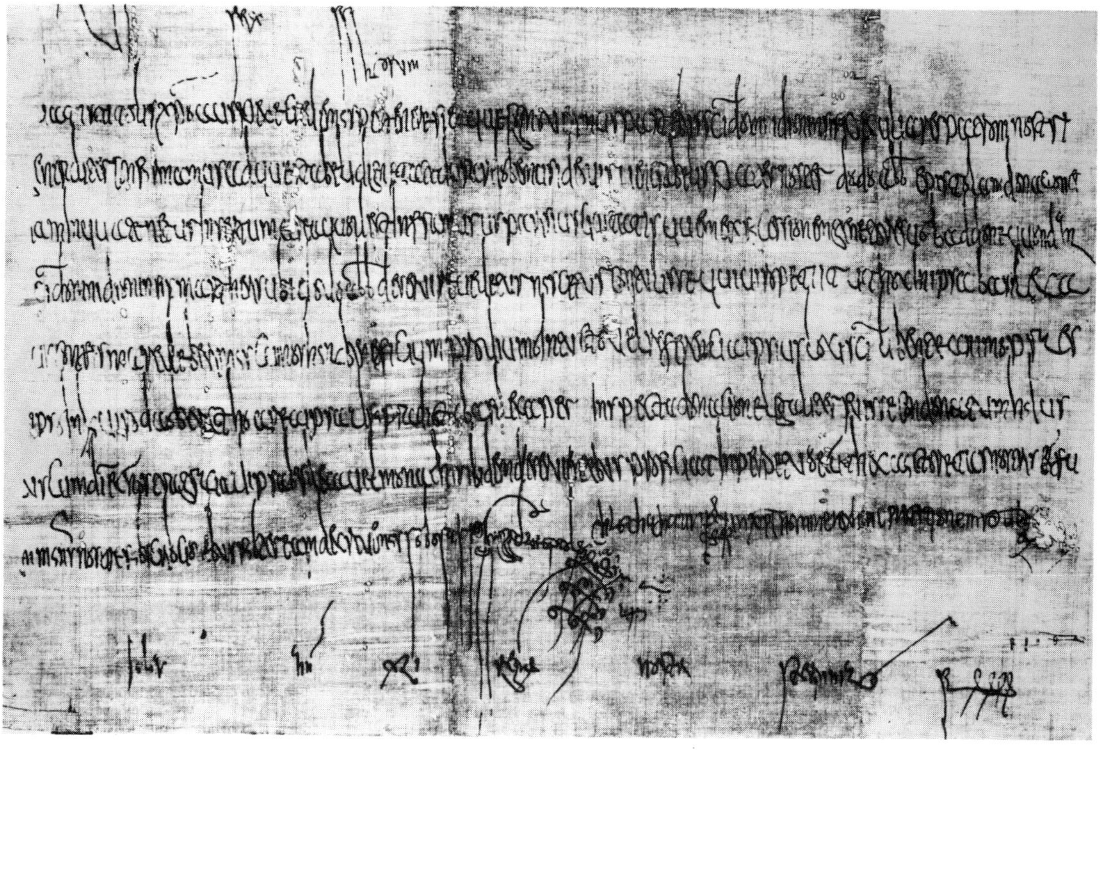

Ci-dessus : Le roi Dagobert fonde l'abbaye de Saint-Denis. *(Grandes Chroniques de France,* XVe siècle.)

A gauche : Charles Martel et les Sarrasins à la bataille de Poitiers. *(Grandes Chroniques de France,* XIVe siècle.)

En 610, Thibert envahit l'Alsace qui appartenait à son frère et Thierry fut contrait de céder son territoire. Il n'accepta pas ce coup de force et se rapprocha de son cousin Clotaire II. A la bataille de Toul, en 612, Thibert fut complètement battu, fait prisonnier, déchu de la royauté. Brunehaut le fit tondre et vraisemblablement mettre à mort.

Clotaire II voulut se faire payer le prix de son alliance. Thierry répondit par une déclaration de guerre, mais il mourut de dysenterie à Metz. Brunehaut restait maîtresse du trône d'Austrasie et elle essaya de faire reconnaître un de ses arrière-petits-enfants, Sigebert.

L'opération fut contrariée par l'évêque de Metz, Arnoul, très important personnage d'où descendra la race des Pipinnides, futurs Carolingiens. Clotaire II, appelé à la rescousse par le parti d'Arnoul, envahit l'Austrasie, se saisit de Brunehaut et tua les fils de Thierry. Le supplice de Brunehaut, en 613, a passé dans la légende ; la vieille reine criminelle fut torturée pendant trois jours, exhibée à l'armée chevauchant un chameau, puis attachée par un pied et un bras à la queue d'un cheval fougueux qui la mit en pièces.

On le voit, Clotaire II était un homme spécialement énergique. Sa politique brutale porta ses fruits puisque par élimination physique de tous ses rivaux il refit l'unité et, comme son grand-père et homonyme, il régna sur la totalité du royaume des Francs.

Du règne de Clotaire II date la division administrative du royaume en Austrasie et Neustrie qui représentent à peu près l'Est et l'Ouest.

L'événement principal du règne de Clotaire II est le concile qu'il fit tenir à Paris en octobre 614. Soixante-dix neuf évêques y participèrent et il en sortit un texte capital : la *Constitutio Cloteriana* qui réglait les principes généraux de gouvernement.

Pour assurer sa succession, Clotaire II fit couronner son fils Dagobert comme roi d'Austrasie en 622. Puis, en 625, quand Dagobert eut atteint sa majorité, il le maria avec Gomatrude, sœur de la reine Sichilde.

Deux jours plus tard, une querelle violente éclatait entre le père et le fils, Dagobert réclamant la totalité du royaume d'Austrasie. Clotaire II dut céder la Champagne, mais il conserva l'Aquitaine.

Une tentative de révolte de la Neustrie est le dernier événement marquant du règne de Clotaire II qui mourut en 629, après quarante-six ans de règne, et fut enseveli dans la basilique de Saint-Vincent, aux environs de Paris.

DAGOBERT
(629-639)

LE RÈGNE DE DAGOBERT, qui ne dura que dix ans, représente le dernier éclat jeté par la dynastie mérovingienne ; après la mort du roi tout se diluera ; on entrera dans la période stigmatisée du titre d'époque des « rois fainéants », période où l'autorité passera peu à peu entre les mains de grands fonctionnaires, les maires du Palais, qui donneront un jour naissance à une dynastie nouvelle.

Dagobert se présente comme un homme énergique, bien secondé par son ministre saint Éloi. Nous savons qu'il eut une vie privée agitée et diverse puisque l'on compta trois reines, Nanthilde, Vulfégonde et Berthilde, sans compter de nombreuses concubines, en sus de l'épouse légitime. Sur ces reines on ne sait absolument rien et la chronique même du règne est douteuse, mais on connaît suffisamment d'éléments pour conclure qu'il s'agit encore d'un grand règne qui intéresse la totalité du royaume.

Dagobert avait un frère puîné, Charibert, qui résidait à Paris et fomenta tout de suite un complot, avec l'appui de son oncle Brodulf, dans le dessein d'évincer Dagobert et de régner à sa place.

Sans hésiter, Dagobert leva des troupes en Austrasie et donna ordre à la Bourgogne et à la Neustrie de lui obéir. A Soissons, il se fit reconnaître par les évêques de Bourgogne et de Neustrie et fut considéré comme seul roi.

La conjuration de Brodulf avait échoué. Mais Dagobert, plus humain que ses ancêtres, ne fit pas mettre à mort son frère Charibert. Pour celui-ci, qui passait pour simple d'esprit, il constitua pour la première fois un « apanage ». Charibert fut chargé d'administrer les régions suivantes : Tousain, Cahorsin, Agenais, Périgord et Saintonge avec tout le territoire jusqu'aux Pyrénées. Il fut entendu, par un pacte de famille, qu'il ne réclamerait rien du royaume de son père et sa résidence fut fixée à Toulouse. Comme Charibert mourut en 632, on peut considérer que Dagobert avait parfaitement résolu un problème qui pouvait être malaisé et qui disparut de lui-même car le fils de Charibert, Chilpéric, mourut en bas âge. Certains chroniqueurs assurent que ce furent les partisans de Dagobert qui le supprimèrent.

Dès qu'il eut réglé le sort de son cadet, Dagobert entreprit une tournée en Bourgogne qui affermit d'autant plus son autorité qu'au cours de son voyage il fit mettre à mort Brodulf pour le punir d'avoir conspiré contre lui.

Ce fut pendant le même voyage qu'il répudia la reine Gomatrude, prit pour femme une des filles de service, Nanthilde et la fit reine.

Après la Bourgogne, Dagobert visita l'Austrasie. Arnoul était entré au cloître et avait été remplacé par Cunibert, évêque de Cologne. Celui-ci était conseillé par un véritable maire du Palais, Pépin de Landen, proche parent d'Arnoul et qui est l'un des plus anciens Pipinnides identifiés. Dagobert trouva Pépin de très bon conseil et se rangea volontiers à ses avis, ce qui devait être d'une très grande importance par la suite.

Dagobert établit sa résidence à Paris et l'Austrasie fit comprendre qu'elle se sentait par trop délaissée. Elle réclama un roi et Dagobert dut la satisfaire. Il plaça sur le trône d'Austrasie un enfant de trois ans, Sigebert, qu'il avait eu de sa concubine Raintrude. Pour éviter que ce fils illégitime tentât un jour de s'emparer de la totalité du *regnum,* il fit jurer aux grands d'Austrasie d'assurer la couronne de la Neustrie et de la Bourgogne au fils que lui avait donné Nanthilde, fils qui règnera sous le nom de Clotaire III. Ainsi se matérialisa cette division entre Neustrie et Austrasie qui avait été effectuée seulement sur le plan administratif par Clotaire II.

Somme toute mieux affermi sur son trône que ses prédécesseurs, Dagobert put mener plusieurs guerres heureuses tant en France qu'au-delà des frontières.

En 637, les Gascons s'étaient révoltés, ravageaient les régions confiées auparavant à Charibert. Dagobert leva une armée franque en Bourgogne, sous les ordres d'un généralissime nommé Chadoind. Les Gascons refusèrent le combat et se terrèrent dans les vallées et les gorges des Pyrénées. L'armée de Dagobert les poursuivit dans leurs refuges, en tua beaucoup, brûla les maisons et enleva les troupeaux. Ces opérations brutales portèrent leurs fruits et l'année suivante (637) les grands personnages d'Aquitaine avec leur duc nommé Aegina vinrent faire leur soumission à Clichy où séjournait Dagobert et, fait remarquable, ils demeurèrent fidèles à leur serment.

Les Bretons dont on redoutait les entreprises tinrent compte de la leçon donnée aux Aquitains

Le roi Dagobert à la chasse. (XIVe siècle.)

res la mort du

et de son propre chef leur prince, Judicaël, après avoir été pressenti par saint Éloi, vint également faire sa soumission à Clichy.

La réputation internationale de Dagobert sortit fortement grandie de ses actes d'autorité ; il apparut comme un très grand souverain avec lequel il était prudent de compter.

Aussi put-il conclure avec l'empereur byzantin un traité de paix perpétuelle.

En Espagne, Dagobert aida Sisenand à détrôner le roi Svintila par une opération militaire menée par une armée franque, levée en Bourgogne, rassemblée à Toulouse et conduite jusqu'à Saragosse. Plus qu'une guerre de prestige c'était une opération financière car Dagobert désirait obtenir le *missoire* en or offert jadis par Aétius au roi Thorismond, pièce d'orfèvrerie qui pesait cinq cents livres et était l'orgueil du trésor des rois wisigoths. On le lui refusa mais il fut dédommagé par un versement de deux cent mille sous d'or, ce qui représenterait peut-être plusieurs milliards de francs d'aujourd'hui (633).

Des marchands francs ayant été pillés et tués par les Slaves, Dagobert exigea une réparation ; il leva une armée non seulement en Austrasie mais aussi chez ses sujets alamans. Ce fut la seule entreprise malheureuse de son règne, car l'armée levée par ses soins fut battue à plate couture par les Slaves qui ravagèrent la Thuringe et menacèrent l'Austrasie.

On mesurera le prestige que s'était acquis Dagobert en soulignant qu'en dépit de leurs succès militaires les Slaves vinrent faire leur soumission l'année suivante en apprenant que le roi avait assemblé une nouvelle armée pour délivrer la Thuringe.

Dans cette région libérée, Dagobert installa un duc particulier, Radulf, qui parut d'abord s'acquitter correctement de sa mission, puis, dévoré par l'ambition, vint menacer le petit Sigebert en Austrasie.

Si Dagobert n'avait pu vaincre complètement les Slaves, du moins était-il arrivé à limiter leur progression, ce que Byzance, par la suite, se révéla incapable de faire.

La sixième année de son règne sur l'Austrasie et la dixième sur le *regnum,* en 638, Dagobert commença à souffrir d'un flux de ventre dans son domaine d'Epinay, près de Paris. Il se fit aussitôt porter à la basilique de Saint-Denis. Se sentant perdu, il fit ses suprêmes recommandations à la reine Nanthilde et l'invita à aider leur fils Clovis à monter sur le trône. Il fut enseveli à Saint-Denis, qu'il avait magnifiquement enrichi et décoré et où il avait institué le chant perpétuel. Quand Dagobert mourut, le 19 janvier 639, il n'avait que trente-six ans.

Grâce à l'énergie de la reine Nanthilde, l'enfant-roi Clovis II fut reconnu par les leudes de Neustrie et de Bourgogne. Les Austrasiens réclamèrent alors une part du trésor de Dagobert et il fallut les satisfaire.

Nanthilde exerça la régence avec l'aide d'un homme de confiance de Dagobert nommé Aega, qui se trouva, en fait, véritable maire du Palais. Mais Aega mourut malheureusement en 642. Son gendre Ermenfred ayant mis à mort un grand dignitaire, le comte Chainulf, il en résulta un soulèvement et la reine Nanthilde ne put empêcher les pillages et les massacres. Ermenfred s'enfuit en Austrasie et chercha refuge dans la basilique de Saint-Remi à Reims. Par son meurtre inconsidéré il avait perdu toute chance de succéder à Aega. Nanthilde remplaça celui-ci par Erchinoald qui devint maire du Palais. Deux ans plus tôt, Pépin de Landen était mort à Metz et l'Austrasie s'agitait.

On entrait dans une période difficile qui va durer un siècle, celle que l'histoire a appelée le temps des « rois fainéants » et qui serait dénommée plus justement celui des « maires du Palais ».

LES ROIS FAINÉANTS (639-741)

Ce siècle qui va de la mort de Dagobert à l'avènement d'une nouvelle dynastie peut assez commodément se diviser en deux périodes, la première étant celle des rivalités entre Austrasie et Neustrie, la seconde représentant de nouveau une France à peu près unifiée, mais dont le gouvernement est passé des mains de rois inconsistants à celle de maires du Palais de plus en plus énergiques.

A la mort de Pépin de Landen, en 640, son fils Grimaud lui avait succédé dans sa charge avec l'accord de la reine Nanthilde qui nomma pour

« A la mort du bon roy Dagobert les barons firent homage à son fils lequel était enfant encore assez petit d'âge. » *(Chroniques de Saint-Denis,* XVe siècle.)

la Bourgogne comme successeur d'Aega le Franc Flaochat à qui elle donna sa nièce en mariage.

Puis la reine Nanthilde mourut et Flaochat gouverna en fait sous le roi nominal Clovis II. Après de sombres drames, Flaochat mourut assez mystérieusement à Saint-Jean-de-Losne, vers 642.

Après cette date, le seul texte connu, le *Liber Historiae Francorum,* est fort médiocre et ne peut être utilisé qu'avec précaution.

On sait approximativement que Clovis II mourut en 657 à peu près dément. Un fils du maire du Palais Erchinoald, successeur de Flaochat, et né d'une servante du palais, Bathilde, une Anglaise, régna sur la Neustrie et la Bourgogne sous le nom de Clotaire III.

A peu près en même temps régnait sur l'Austrasie Sigebert III, frère de Clovis II, avec Grimaud comme maire du Palais. Ce règne dont on ne connaît à peu près rien fut marqué par une guerre malheureuse contre le duc Radulf de Thuringe. Sigebert III, roi purement nominal, mourut le 1er février 656, âgé de vingt-sept ans.

Il laissait, de la reine Himnechilde, un fils Dagobert, quand se produisit un fait surprenant. Grimaud, fils de Pépin de Landen, avait formé le projet de s'emparer du trône et, pour mener à bien son dessein, il avait fait adopter son propre fils Childebert par le roi Sigebert III dans des circonstances mal connues. Gouverneur du petit Dagobert, il le fit tondre et interner dans un monastère en Irlande, puis Grimaud régna sous le nom de son fils Childebert « l'adopté ». C'était la première grande manifestation de la vocation souveraine des Pipinnides ; elle n'avait que le tort de venir un siècle trop tôt. Mais la tentative n'aboutit pas. Grimaud fut renversé par un groupe de grands, livré à Clotaire III, jeté en prison où il mourut tandis que son fils Childebert disparaissait mystérieusement (662).

Dagobert II, considéré à tort comme mort, le royaume serait revenu à Clotaire III ; mais la reine Bathilde, tutrice de celui-ci, eut l'idée de proposer comme roi aux Austrasiens son second fils qui fut Childéric II.

Puis, vers 665, Bathilde fut écartée par les grands de Neustrie et enfermée au monastère de Chelles, où elle mourut vers 680 ; elle fut ensuite portée sur les autels.

Au majorat de Neustrie, un personnage sinistre, Ebroïn, avait pris la suite d'Erchinoald. A la mort de Clotaire II, Ebroïn plaça sur le trône de Neustrie le frère du roi défunt : Thierry III. C'était un simple d'esprit et les grands de Neustrie comprirent qu'Ebroïn voulait la couronne pour lui-même. Avec l'aide du roi d'Austrasie Childéric II, Ebroïn fut destitué, tondu et enfermé au monastère de Luxeuil. Il fut remplacé par l'évêque d'Autun, Léger, qui fut rapidement disgracié et alla rejoindre Ebroïn à Luxeuil.

Un parti antiaustrasien se forma en Neustrie. On remit sur le trône Thierry III, écarté par Ebroïn, et l'on nomma maire du Palais le fils d'Erchinoald, Leudesius, mais son ministère fut de courte durée car Ebroïn s'échappa de Luxeuil, mit à mort Leudesius et redevint maire, exerçant le pouvoir sous le couvert de Thierry III. Ebroïn allait se montrer un tyran impitoyable ; il commença par supplicier l'évêque Léger à qui il fit couper la langue et les lèvres, puis le traduisit devant un concile : celui-ci dégrada Léger qui fut exécuté (679).

Ebroïn conçut alors le dessein de soumettre l'Austrasie. Celle-ci tira alors de son monastère irlandais Dagobert II, mais ce roi périt assassiné aussitôt après avoir été replacé sur le trône.

La vacance du trône d'Austrasie favorisa le retour des Pipinnides comme maires du Palais. L'un d'eux, Pépin d'Héristal, fils d'Anegisel (lui-même fils né d'un mariage de l'évêque Arnoul avant son entrée dans les ordres) et de la sœur de Grimaud s'empara du pouvoir en Austrasie, et gouverna sous le couvert de Thierry III.

Un conflit éclata avec la Neustrie et l'Austrasie eut le dessus. Peu après, Ebroïn, vaincu, fut abattu par ses lieutenants (vers 683).

Une nouvelle guerre éclata entre Austrasie et Neustrie. Pépin d'Héristal fut vainqueur à Tertry (687) et Thierry III s'enfuit, ce qui consacrait la mainmise de l'Austrasie sur la Neustrie, où Pépin trouva sage de maintenir la fiction royale par les rois « fainéants » Clovis III, puis Childebert III et enfin Dagobert III, souverains fantoches dont on ignore à peu près tout.

L'unité, pratiquement rétablie sous la poigne de Pépin d'Héristal, permit de faire face aux nouvelles invasions, et de reprendre en main le sud de la Loire que les carences royales avaient laissé redevenir à peu près autonome.

Pépin d'Héristal mourut en 714 ; sa veuve, Plectrude, entreprit de gouverner l'Etat au nom de ses petits-enfants et elle emprisonna Charles, un fils naturel que Pépin avait eu d'une concubine, Aupaïs.

Ce Charles, qui portera dans l'histoire le nom de Martel, était appelé à une destinée exceptionnelle qui changera le cours des événements.

Charles s'échappa de la prison où le retenait

Bataille de Charles Martel, échappé de la prison où l'a mis Plectrude sa marâtre, contre Chilpéric à Vinci près de Cambrai. *(Grandes Chroniques de France.)*

Plectrude et fit d'abord sans succès la guerre aux Frisons.

Les Neustriens, irrités de la véritable usurpation de Plectrude, profitèrent de la mort de Dagobert III en 715 pour tirer du cloître un fils de Childéric II et le proclamèrent roi sous le nom de Chilpéric II. A leur retour les Neustriens se heurtèrent aux troupes de Charles qui les battit à Amblève (717) et leur refusa la paix.

Puis il se fit livrer par Plectrude le trésor de Pépin d'Héristal et pour consolider sa situation il plaça sur le trône un fils de Thierry III sous le nom de Clotaire IV (718). Ce roi ne put régner et l'on perd sa trace. Charles fut alors d'accord pour remettre Chilpéric II sur le trône, mais le roi mourut peu après, en 721.

Toujours par prudence, car le souvenir de Grimaud était proche, Charles chercha encore un Mérovingien et l'on tira du monastère de Chelles un fils (au moins supposé) de Thierry III dont il fit le roi Thierry IV. A côté de ce roi inconsistant, Charles Martel fut maire du Palais. Il refoula par trois fois les Saxons mais ne put annexer leur territoire. Il intervint également en Bavière (725) et y nomma un roi, Odilon, faisant promulguer la loi des Bavarois par Thierry IV.

La grande idée politique de Charles Martel fut de dominer les voisins dangereux en les faisant christianiser, tâche dans laquelle il fut encouragé par le pape Grégoire II et secondé par un célèbre missionnaire anglais, Boniface, qui devint archevêque, ayant sous son obédience les évêchés de Wurzbourg, d'Erfurt, d'Eischtadt, de Salzbourg, de Passau et de Ratisbonne.

Toutes les activités considérables de Charles Martel son dominées dans l'Histoire par sa lutte victorieuse contre les musulmans qui le firent considérer comme le sauveur de la chrétienté.

Le duc Eudes d'Aquitaine, après avoir longtemps combattu Charles Martel, vit apparaître un danger nouveau venu d'outre-Pyrénées. En 711, les Arabes avaient occupé l'Espagne wisigothique ; en 719, ils attaquèrent la Septimanie et s'emparèrent de Narbonne en 720. Battus un moment par Eudes en 721, ils repassèrent à l'offensive et, en 725, Carcassonne tomba entre leurs mains ; un raid musulman poussa une pointe jusqu'à Autun.

La situation s'aggrava encore en 731. Le chef Abd-er-Rhaman, passa les Pyrénées et marcha sur Bordeaux, qu'il pilla. Eudes vint demander secours à Charles Martel. Celui-ci rassembla ses forces et se dirigea vers le Sud. Il ne parvint pas à empêcher le pillage de l'abbaye de Saint-Hilaire à Poitiers mais, au nord de cette ville, il arrêta les troupes musulmanes (732) dans une bataille sanglante ou Abd-er-Rhaman perdit la vie.

Les musulmans se débandèrent et repassèrent les Pyrénées. La bataille de Poitiers, un simple incident dans la vie de Charles Martel, a assuré sa gloire. Mais ce combattant infatigable soumit la Frise en 734, tenta d'annexer l'Aquitaine à la mort d'Eudes (735), mata la Bourgogne en révolte en 736 et occupa Marseille. En 736, les musulmans tentèrent une nouvelle fois d'occuper la Septimanie et s'infiltrèrent dans la vallée du Rhône ; ils furent écrasés par Charles à Leucate, près de Narbonne.

En 737, Thierry IV mourut. Charles ne le remplaça pas mais ne s'empara pas de la couronne et ne tenta pas d'y imposer ses fils Pépin (dit le Bref) et Carloman.

Pour financer ses énormes expéditions militaires, Charles Martel, qui était pourtant un homme pieux, en avait été réduit à taxer le clergé et à mettre la main sur un certain nombre de biens d'Eglise. Cette spoliation revêtit un caractère de brutalité qui souleva contre lui le monde ecclésiastique. A titre de comparaison, les confiscations de biens d'Eglise opérées par Charles Martel ne retrouveront d'équivalence qu'à la Révolution française.

Bien que n'ayant pas ceint la couronne, Charles Martel disposa de l'héritage du *regnum*. A son fils aîné, Carloman, il attribua l'Austrasie, l'Alémanie, la Thuringe ; au puîné, Pépin, la Neustrie, la Bourgogne et la Provence.

D'une concubine bavaroise Swanchilde il avait un bâtard nommé Grifon. Il lui assigna des terres dispersées en Neustrie, en Bourgogne et en Austrasie mais sans autorité politique.

Nulle désignation de roi n'était prévue dans ce testament de véritable chef d'Etat.

Il mourut en 741, ayant accompli une œuvre immense dont ses descendants allaient rapidement bénéficier et les conduire à la souveraineté.

PÉPIN LE BREF ET LES PIPINNIDES (741-768)

CHARLES MARTEL DISPARU, tout parut être à recommencer ; l'unité rétablie était remise en cause par le partage.

Des difficultés familiales compliquèrent encore les problèmes : Hiltrude, sœur de Pépin et de Carloman, s'enfuit en Bavière et, contre la volonté de ses frères, y épousa le duc Odilon, que Charles Martel avait investi. De surcroît, Grifon, ayant suscité des difficultés, ses demi-frères l'internèrent à Neufchâteau en Luxembourg (741).

L'Aquitaine se révolte et il faut envisager une expédition punitive qui se traduit par le sac de Bourges ; au retour de la campagne, les Alamans déclarent la guerre puis se soumettent. Puis, l'année d'après, les deux frères entrent en guerre contre le beau-frère qu'ils n'ont pas voulu, le duc Odilon ; l'armée franque arrivée sur l'Inn, Odilon s'enfuit et voit amputer son royaume.

Pépin et Carloman ont alors la sagesse de comprendre que la vacance du trône favorise les troubles ; ils dénichent dans un cloître un dernier Mérovingien et le placent sur le trône sous le nom de Childéric III, qui se montrera encore plus impuissant que ses prédécesseurs (743).

Pour mater une nouvelle révolte des Alamans, les deux frères reprennent l'œuvre de christianisation qui est menée à bien par l'archevêque Boniface, avec la bénédiction du pape Zacharie.

Les Alamans mis à la raison, il faut de nouveau mater l'Aquitaine. Puis, en 747, Carloman, las du pouvoir et tourmenté par des scrupules de conscience, prend le monde en horreur et devient moine au Mont-Cassin. Il confie son fils Drogon à Pépin, qui exercera seul le pouvoir.

Pépin le Bref était un grand esprit, mais on sait très peu de choses sur sa vie privée. Il devait, croit-on, son surnom à sa petite taille. L'imagerie le représente comme un homme très courageux ne craignant pas d'affronter les bêtes fauves dans les jeux du cirque. Son œuvre prouve qu'il possédait une forte tête politique, probablement la meilleure de la dynastie.

Il saisit parfaitement la puissance de l'Eglise et comprit quelle faute son père avait commise en se l'aliénant. Revenir sur les confiscations de Charles Martel était impossible car les finances de l'Etat auraient croulé. On chercha une transaction dont Carloman avait été l'instigateur.

On reconnaît aux établissements ecclésiastiques spoliés de leurs biens leur droit de propriété. Ce principe acquis, il est entendu que les évêchés et les monastères concèdent aux guerriers les domaines enlevés et cela à titre précaire moyennant un « cens » annuel fixé à un sou d'or par manse. A la mort du précariste, le bien reviendra à l'Eglise propriétaire, à moins que la nécessité du service d'Etat n'oblige à renouveler la précaire au bénéfice d'un autre titulaire. Ces principes, qui permettaient la réconciliation de l'Eglise et de l'Etat, en conservant de grands avantages pour ce dernier, furent codifés par Pépin au synode neustrien de Soissons (2 mars 744). Comme le nouveau régime assurait au clergé une subsistance raisonnable, Pépin le reprit en main, avantage dont il tira rapidement le meilleur.

Lors de la retraite de son frère, il s'était cru suffisamment fort pour remettre Grifon en liberté. C'était un mauvais calcul ; le bâtard suscita d'abord une révolte des Saxons, puis, à la mort d'Odilon, il s'adjugea la Bavière : les Bavarois ne l'admirent point ; ils livrèrent Grifon à Pépin. Celui-ci, après avoir établi en Bavière son neveu Tassilo III, pardonna à Grifon et lui concéda un apanage de douze comtés de Neustrie avec Le Mans pour capitale. Mécontent de son lot, Grifon s'enfuit en Aquitaine laissant Pépin seul maître du jeu.

En 750, Pépin, las des agitations et des révoltes, jugea le moment favorable pour consolider son autorité. Au cours de l'année il députa auprès du pape Zacharie deux hommes de confiance, le chapelain Fulrad et l'évêque de Wurzbourg, Burchard. Ils étaient chargés d'une consultation de principe : « En France, les rois n'exercent plus le pouvoir royal. Est-ce un bien, est-ce mal ? »

L'annaliste officiel ajoute : « Le pape Zacharie manda à Pépin que mieux valait appeler roi celui qui exerçait le pouvoir effectivement que celui qui ne l'exerçait que de nom. Il enjoignit qu'on fît roi Pépin pour que l'ordre ne fût pas troublé. »

C'est une version officielle : bien entendu, le Pape ne donna aucun ordre mais il comprit à demi-mot. Il connaissait l'importance des Pipinnides et pensait faire appel à leur aide contre les incursions des Lombards.

Lutte de Pépin le Bref et de son frère Grifon en Bavière. Pépin est sacré par le pape Étienne à Soissons. *(Grandes Chroniques de France,* enluminées par Jean Fouquet.)

Pépin fut donc élu roi « selon la coutume des rois francs » c'est-à-dire élevé sur le pavois dans une assemblée de grands et d'évêques convoquée à Soissons en novembre 751.

Pour la première fois dans l'histoire de France, le nouveau roi, fut, avec l'assentiment papal, sacré à Soissons par l'archevêque Boniface. C'était là un précédent très important qui se renouvellera pour tous les rois de France jusqu'à la Révolution.

Le baptême avait déjà conféré à Clovis un caractère sacré ; mais le roi n'est vraiment devenu un chef religieux que par les onctions du sacre qui faisaient de lui l'élu du Seigneur.

Avant d'être sacré, Pépin, se considérant comme un véritable roi de droit divin, avait jugé inutile de s'embarrasser plus longtemps de Childéric III ; il l'avait fait tondre, et ensevelir dans un couvent, avatar dont les Mérovingiens avaient déjà une longue habitude.

Le changement de dynastie s'était ainsi opéré sans heurts et il ne semble pas qu'il y ait eu d'opposition sérieuse.

L'assentiment à cette usurpation légitime par la Papauté cachait un dessein profond qui allait bientôt être explicité.

Le jour de Noël 753, Pépin fut averti que le Pape allait passer les Alpes pour lui rendre visite.

Ce successeur de Zacharie se nommait Etienne II ; il était de race franque et venait demander au nouveau roi son appui militaire contre les empiètements des Lombards qui occupaient le nord de l'Italie et menaçaient Rome d'une invasion.

Pour accueillir dignement le Pape qui franchissait le Grand-Saint-Bernard, Pépin envoya au devant de lui son fils Charles, le futur Charlemagne.

Celui-ci accompagna le Pontife à Ponthion (dans l'Aisne), où Pépin le reçut le 6 janvier 754.

Après avoir tenté en vain une négociation auprès des Lombards, Pépin se résigna à partir en campagne.

Avant de partir il se fit à nouveau solennellement sacrer par le Pape, en même temps que son épouse, la reine Berthe-au-Grand-Pied, et ses deux fils Charles et Carloman.

Cette cérémonie d'une grande importance politique consolidait encore son pouvoir et le caractère sacré de celui-ci.

Pépin passa les Alpes, battit les Lombards et remit au Pape les territoires qu'il avait conquis sur eux, le duché de Rome et l'exarchat de Ravenne.

Puis, poursuivant l'œuvre de Charles Martel, il s'empara de la Gothie (Languedoc méditerranéen) et occupa Nîmes. Ensuite, il entreprit la soumission de l'Aquitaine et étendit son pouvoir jusqu'aux Pyrénées.

Enfin il se tourna vers la Bavière et amena à composition le duc Tassilo III, qui semblait vouloir contester sa vassalité.

Ces succès militaires se doublaient de succès diplomatiques dont le plus important fut une bonne entente avec l'empereur byzantin qui aurait pu manifester de légitimes rancunes d'être dépossédé de l'exarchat de Ravenne, l'une des dernières possessions de Byzance dans la péninsule italienne.

A la fin du règne, Pépin pouvait considérer que l'ensemble de son royaume contenait, outre la France actuelle, la Belgique, la Hollande, la Rhénanie et la Bavière.

Ce territoire immense, il allait, tout comme un Mérovingien, le partager entre ses fils, ce qui risquait de compromettre les résultats d'une œuvre immense.

Puis après une vie superbement remplie, ce fondateur de dynastie, ce maire du Palais, devenu le premier roi très chrétien, vint mourir à Saint-Denis le 24 septembre 768. Il pouvait être fier de son œuvre.

[illegible] Cy fine le
premier livre le victorieux charlemaine.

Cy commence le second livre des histoires charlemaine. Premierement comment il fut couronne a empereur en leglise saint pierre de romme. Apres comment il condampna par exil ceulx qui avoient laidi lapostolle lyon. Et puis des troubles des terres qui furent par le monde. Et des messaiges et presens aaron le roy de perse.

[L]e iour de la nativite entra lempereur en leglise saint pierre de romme droit en ce point que on [illegible] messe. Lapostolle

Deuxième partie

LES CAROLINGIENS

768-987

Empire et division

Ci-contre : Couronnement de Charlemagne par le pape Léon III dans l'église Saint-Pierre de Rome. *(Grandes Chroniques de France,* enluminées par Jean Fouquet.)

LES CAROLINGIENS

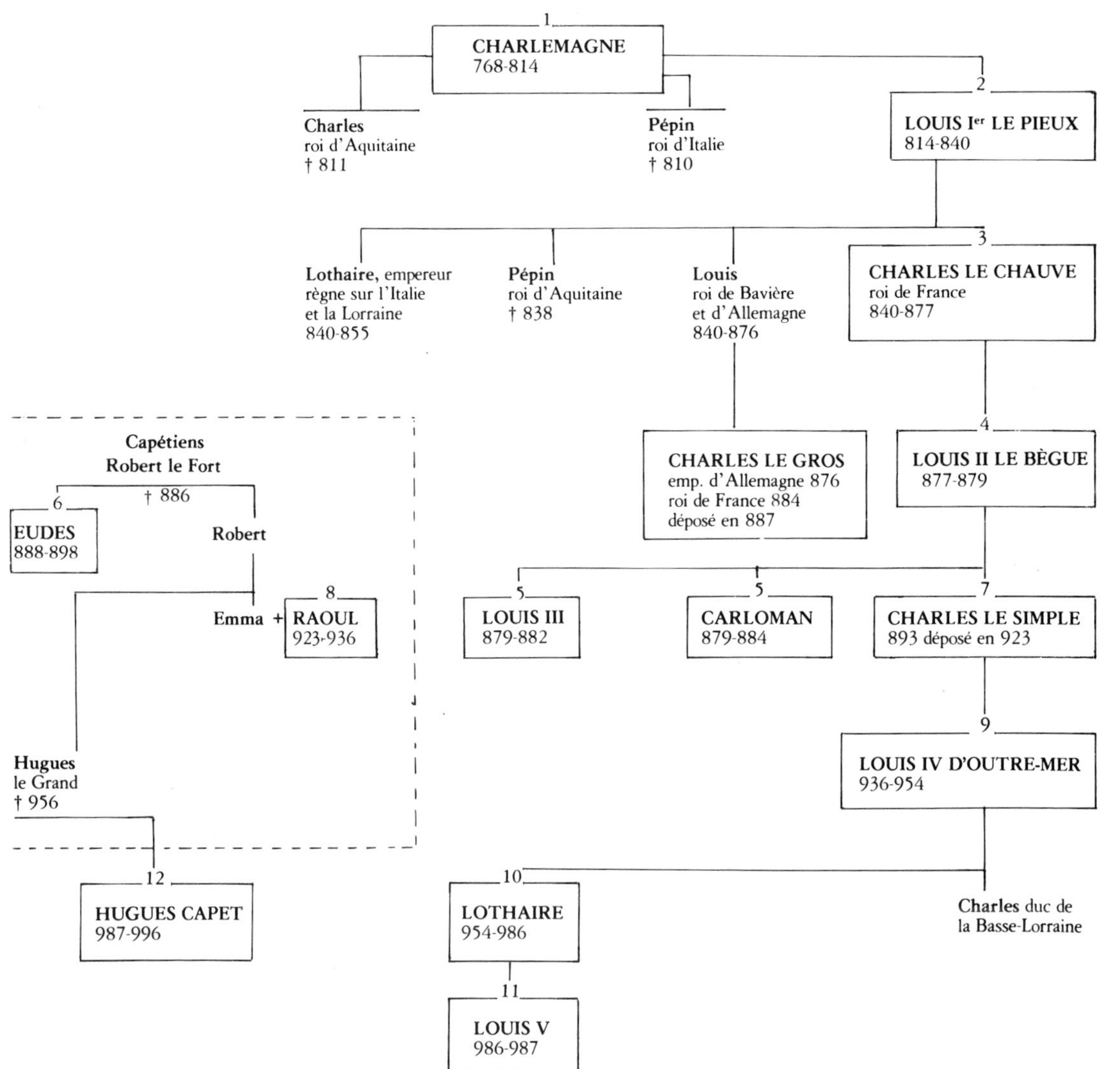

CHARLEMAGNE
(768-814)

AVEC CHARLEMAGNE qui donna son nom à la dynastie carolingienne nous abordons un personnage légendaire. Il appartient autant à l'histoire d'Allemagne, qui le revendique, qu'à l'histoire de France.

Ce fils aîné de Pépin le Bref était né bâtard en 742, puis il fut légitimé par un mariage subséquent.

On connaît assez bien son apparence physique qui ne s'accorde guère avec le gigantesque empereur à la barbe fleurie des chansons de geste. En réalité c'était un homme de taille moyenne, enclin à l'embonpoint. Il passait pour avoir le nez trop long et portait une moustache très fournie.

Par sa mère, la reine Berthe, il descendait des Mérovingiens ce qui établit un lien ténu entre les deux dynasties.

L'Histoire a fini pas considérer Charlemagne comme un génie politique et guerrier, ce qui est assez loin de la réalité ; servi par des circonstances exceptionnelles, il eut un destin beaucoup plus immense que ne le supposaient ses capacités personnelles.

Son éducation avait été négligée au point que pendant longtemps il ne sut pas écrire et l'on ne possède de lui que quelques signatures d'un graphisme presque enfantin. Mais c'était un esprit curieux de tout qui, dans son âge mûr, ne répugna pas à se faire instruire.

Peu avant de mourir, Pépin avait partagé son royaume entre ses deux fils, Charles et Carloman. Le partage était géographiquement très singulier : Carloman recevait la Septimanie, le Toulousain, l'Aquitaine orientale (Auvergne, Limousin et Berry), La Bourgogne, la Provence, Paris avec Soissons, Reims, Metz, Trèves, Strasbourg, un ensemble assez cohérent et peu exposé aux invasions.

Le royaume de Charles avait la forme générale d'un croissant enveloppant celui de Carloman : il partait des Pyrénées, atteignait la Garonne à Agen, couvrait tout l'ouest de la France, la Belgique et la Frise, puis, s'infléchissant à l'est, il englobait sur la rive droite du Rhin la Hesse, le Nordgau bavarois et la Thuringe soit, pour parler le langage du temps, l'Aquitaine occidentale, la Neustrie, l'Austrasie et la Bavière.

Les deux frères furent sacrés le même jour : Charles à Noyon le 9 octobre 768 et Carloman à Soissons. Pour conserver un semblant d'unité une entente était indispensable, mais elle fut rompue, dès 769, lorsque Carloman refusa d'assister son frère, qui voulait mater une révolte en Aquitaine.

Un différend plus grave éclata l'année suivante à propos des Lombards : Carloman tenait pour leur roi Didier, alors que Charles prenait fait et cause pour le pape Etienne III. Le roi Didier, pour mettre les deux frères d'accord, leur offrit ses filles en mariage. Charles était marié à la reine Himiltrude ; il la répudia pour épouser Désirée fille de Didier. Ce n'est pas une aventure isolée dans la vie privée de Charlemagne qui collectionnera concubines et bâtards, Carloman en avait lui aussi, mais il n'était pas encore marié.

Ces mariages célébrés, Didier marcha sur Rome en 771, obtint livraison des principaux personnages de la curie pontificale, les fit torturer et mettre à mort. Charles, épouvanté de la conduite de son nouveau beau-père, répudia Désirée et s'unit à Carloman pour châtier le Lombard. Au cours de l'expédition Carloman mourut subitement, le 4 décembre 771, laissant deux enfants en bas-âge de son union avec la reine Gerberge, sœur de Désirée.

Charles, qui aurait dû assurer la protection de ses neveux, se conduisit non en tuteur dévoué mais en bon politique : il se fit reconnaître des sujets de Carloman et Gerberge dut s'enfuir en Lombardie avec ses jeunes enfants dont on n'entendit plus parler. Par cet acte discutable, Charles rétablit l'unité ; il va régner seul sur ce royaume immense pendant quarante-trois ans, agrandissant celui-ci par de nouvelles conquêtes jusqu'à en déplacer le centre de gravité et à situer, au lieu de Paris, la nouvelle capitale de l'Empire à Aix-la-Chapelle, ce qui va tendre à germaniser la race carolingienne.

Ce long règne a été marqué par cinquante-trois expéditions militaires de résultats inégaux dans le détail desquelles il serait d'autant plus fastidieux d'entrer que l'on est mal renseigné sur la plupart d'entre elles. Une seule a survécu dans les mémoires, c'est la célèbre intervention en Espagne de 778 qui fut dans l'ensemble d'importance secondaire. Immortalisée par la chanson de geste qui a fait survivre les noms de Roland, de Ganelon et de Roncevaux, elle fut désastreuse, et dut être complétée en 793 par une nouvelle expédition pour libérer les Corbières envahies par les Maures ; expédition dont le mérite revient à Guillaume au

Courb-nez, le fameux Guillaume d'Orange, qui se fit moine et se retira à l'abbaye de Gellone (Saint-Guilhem-le-Désert).

Il est dans la vie de Charlemagne beaucoup d'événements plus importants, tels la guerre contre les États de Germanie et les rapports avec la Papauté.

Les affaires de Germanie avaient été la suite de la guerre contre Didier. Tassilo duc de Bavière était son gendre, ayant épousé lui aussi une de ses filles, Liutberge. Il fut rappelé deux fois à l'ordre pour renouveler son serment de vassalité en 781 et 787.

N'ayant pas été fidèle à ses promesses, s'alliant aux païens Avars de Pannonie, il fut jugé à l'assemblée d'Ingelheim qui le condamna à mort en 788. Charlemagne lui fit grâce de la vie mais l'enferma dans un cloître.

Cette pénible affaire paraît accessoire si on la compare à la guerre contre les Saxons qui dura trente ans avec des fortunes très diverses, dont une défaite qui rappelle la fameuse aventure des légions de Varus dans la forêt de Teutobourg.

Charlemagne montra alors qu'il avait la main rude : en un seul jour à Verden quatre mille cinq cents Saxons furent passés par les armes. Finalement, après trois campagnes heureuses (783, 784, 785), le roi des Saxons, Witiking, se soumit. Il se convertit au christianisme et Charles fut son parrain ; la christianisation de la Saxe, devenue vassale de l'Empire, peut être considérée comme l'œuvre la plus importante dans les conquêtes de Charlemagne.

Mais ce qui paraît le plus intéressant dans son règne ce sont ses rapports avec la Papauté.

Après avoir neutralisé momentanément les Lombards, Charlemagne se rendit à Rome en 774. Le pape Etienne III avait été un pontife au-dessous de la médiocrité. Son successeur, Hadrien Ier, était un fin politique dans les pièges de qui Charlemagne se laissa enferrer.

Quand il eut pris contact avec Hadrien Ier, celui-ci montra à Charles un texte qui est peut-être le plus célèbre des faux en politique, le *Constitutum Constantini ;* celui-ci accordait au Pape des droits immenses sur le territoire italien.

Au vu de cette pièce falsifiée, Charlemagne se crut obligé de satisfaire aux exigences papales, ce qui donne une médiocre idée de ses talents diplomatiques. Il confirma par un acte solennel les donations illégales faites par son père et y ajouta la Toscane, le Bénévent, le Pentapole. Il se montra moins conciliant pour les autres exigences d'Hadrien qui réclamait de surcroît la Corse, la Vénétie, l'Istrie et le Frioul.

Nommé « patrice des Romains », Charlemagne vint achever les opérations contre Didier qui fut vaincu et dut céder à son vainqueur la couronne de fer des rois lombards.

Charlemagne fut rappelé en Italie en 780, mit à la raison le duc de Bénévent, prit Capoue qu'il donna à la Papauté en y ajoutant Grossetto, Orvieto et Viterbe.

Hadrien Ier mourut en 795 et fut remplacé par Léon III, un pape assez médiocre et fortement discuté, dont pourtant une étonnante initiative allait changer le sort de l'Occident.

Au début de son pontificat, une révolte éclata à Rome (25 avril 799). Le Pape put s'échapper et vint chercher refuge à la cour de Charlemagne à Paderborn. Le pontife et le roi s'embrassèrent en pleurant. Puis, escorté par des soldats francs, le pape regagna Rome mais il y fut victime d'un nouvel attentat. Il appela Charlemagne à l'aide et celui-ci arriva à Rome à la fin de Novembre de l'an 800.

Le 1er décembre il réunit à Saint-Pierre un tribunal solennel pour juger les accusateurs du Pontife ;

Extrême gauche : Vision de Charlemagne : saint Jacques lui ordonne d'aller délivrer l'Espagne des Sarrasins. *(Grandes Chroniques de France.)*

A gauche : Bataille de Charlemagne contre les Maures. *(Grandes Chroniques de France.)*

A droite : La cavalerie carolingienne. *(Psautier de Saint Gall,* IXe siècle.)

Léon III s'étant justifié par un serment purgatoire, les accusateurs furent remis au bourreau. Le Pape demanda pour eux une commutation de peine, ce qui enlève des doutes sur leur véritable culpabilité et donne une résonance étrange à l'événement qui se produisit le 25 décembre 800.

C'était la nuit de Noël ; Charlemagne était en prière dans la basilique Saint-Pierre quand, en présence de plusieurs évêques et grands seigneurs, le Pape posa sur la tête du roi la couronne impériale et le proclama empereur des Romains.

On s'étonne encore de cette attribution. Le Pape ne possédait aucun droit juridique de donner une couronne qui relevait du Sénat de Byzance. La mauvaise réputation de Léon III ne lui conférait pas l'autorité morale nécessaire pour prendre une aussi grave décision.

L'initiative papale fut en général mal accueillie. Charlemagne a maintes fois assuré qu'il avait été couronné sans avoir été prévenu mais qu'il n'avait pas osé refuser cet honneur, même s'il lui paraissait contestable.

Le Pape l'incita alors à demander la main de l'abominable Irène, impératrice de Byzance, ce qui eût fait de lui une sorte d'empereur consort. Charlemagne, qui n'en était pas à une femme près, accepta le principe mais la déposition d'Irène en 802 tua dans l'œuf ce projet extravagant.

Charlemagne resta empereur et, au cours de ses dernières années, se consacra à la politique intérieure, laissant à ses trois fils le soin de guerroyer à sa place.

De cette politique intérieure il convient de dire quelques mots. Charlemagne est assez justement représenté comme un constructeur d'églises, un créateur d'écoles, un rénovateur de monastères, images qui ont été popularisées par son ami et conseiller Alcuin.

Mais le fait le plus saillant est que Charlemagne avait créé un empire trop vaste pour bien le gouverner avec les moyens réduits dont il disposait. Il faisait contrôler ses comtes par des envoyés spéciaux, les *missi dominici,* qui voyageaient par deux : un laïc et un religieux. Ceux-ci lui rendaient compte de leurs tournées et lui apportaient confirmation des serments vassaliques. Mais ces serments impliquaient qu'à la mort des titulaires les *« honores »* concédés fissent retour à la Couronne. Faute de moyens d'action, cette formalité fut par la suite négligée par les intéressés, qui léguèrent leurs charges à leurs héritiers. Ce fut par cet abus qu'allait se créer pendant les siècles suivants cette division de la puissance qui s'appelle la féodalité.

En 806, Charlemagne procéda à un partage éventuel de ses Etats entre ses trois fils.

Ce partage fut effectué à la mode mérovingienne. Charles, l'aîné, devait avoir l'Austrasie, la Neustrie, la Bourgogne septentrionale l'Alamanie septentrionale, le Nordgau bavarois, la Frise, la Saxe et la Thuringe et dans les Alpes la vallée d'Aoste pour établir les communications. Pépin, le second, recevrait la Lombardie, la Bavière, l'Alémanie méridionale et la Rhétie.

Enfin Louis, le plus jeune, hériterait de l'Aquitaine, de la Septimanie, de la marche d'Espagne, du sud de la Bourgogne, de la Provence et du val de Suse pour le passage en Italie.

Ce démembrement fut évité par les morts successives de Charles en 810 et de Pépin en 811. Louis se trouvait désormais seul héritier de l'Empire et, en 813, Charlemagne le fit couronner.

La cérémonie eut lieu à Aix-la-Chapelle ; l'empereur posa lui même la couronne sur la tête de son fils tandis que la foule criait « Vive Louis empereur ».

Puis Louis retourna dans son royaume d'Aquitaine jusqu'à la mort de son père. Celle-ci se produisit assez rapidement. Après une chasse dans l'Ardenne le 22 janvier 814, l'empereur fut atteint d'une pleurésie. Il expira le 28 janvier 814, âgé de soixante-douze ans.

L'œuvre immense qu'il avait constituée restait fragile et on allait hélas ! s'en apercevoir bientôt avec son successeur.

Mais le prestige de Charlemagne reste intact. Il est enterré à Aix-la-Chapelle dans une église circulaire. Charles Quint et Bonaparte, tous deux à la veille d'être empereurs, sont venus s'incliner devant ce tombeau dont Victor Hugo se demandait comment l'ombre gigantesque qui dort en ces lieux ne faisait point craquer les parois:

« Charlemagne est ici. Comment, sépulcre sombre,
Peux-tu sans éclater contenir si grande ombre ?
Es-tu bien là, génie d'un monde créateur,
Et t'y peux-tu coucher de toute ta hauteur ? »

Hernani (IV, 2)

LOUIS LE PIEUX
(814-840)
ET JUDITH

LOUIS Ier, DIT LE PIEUX et aussi le Débonnaire était né l'année du désastre de Roncevaux, en 778. Son père érigea pour lui le royaume d'Aquitaine quand il n'avait que trois ans (781).

Tout en régnant effectivement dans son royaume méridional à partir de sa majorité, Louis n'en resta pas moins associé aux activités de son père. Il participa à des expéditions en Saxe, dans le Bénéventin, en Espagne. Cette formation de guerrier servira au cours de son règne où l'Empire ne sera guère menacé dans ses frontières.

Resté seul héritier par la disparition prématurée de ses frères, couronné empereur par les soins de son père en 813, Louis monta sur le trône au début de l'année 814.

Certes, il était empereur et seul héritier de la couronne par la volonté paternelle. Mais Pépin avait laissé un fils, Bernard qui exerçait le pouvoir en Italie. Ce jeune prince, craignant d'être évincé, se révolta. Il fut arrêté, conduit à Aix-la-Chapelle, jugé et condamné à mort. Louis Ier lui fit grâce de la vie, mais autorisa le supplice byzantin de l'aveuglement. Bernard mourut en prison en 818 des suites de la crevaison des yeux.

Charlemagne avait laissé de nombreux bâtards. Louis les fit tonsurer et envoyer au cloître. Ces mesures énergiques semblaient annoncer un règne autoritaire.

Décidé à mettre fin au relâchement de mœurs ayant marqué la cour de Charlemagne, Louis se laissa guider par le réformateur saint Benoît d'Aniane qui poussa trop loin une influence, certes louable, mais aussi assez impolitique.

La piété du souverain l'entraîna d'abord à certaines faiblesses à l'endroit de la Papauté ; il renonça pratiquement au droit d'intervenir dans les élections papales, droit qu'il tenait du titre de patrice des Romains conféré à son père.

En 816, il invita le pape Etienne V à venir le couronner à Reims, comme si le couronnement antérieur était insuffisant, ce qui accentua l'idée que la couronne impériale dépendait du bon vouloir du Pape. Par la suite, en 823, il fera également couronner par le Pape son fils aîné Lothaire.

Les concessions de Louis provoquèrent des troubles parmi les prélats les plus ambitieux du Latran. A la mort de Pascal Ier, en 824, Lothaire, fils de Louis, favorisa l'élection du pape Eugène II mais lui imposa une constitution romaine pour restaurer l'autorité impériale à Rome, ce qui semblait désavouer son père.

Cette mesure eut d'abord pour effet de consolider le pouvoir de Louis, mais ses erreurs allaient bientôt faire perdre le bénéfice de la réforme.

En 818, Louis le Pieux perdit son épouse l'impératrice Irmengarde dont il avait trois fils, Lothaire, Pépin et Louis. Il se remaria en 819 avec la fille du comte Welf, nommée Judith. Celle-ci se présente comme la première reine de France ayant par son influence modifié le cours de l'Histoire, mais hélas ! dans un sens peu favorable.

La nouvelle impératrice exerça très vite un ascendant sur son époux. Le 13 juin 823, elle lui donnait un fils qui sera le roi Charles le Chauve. Judith circonvint l'aîné, Lothaire ; il accepta d'être le parrain de son demi-frère et s'engagea à ce que

Louis le Pieux. *(Grandes Chroniques de France.)*

le nouveau-né fût pourvu, en temps voulu, d'une dotation territoriale.

Six ans plus tard, à l'assemblée de Worms, Louis fit connaître qu'il donnait à son troisième fils un territoire comprenant l'Alémanie, l'Alsace, la Rhétie et quelques comtés en Bourgogne.

Bien que ce lot fût modeste et que le titre de roi n'y fût pas attaché, Lothaire, oubliant ses promesses éleva une protestation.

Louis prit la décision d'exiler Lothaire en Italie et laissa entendre qu'il n'associerait pas son fils à l'Empire. Judith, qui avait provoqué l'exil de Lothaire, se plut à envenimer la situation... De surcroît elle tomba sous la coupe de Bernard, fils de Guillaume dit d'Orange, lui fit obtenir la charge de « chambrier » et le bruit courut qu'il était son amant.

Louis fut taxé de faiblesse et fut blâmé par l'ensemble de l'épiscopat ; la piété naturelle de l'empereur l'empêcha de se défendre comme il l'aurait dû. D'autre part il était tenaillé par le remords du supplice infligé à son neveu Bernard. Sous l'influence inconsidérée de l'épiscopat, il accepta de faire publiquement pénitence à l'assemblée d'Attigny, ce qui affaiblit son autorité au point que, dans un concile, tenu en 829, l'épiscopat proclama que le pouvoir ecclésiastique était supérieur au pouvoir laïque et que ce dernier devait lui être soumis. Les conséquences de cette prise de position se firent immédiatement sentir : une révolte militaire contre l'Empereur éclata en 830 pour obtenir le renvoi de Bernard d'Orange. Celui-ci se sauva à Barcelone et Judith fut enfermée au cloître de Sainte-Radegonde à Poitiers.

L'Empereur faillit être déposé. Ses pouvoirs furent diminués au profit de son fils Lothaire qui devint le seul empereur effectif. Cette opération eut pour conséquence d'aviver les rivalités entre les fils de Louis et celui-ci put recouvrer son autorité, faire sortir sa femme du cloître et la faire laver des accusations d'adultère.

En 832 les conjurés qui avaient fait interner Judith et abaissé Louis furent condamnés à mort. Le roi les gracia mais les envoya au cloître.

Judith, ayant repris tout son ascendant sur son époux, lui fit modifier ses partages avec l'idée de faire avantager son propre fils. Mais l'Empereur dut, pour apaiser les différends, faire des concessions à tous ses enfants. Les cadets Louis et Pépin reçurent des lots plus considérables. Pépin eut l'Aquitaine, la région entre Loire et Seine, tandis que Louis reçut son surnom de « Germanique » en obtenant la Bavière, la Saxe, la Frise, l'Austrasie. A ces concessions faites aux fils de son premier mariage, Louis dut de pouvoir constituer pour Charles un lot comprenant Bourgogne, Provence, Septimanie, Woëvre, Reims, Laon et Trèves. Quant à Lothaire, il était renvoyé en Italie après avoir fait amende honorable à son père.

Ces partages anticipés avaient l'inconvénient de ruiner le concept d'Empire. En dépit des avantages considérables du partage de 831, Pépin se rebella et son père le déclara déchu et il s'enfuit en Angleterre.

Ses frères prirent fait et cause pour lui et la guerre éclata entre l'Empereur et ses fils. La rencontre eut lieu près de Colmar. Troublé par la présence du Pape aux côtés de ses fils, Louis abandonna le terrain.

Une assemblée ecclésiastique tenue à Compiègne le 1er octobre 833 accusa Louis d'avoir compromis l'Empire et le somma d'abdiquer. Louis fut enfermé dans le monastère de Saint-Médard à Soissons, fit amende honorable devant ses fils et prit le froc, tandis que Judith était internée au monastère de Tortona et Charles à celui de Prüm.

Lothaire devenu empereur refusa à ses frères les concessions qu'ils demandaient. En 834, ils se liguèrent contre lui. Devant ces désordres le clergé estima qu'il serait préférable de rétablir Louis dans ses dignités.

Le 1er mars 834, Louis le Pieux se trouva de nouveau empereur. Il se réconcilia avec ses fils et, pensant affermir sa situation, il se fit couronner pour la troisième fois à la cathédrale Saint-Etienne de Metz (28 février 835).

Judith, libérée, reprit une nouvelle fois toute son influence et parvint à ses fins en faisant avantager son fils Charles. En 837, Louis le Pieux concédait à son dernier fils la Frise, le pays compris entre Seine et Meuse, le nord de la Bourgogne, la Champagne, ce qui était mordre sur les lots de ses frères. Par la suite, Louis ajouta au lot de Charles la Neustrie et la Bretagne, avec l'assentiment de Pépin qui, retour d'exil, ne renonçait pas à l'idée de devenir le protecteur de Charles.

L'année suivante (836) Charles atteignit la majorité légale de quinze ans. A l'assemblée de Quierzy il fut armé chevalier avec l'accord de Pépin. Mais ce dernier étant mort subitement le 13 décembre 837, Louis ajouta son lot à celui de Charles.

L'intrigante Judith réussit alors un coup de maître : elle se réconcilia avec Lothaire et à Worms l'Empire fut divisé en deux parts, revenant respectivement à Lothaire et à Charles.

Ce traité ne put s'exécuter, parce que Pépin avait laissé des fils. L'Aquitaine se souleva et, de son côté Louis le Germanique prit les armes.

« Comment Louis le Pieux châtia Pépin son fils de ses mauvaises mœurs et le mit en prison. » *(Chroniques de France.)*

Le malheureux empereur Louis, ayant à faire face à tant de risques, fut vainqueur de son fils Louis, mais au retour de cette expédition il tomba malade. On le mit sur une barque qui descendit le cours du Main ; il fut porté à Ingelheim, dans une île du Rhin, reçut les derniers sacrements et mourut le 20 juin 840, âgé de soixante-deux ans.

Il laissait l'Empire en décomposition et les rivalités de ses fils allaient en amener le démembrement.

CHARLES LE CHAUVE
(840-877)

EN PARAISSANT ADMETTRE l'ultime partage de Louis le Pieux en 839, Lothaire, une fois de plus, n'avait pas été sincère. Il chercha tout de suite à débaucher les fidèles de son frère Charles en leur promettant des avantages considérables.

Charles était retenu en Aquitaine par un soulèvement en faveur des fils de Pépin. Une partie des habitants se prononcèrent pour Lothaire et celui-ci se prépara à attaquer les armées de son demi-frère et filleul.

Toutefois, avant que le combat s'engageât, des négociations furent entamées et l'on convint d'une trêve qui sauva Charles ; celui-ci eut ainsi le temps de ramener l'ordre en Aquitaine. Mais, conscient de la mauvaise foi de Lothaire, Charles se résolut à rejoindre Louis le Germanique.

La bataille différée eut lieu à Fontenay-en-Puisaye, au sud d'Auxerre, et elle tourna au désavantage de Lothaire (25 juin 841). Toutefois ce combat ne résolut rien mais donna un répit à Charles qui se dirigea vers Strasbourg où il retrouva son demi-frère Louis le Germanique : en présence de leurs armées, les deux rois prirent un engagement par serment, Louis le prononça en langue romane et Charles en langue francique, c'est-à-dire presque en allemand.

Ce serment de Strasbourg, le plus ancien texte roman connu, est d'une telle importance qu'il convient d'en donner le texte en français moderne :

« Pour l'amour de Dieu, pour le salut du peuple chrétien et notre salut commun, à partir d'aujourd'hui, et tant que Dieu m'en donnera le savoir et le pouvoir, je défendrai mon frère Charles et l'aiderai en toutes circonstances, comme on doit, selon l'équité, défendre son frère, à condition qu'il fasse de même à mon égard, et jamais je ne conclurai avec Lothaire aucun engagement qui, à mon escient, puisse être préjudiciable à mon frère Charles. »

Cet engagement fut mis sous la garantie des deux armées qui prêtèrent à leur tour un serment analogue.

De Strasbourg les deux rois gagnèrent Worms où ils attendirent une réponse de Lothaire ; ce dernier ayant refusé de recevoir les émissaires de ses frères, ceux-ci passèrent à l'attaque, qui eut lieu au passage de la Moselle le 18 mars 842.

Lothaire était en fuite. Les deux frères signèrent un partage provisoire valable jusqu'au 1er octobre. Alors Lothaire, ne se sentant pas la force de vaincre, composa. Le 15 juin 842, les trois frères se rencontrèrent dans une île de la Saône et se jurèrent enfin de vivre en paix ; ils désignèrent une « commission » de cent vingt membres pour procéder au partage de l'héritage de Louis le Pieux.

Malgré la mauvaise volonté de Lothaire, le partage fut accepté au traité de Verdun en 843.

Ce partage est le plus important de l'Histoire parce qu'il donna vraiment naissance à la France, dont Charles le Chauve, bien qu'il fût à peu près germanique de race et de langue, allait devenir vraiment le premier roi.

Il héritait en effet de tout l'ouest de l'Empire, c'est-à-dire les pays compris entre l'Atlantique, le Rhône, la Saône et la Meuse mais étendu au nord jusqu'à la Frise et au sud jusqu'à Barcelone.

Pour établir une comparaison claire, c'était la France actuelle moins la Provence, le Dauphiné, la Franche-Comté, une partie de la Bourgogne, et l'Alsace-Lorraine. Il faut encore en retrancher un empiètement sur la rive droite du Rhône correspondant sensiblement à l'actuel département de l'Ardèche.

Louis le Germanique avait, au contraire, toute sa part à l'ouest de l'Empire démantelé ; il recevait, à partir de la rive droite du Rhin, une partie de l'Austrasie, la Saxe, la Bohême, la Bavière, la Styrie et la Carinthie.

L'empereur Lothaire régnait sur la partie intermédiaire des deux royaumes de ses frères : c'était une longue bande de territoire s'étendant de la Frise à l'Arno et comprenant sensiblement la Hollande, l'est de la Belgique, la Rhénanie, la Franche-Comté, les vallées de la Saône et du Rhône, la Provence, la Lombardie, la Vénétie et la Toscane.

Ce territoire démesurément long reçut le nom de Lotharingie. Bien qu'il ne répondît à aucune réalité ethnique ou géographique, son existence donne encore à rêver parce qu'elle a conditionné une vaste partie de l'Histoire.

Charles le Chauve allait régner sur la France pendant trente-cinq ans, dans des circonstances difficiles car son époque fut marquée par la reprise des invasions.

Les Normands pillèrent Rouen et, en 845, le jour de Pâques, ils occupèrent Paris. Faute de moyens militaires, Charles le Chauve monnaya leur départ en versant une rançon de sept mille livres d'argent (impossible à chiffrer en monnaie

Charles le Chauve combat ses frères à Fontenay-en-Puisaye.
(Grandes Chroniques de France.)

moderne). Ce rachat fut considéré comme une lourde humiliation.

En 847, au colloque de Meersen, Lothaire tenta vainement de vassaliser ses frères en vue de refaire l'unité de l'Empire.

Ses efforts aboutirent d'autant moins que la féodalité poursuivait ses empiètements et que les souverains ne commençaient plus à régner que sur des fiefs vassaux presque indépendants.

En 848, Charles le Chauve acheva la soumission de l'Aquitaine : il se fit livrer les fils de son demi-frère Pépin II et les envoya au cloître.

Il connaissait d'autre part de grands soucis parce que les Normands se livrèrent à de nouvelles incursions qui, de 852 à 867, ruinèrent à peu près le pays ; il semblait que la faiblesse du pouvoir royal faisait le jeu des envahisseurs.

A partir de 853, année où Tours, Vannes et

Orléans sont pillés par les Normands, apparaît aux côtés du roi un personnage dont cent trente années plus tard la descendance changera l'histoire de France. Il se nomme Robert et est surnommé le Fort. La légende assure qu'il n'était au départ qu'un boucher de Paris. En réalité nous savons par des documents certains qu'il apparaît comme abbé laïque de l'abbaye de Marmoutier, où il a succédé au comte de Tours, Vivien. L'année suivante (854), Robert est *missus dominicus* dans les comtés de Tours, Angers et Le Mans.

Le *comte* Robert fait donc son entrée dans l'histoire sous les traits d'un personnage déjà considérable. Mais ce n'est pas en qualité d'administrateur qu'il va faire son chemin, mais bien comme guerrier.

En 858, Louis le Germanique viole le traité de Verdun et envahit la Lorraine qui est dans le lot de Lothaire, puis il pénètre en France. Une pareille opération ne pouvait, semble-t-il, être menée à bien qu'avec des intelligences dans l'entourage de Charles le Chauve : tout donne à penser qu'elles étaient le fait de Robert, qui poursuivait sans doute un grand dessein dont il fût devenu le bénéficiaire.

Il semble aussi que ce fut grâce à cette demi-trahison que Robert obtint l'arrêt de l'invasion. En 860 les Germains firent retraite et une paix fut signée à Coblence ; elle consolida la situation de Robert auprès du roi de France et il joua désormais à côté de son souverain un rôle qui s'apparente à celui d'un maire du Palais ; il réduit les Bretons à l'obéissance et se fait donner en « bénéfice » le comté d'Autun.

En 866, lors d'une nouvelle invasion des Normands, il défend le territoire et bat les envahisseurs à Brissarthe près d'Angers, dans un combat célèbre où il trouve malheureusement la mort. Mais il est devenu un héros national ; pourvu de territoires nouveaux, dont la région de Blois, il laisse un héritage considérable à ses fils Eudes et Robert, ceux-ci sont élevés par leur demi-frère Hugues l'Abbé, fils d'un premier mariage de la femme de Robert et parent de Charles le Chauve. Hugues a remplacé Robert auprès du roi et il profite de sa puissance pour agrandir les possessions de ses pupilles qui deviendront ducs de France et comtes de Paris.

En 877, Charles le Chauve publie le *Capitulaire de Quierzy* qui entérine le statut des grands en lui assurant leur fidélité.

La situation du roi est devenue considérable ; ses frères sont morts et il règne sur leurs biens, ce qui lui permet de devenir empereur. Il va se faire couronner à Rome par le pape Jean VIII ; lors de son voyage de retour, il meurt à Modane le 6 octobre 877.

On a beaucoup discuté des mérites de Charles le Chauve et l'opinion générale lui est plutôt défavorable. Il n'en est pas moins le dernier Carolignien qui puisse se flatter d'avoir vraiment régné.

LE DÉCLIN DE LA DYNASTIE ET DE L'EMPIRE (877-987)

LE FILS DE CHARLES LE CHAUVE, Louis II le Bègue, est un souverain médiocre connu seulement pour avoir accueilli le pape Jean VIII en France qui tint un concile à Troyes. Louis II mourut après deux ans de règne, laissant d'un premier mariage deux fils, Louis III et Carloman, et d'un second mariage un fils posthume qui sera un jour Charles III le Simple.

Les grands imposèrent le couronnement des deux fils aînés encore mineurs. Louis III mourut en 882 et Carloman en 884. La couronne impériale repassa dans la descendance de Louis le Germanique, dont le fils, Charles le Gros, couronné par le pape Jean VIII, devint tuteur du jeune Charles, ce qui le faisait administrateur des intérêts français.

Ceux-ci étaient alors gravement menacés par une nouvelle et terrible invasion des Normands qui remontèrent la Seine et firent planer le danger sur Paris.

Alors se révéla le duc de France, Eudes, fils de Robert, qui, ayant hérité des possessions de Hugues l'Abbé, était devenu un puissant seigneur.

De surcroît, Eudes était un homme de grande valeur et un soldat expérimenté. Le 24 novembre 885, quarante mille Normands se présentèrent devant Paris et commencèrent un siège en règle.

Eudes entretint le courage des Parisiens et fit parvenir un appel au secours à Charles le Gros. L'empereur ne tint aucun compte du message, si bien qu'Eudes franchit les lignes adverses pour

Charles le Chauve entouré de sa Cour, composée de seigneurs et de clercs. (*Bible de Charles le Chauve,* IXe siècle.)

Ci-dessus : Charlemagne retrouvé le corps de Roland à Roncevaux. *(Chroniques de Saint-Denis.)*

Ci-contre : Philippe Ier et la reine Bertrade. *(Grandes Chroniques de France,* XIVe siècle.)

rer en labbaie de saint benoit sur loire ou
il auoit esleu sepulture. Le p̃mier chap.
ple du p̃mier roy ph̃e cõment il saisi la
contee de vouquessin. et cõmẽt il fina le
chastel de mõmeliant. Et cõment le duc
guill̃e de normãdie passa en angletre ⁊ oc
cist le roy et saisi le royaume. Et cõmẽt p̃re
vrbain fist croiserie pour aler oultre mer.

aller placer Charles le Gros en face de ses responsabilités, puis il regagna la ville assiégée.

Au lieu d'envoyer les renforts réclamés, Charles le Gros proposa aux Normands une rançon qui n'était autre que la Bourgogne.

Les Normands évacuèrent les abords de Paris et se replièrent vers la Bourgogne en 887. Eudes avait conquis la gloire par son héroïsme. En revanche, la lâcheté de Charles le Gros parut telle que les Grands le déposèrent ; il mourut peu après en 888, laissant la couronne de France à un mineur, fils de Louis le Bègue, Charles, enfant posthume, dont la légitimité était contestée par les féodaux.

Ceux-ci imaginèrent de nommer roi l'un des leurs et leur choix se porta assez naturellement sur Eudes, qui fut couronné à Compiègne.

On mesure le changement que cette année 888 apportait dans l'histoire de France. Alors que le trône était pourvu d'un héritier et qu'une régence allait d'elle-même, l'élection primait l'hérédité et, au détriment de la race royale, on faisait choix d'un féodal. On eût mieux compris qu'Eudes, au lieu d'accepter la couronne à laquelle il n'avait aucun droit, fût nommé régent.

Il est probable que si, au cours des dix années de son règne, Eudes était parvenu à chasser les Normands, il eût assis définitivement sa race et fondé une nouvelle dynastie. Mais ses tentatives, malgré un important succès à Montfaucon-en-Argonne, furent finalement infructueuses et les Grands, parce qu'ils avaient un roi légitime sous la main, firent couronner Charles III à Laon le 8 juillet 893.

Toutefois la position personnelle d'Eudes était si forte qu'il continua à régner et que Charles ne prit pas le titre de roi.

Conscient de la fragilité de sa situation, il ne tenta pas de perpétuer sa succession et, avant de mourir, en 898, il recommanda à son frère puîné Robert de reconnaître le Carolingien.

Le règne de Charles le Simple débuta par une accalmie militaire et les Normands firent trêve. Assisté par Robert, Charles III gouvernait sagement et ébauchait le rattachement de la Lorraine à la France.

Puis il cherche une solution pour le problème normand ; il est évident que les envahisseurs conserveront leur tête de pont en France. Pourquoi ne pas essayer de traiter avec eux pendant une période de paix ?

Ces vues furent codifiées par le célèbre traité de Saint-Clair-sur-Epte en 911. La Normandie fut confiée à Rollon, chef des Vikings. Celui-ci devenait d'un coup l'un des grands féodaux, l'égal d'un duc de France ou d'un duc de Bourgogne. C'était une bonne solution et la race issue de Rollon ne se montrera pas indigne de son fondateur puisque, un siècle et demi plus tard, l'un de ses descendants, Guillaume le Conquérant, ceindra la couronne d'Angleterre.

Les dernières années de Charles le Simple furent tragiques et il fut pratiquement détrôné ainsi que sa femme la reine Ogive. Charles le Simple mourut en captivité en 929 laissant un fils qui sera un jour Louis IV d'Outremer.

La succession ne se fit pas d'un coup. Robert, devenu à son tour un véritable maire du Palais, avait un gendre Raoul, fils du duc de Bourgogne. C'était un ambitieux d'esprit brouillon.

Il arriva à persuader son beau-père, Robert, et son beau-frère, Hugues le Grand, que le moment était favorable à un changement de dynastie.

Dès 922, du vivant de Charles, affaibli par la maladie, Robert se fit élire roi et fut couronné à Saint-Remi de Reims, par l'archevêque Gautier, le 29 juin 922. Pendant quelque temps la France se trouva pourvue de deux rois, consacrés l'un et l'autre par les onctions saintes. La situation se dénoua rapidement parce que Robert fut tué dans un combat le 15 juin 923.

Sa famille ne désarma pas et Raoul, en pleine révolte contre Charles III, se fit élire roi à son tour le 13 juillet 923. Il fut couronné à Saint-Médard de Soissons par l'archevêque Gautier, devenu un véritable faiseur de rois. Entre-temps, son beau-frère Herbert de Vermandois s'était saisi de la personne de Charles qu'il interne jusqu'à sa mort (929).

On conçoit aisément que le fils de Charles le Simple n'ait pu alors monter sur le trône, à la mort de son père.

Raoul allait régner jusqu'en 935. Il mourut sans enfant après un règne assez médiocre.

Son beau-frère, Hugues le Grand, fils de Robert, se garda bien de revendiquer le trône , il ne trouvait pas la position assez forte. Il fit chercher en Angleterre, où il était élevé, le fils de Charles le Simple, qui régna sous le nom de Louis IV d'Outremer. Ce roi avait alors une quinzaine d'années et était par sa mère Ogive le neveu du roi d'Angleterre, Athelstan. Le roi se montra fort réticent quand une ambassade vint lui réclamer son neveu ; il exigea que les Grands vinssent lui rendre hommage dès son arrivée en France.

Ces garanties obtenues, il laissa partir son neveu. Hugues, en personne, accueillit le jeune roi à Boulogne et le conduisit à Laon, puis, le 19 juin 936, le fit sacrer à Reims par l'archevêque Artaud.

A gauche : Les Normands mettent le feu à Saint-Martin de Tours.
A droite : Herbert de Vermandois fait mettre en prison Charles le Simple, et Raoul est couronné roi. *(Grandes Chroniques de France.)*

Ayant rendu à la légitimité un pareil service, la position d'Hugues le Grand s'affermit et ce duc de France fut presque considéré comme l'égal du roi. Il épouse en premières noces Éthile, sœur du roi Athelstan, et devient ainsi l'oncle du roi de France.

Mais le roi Louis IV avait de la personnalité et aussi cette qualité proprement royale qui s'appelle l'ingratitude. Sachant tout ce qu'il devait à Hugues le Grand, il entreprit de se libérer de son influence.

Hugues sentit venir la disgrâce et opposa fort habilement la parade qui convenait.

Sachant bien que tout pouvoir royal en France vient de l'Église, il mena une politique strictement ecclésiastique et s'attira l'amitié des principaux dignitaires de l'Église qu'il ne cessait d'obliger.

Il eut l'habileté de se faire concéder par Louis IV, quand celui-ci se croyait encore obligé, la Bourgogne et l'Aquitaine, ce qui faisait de lui le plus grand seigneur d'Occident et lui permettait à la rigueur de se passer de la faveur du roi de France car il était somme toute plus puissant que lui.

Il semblait à beaucoup qu'Hugues pouvait être l'arbitre de l'Europe et à ce titre candidat à l'Empire.

Cette faveur allait échoir à son beau-frère Othon le Grand dont il avait épousé en secondes noces la sœur Avoie.

Othon était un homme ambitieux. Se servant du refroidissement de rapports entre Hugues et Louis IV, il pensa que l'occasion était bonne d'attaquer la France. Mais la communauté des intérêts rapprocha Hugues du roi et l'invasion, qui avait atteint le palais royal d'Attigny, dans l'Aisne, en 940 fut neutralisée ; un traité fut signé sur les bases de l'ancien traité de Verdun.

Philippe Auguste exhorte ses barons au combat à la bataille de Bouvines 1214 *(Grandes Chroniques de France,* XIVe siècle.)

au plus deuotement quilz poret. Et
uis ramenteuoient a dieu en oroison
nneur et la franchise dont see eglise se sio
st ou pouoir du roy phe. Et dautre part
a honte et le reprouche quelle seuffre et
souffert par othon et par le roy iehan
angleterre. par qui dons et promesses
outes les communes qui furet semies

Puis les querelles féodales reprirent. L'archevêque de Reims, Artaud, devenu chancelier et principal conseiller de Louis IV, fut interné par les soins d'Hugues le Grand, du duc de Normandie, Guillaume Longue-Épée, et par Herbert de Vermandois. Fort de ses amitiés dans le clergé, Hugues obtint l'approbation du pape Etienne VIII.

Ayant voulu mettre à la raison le duc de Normandie, Louis IV fut fait prisonnier par celui-ci. Habilement, Hugues intrigua pour se faire livrer le captif, mais il fut doublé par son beau-frère Othon qui obtint la libération...

Les périls courus par Louis IV avaient été grands et l'on se demande alors pourquoi Hugues ne tenta pas de le faire déposer, car cette aventure rendit le trône très fragile.

Aussi Louis réagit et parvint à faire condamner Hugues par une assemblée épiscopale tenue à Ingelheim le 28 novembre 946. L'appui du futur empereur Othon avait été décisif.

La condamnation d'Hugues permit au roi de France de reprendre Laon dont Hugues s'était emparé. Mais Hugues n'était pas homme à rester sur un échec et, le 14 avril 950, il se réconcilia avec Louis IV. Il semble que dans ces circonstances le roi de France s'était montré supérieur au duc de France, et plus habile que lui, mais il n'eut pas le temps de profiter de son succès car il mourut d'une chute de cheval à trente-trois ans, en 954, et fut inhumé à Saint-Remi de Reims.

Aucune difficulté successorale ne se présenta et, bien qu'il n'eût que treize ans, le fils du roi, Lothaire, fut couronné le dimanche 18 novembre 954, par Artaud, replacé sur le siège de Reims.

Hugues le Grand jugea sage de faire bon visage au nouveau souverain et il était tout à fait rentré en faveur quand il mourut d'une brève maladie à Dourdan le 17 juin 956, il laissait un fils nommé Hugues et surnommé Hugues Capet en raison des abbayes dont il portait la « *cappa* » à Saint-Martin de Tours ; son rôle serait grand.

La couronne de fer des Lombards.

Mais Hugues Capet n'avait pas l'envergure de son père : c'était un personnage craintif et somme toute assez falot, mais par une chance inouïe il sera porté à la royauté par un singulier concours de circonstances. Mais deux règnes s'écouleront encore avant cette étonnante péripétie.

L'Europe traversait alors une grave crise : une invasion arrivait de l'Est, celle des Hongrois. Ce fut à Othon qu'était réservée la gloire d'y parer.

Le 10 août 955, il écrasait les Magyars sur les rives du Lech au sud d'Augsbourg et, le 16 octobre 955, il repoussait les Slaves par la victoire de la Recknitz.

Ce double succès fit tomber dans sa vassalité la Souabe, l'Helvétie, et le royaume d'Arles qui allait du Jura à la Provence.

Othon avait déjà ceint en 951 la couronne de fer des rois lombards. Fort de ces succès, il allait obtenir bien davantage et, en 962, le pape Jean XII le couronnait à Rome empereur romain germanique ; ce fut le prélude à un empire qui allait durer huit siècles.

Othon était le tuteur du roi Lothaire, mais, comme beau-frère d'Hugues le Grand, il était également tuteur de son neveu Hugues Capet et l'on peut s'émerveiller de ce parallélisme qui fait assumer au plus puissant souverain d'Europe la double tutelle de la race carolingienne qui se meurt et de la race robertienne qui se rapproche du zénith.

La personnalité de Lothaire était infiniment plus forte que celle d'Hugues Capet et les circonstances semblaient augmenter les chances du roi de France. Par son mariage en 965 avec Emma d'Italie, fille de la seconde femme d'Othon le Grand, les liens se resserraient entre France et Germanie au détriment du pouvoir des grands féodaux.

Lothaire, comme naguère son aïeul Charles le Simple, se sentait attiré par la Lorraine et il désirait s'assurer la frontière rhénane. Ses vues allaient assurer la perte des Carolingiens.

En 978 le roi tentait un raid sur Aix-la-Chapelle avec l'idée de faire prisonnier l'empereur Othon II, fils d'Othon le Grand ; il prit cette décision contre l'avis d'Hugues Capet, devenu son conseiller.

Averti, l'empereur prévint les desseins du roi de France ; il proclama le ban et marcha sur la France.

Le propre frère de Lothaire, Charles de Lorraine, très « germanophile », livra Laon aux envahisseurs. La route de Paris était ouverte et Lothaire s'enfuit précipitamment à Étampes.

Les Germains continuaient leur marche et l'empereur vint mettre le siège devant Paris, établissant son quartier général à Montmartre. Alors Hugues Capet se montra digne de son sang ; il organisa la défense et sauva Paris des Germains comme son aïeul Eudes le Grand l'avait sauvé des Normands quatre-vingt-treize ans auparavant. Cette action a pris avec le recul un caractère symbolique. Tant qu'il y aura des Capétiens sur le trône de France, les Allemands ne reviendront jamais aux portes de Paris.

Lothaire sentit le danger et, pour assurer la continuité de sa dynastie, il fit associer au trône son fils Louis à Compiègne. Capet approuve la décision. Il se veut plus que jamais abbé laïc et, le 9 juin 980, il fait porter à la cathédrale d'Amiens les reliques de saint-Valery : les eaux de la Somme s'écartent pour laisser le cortège portant la châsse et le saint apparaît en songe à Hugues Capet et lui prédit non seulement qu'il sera roi, mais que sa famille restera sur le trône au moins pendant sept générations.

Certes il s'agit de légendes, mais la suite les rend troublantes. A la mort de l'empereur Othon II, en 983, Lothaire s'intéresse aux affaires allemandes et veut intervenir dans la tutelle du jeune Othon III, son neveu. On s'ingénie à écarter le roi de France de ses tentatives.

Pour décourager Lothaire, les Allemands font appel à l'appui de l'archevêque de Reims, Adalbéron, important et tortueux personnage.

Soutenu par les Allemands, Adalbéron place son neveu sur le siège épiscopal de Verdun sans consulter Lothaire. Outré, le roi de France marche sur Verdun et capture la famille d'Adalbéron.

Les soutiens de l'archevêque, qui sont fort nombreux, commencent à penser qu'il pourrait être intéressant de substituer Hugues Capet à Lothaire. Le roi, avisé en secret, réagit ; il accuse Adalbéron de trahison et ordonne l'instruction de son procès.

Alors se marque un grand tournant de l'histoire : le 2 mars 985, Lothaire, âgé seulement de quarante-quatre ans, est subitement enlevé par une maladie du ventre qui fait penser certains à un empoisonnement. Pourtant la succession de Lothaire ne pose aucun problème : Louis V, âgé déjà de dix-neuf ans est associé au trône et, roi de fait, par la mort de son père ; c'est un homme aussi énergique que lui et Hugues Capet ne songe nullement à le détrôner.

Le procès ouvert contre Adalbéron suit son cours. Capet est convoqué et n'ose refuser son concours alors qu'Adalbéron espérait son opposition à la décision royale.

Cette collusion fait réfléchir l'archevêque qui se déclare prêt à toutes les concessions ; il est obligé d'admettre que son procès se déroulera devant une assemblée prévue à Compiègne.

L'assemblée est réunie et l'affaire est introduite quand arrive un événement imprévisible : Louis V tombe de cheval et meurt à vingt ans ; ce va être la fin des Carolingiens.

L'assemblée réunie pour juger Adalbéron se trouvait devant un nouveau problème, bien plus urgent, celui de remédier à la vacance du trône car personne n'imaginait que Charles de Lorraine, traître en faveur des Allemands, pût être appelé à régner sur la France.

Hugues Capet, plus puissant seigneur, et conseiller du jeune roi défunt, se trouvait le maître de l'heure.

L'idée de changement de dynastie, considérée comme souhaitable par les grands féodaux, pouvait trouver facilement son accomplissement.

L'assemblée judiciaire allait se transformer en collège électoral.

Capet préside et fait innocenter Adalbéron. Juste dette de reconnaissance : Adalbéron et les Rémois vont faire proclamer Capet roi de France.

Le principe électoral l'emporte sur l'hérédité puisque personne ne veut de Charles de Lorraine, pas même l'empereur Othon III.

Il est un facteur qui sert Capet, c'est sa médiocrité même ; un tel roi sera facile à cadrer et, quand il disparaîtra, qui empêchera une nouvelle élection ? Ce n'est pas pour ses vertus, mais pour son manque de qualités qu'Hugues Capet, fort inférieur à ses ancêtres, va être choisi.

A Compiègne Adalbéron lui fait conférer la régence ; quelques jours plus tard, à Senlis, il le fait conseiller comme roi et, le 3 juillet 987, Hugues Capet, acclamé par ses pairs, est sacré à Noyon et prête serment.

Ceux qui l'ont élu ne savent pas encore qu'ils ont décidé du sort de la France et que près de quarante rois issus de lui vont se succéder pendant plus de huit cents ans.

Le couronnement d'Hugues Capet.
(Grandes Chroniques de France.)

Troisième partie

LES CAPÉTIENS DIRECTS 987-1328

Naissance de la Nation

LES CAPÉTIENS DIRECTS

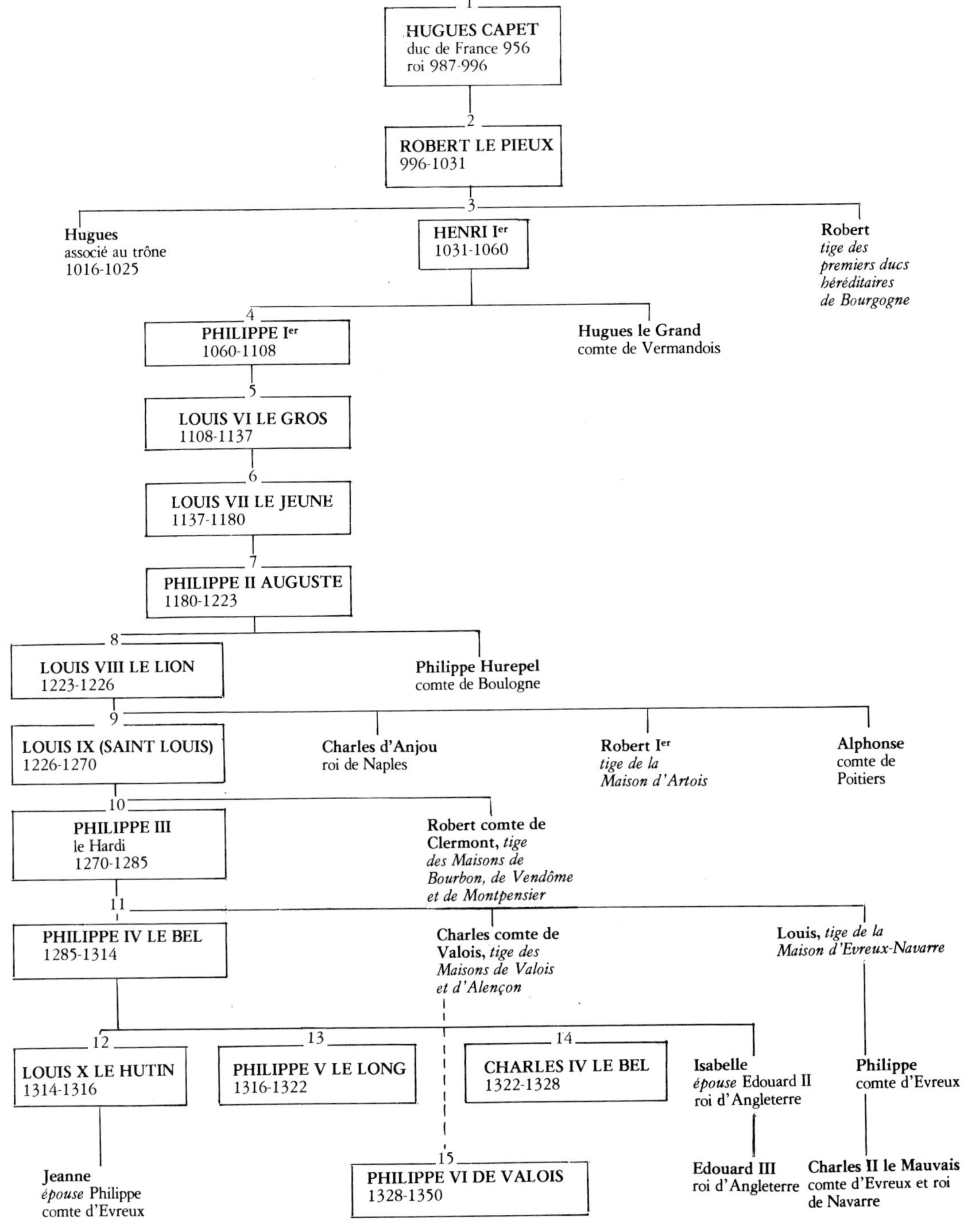

HUGUES CAPET
(987-996)

NOUS SAVONS TRÈS PEU DE CHOSES sur la personne d'Hugues Capet ; il ne reste pas d'image de lui et pas d'autre texte que celui du serment qu'il prêta pour devenir roi, serment qui fut répété par tous ses successeurs jusqu'à la Révolution :

« Je Hugues, qui dans un instant vais devenir roi des Francs par la faveur divine, en ce jour de mon sacre, en présence de Dieu et de ses saints, je promets à chacun de vous de lui conserver le privilège canonique, la loi et la justice qui lui sont dus, de vous défendre de tout mon pouvoir avec l'aide du seigneur comme il est juste qu'un roi agisse en son royaume envers chaque évêque et l'Église qui lui est commise. Je promets de distribuer au peuple qui nous est confié une justice selon ses droits. »

Ce serment du sacre établit sans le moindre doute la primauté de l'Église dans l'élection et il se présente comme un véritable engagement à son endroit. Le chroniqueur Richer qui a, en son temps, rendu compte de la discussion qui avait abouti au choix d'Hugues Capet fait comprendre que celui-ci fut désigné par opportunité et surtout pour faire pièce à Charles de Lorraine que l'on voulait écarter. Mais cette mise à l'écart de la légitimité carolingienne ne satisfaisait pas tout le monde et Charles de Lorraine gardait des partisans ce qui rendra malaisés les débuts du règne.

La petite histoire a retenu le dialogue du comte de Périgord avec Hugues Capet. Celui-ci, ayant demandé à son vassal : « Qui t'a fait comte ? », se fit insolemment répondre : « Qui t'a fait roi ? »

Hugues Capet, homme d'expérience et d'un bon sens certain, para aussitôt à la fragilité de sa position en associant au trône son fils aîné Robert. Ce système qui porta le nom de *Rex designatus* devait faciliter la succession. Pour consolider encore la situation de son fils, Hugues lui fit contracter un mariage de raison qui neutralisait la menace flamande : Robert épouse Rozala, fille du roi Béranger d'Italie et veuve du comte de Flandre Arnoul II. Robert ne s'entendra pas avec cette princesse plus âgée que lui ce qui causera de grandes difficultés pendant le règne suivant.

D'autres difficultés se dressent devant Hugues Capet ; elles sont suscitées par Charles de Lorraine qui n'admet pas son éviction et par la mort d'Adalbéron, le plus fidèle sujet du roi.

Un moine célèbre, Gerbert, brigue le siège de Reims ; Capet, au lieu de l'imposer, se laisse embobeliner par un rival, Arnoul, fils naturel de Charles de Lorraine (1) qui a promis de faire livrer Laon, capitale de son père naturel, ce qui le fait préférer. Gerbert ne l'entend pas de cette oreille et va se plaindre à Rome, source d'un différend qui durera autant que le règne.

Il semblait plus utile, avant de le résoudre, de vaincre Charles de Lorraine, qui s'était enfermé dans Laon. Hugues et Robert commencèrent par le faire excommunier puis se firent livrer Laon par l'évêque Ascelin, créature d'Arnoul : Charles de Lorraine fut fait prisonnier avec tous les siens.

En 992, Charles de Lorraine mourut en prison, probablement empoisonné ; le problème dynastique était résolu, toutefois dans des conjonctures peu honorables.

En revanche, le problème du siège épiscopal de Reims restait entier. En dépit de la démarche de Gerbert, le pape avait maintenu Arnoul. Hugues et Robert imaginèrent de déférer le cas à une sorte de concile national tenu à Verzy les 17 et 18 juin 991. Cette assemblée à laquelle participèrent peu d'évêques attribua le siège de Reims à Gerbert.

Cette décision était à la fois un défi à la Papauté et un défi à l'Empire qui soutenait Arnoul. Le pape Jean XV, un membre fâcheux de la lignée des Crescentii refusa la décision et cita le roi de France et son fils à comparaître à Rome. Hugues Capet refusa de se rendre à la convocation et, par une seconde assemblée tenue à Chelles en 993, il confirma l'éviction d'Arnoul.

Une nouvelle trahison de l'évêque de Laon, Ascelin, compliqua le problème : Ascelin se proposait de livrer la France à l'empereur Othon III en se faisant payer par l'octroi à son profit du siège de Reims. Les évêques français soutinrent fortement Hugues Capet et cette manifestation d'indépendance nationale mata Ascelin.

Gerbert revint à Rome et, pour en finir, renonça à Reims et se fit donner l'archevêché de Ravenne, qu'il quittera pour devenir bientôt le pape Sylvestre II.

Le conflit de Reims étant enfin réglé le roi eut à mettre à la raison un vassal indocile le comte Eudes de Blois dont il triompha assez aisément.

Puis, frappé par la variole, Hugues Capet mourut le 24 août 996 et il fut enseveli devant l'autel de la Trinité à la basilique de Saint-Denis, après neuf années d'un règne sans gloire.

1. Certains auteurs penchent pour voir en Arnoul le fils naturel non de Charles de Lorraine mais de son frère, le roi Lothaire.

ROBERT LE PIEUX
(996-1031)

De Robert, dit le Pieux en raison de sa dévotion, existe une hagiographie due au moine de Fleury-sur-Loire, Helgaud. C'est à ce travail qu'il doit le surnom de Pieux que la vie privée du roi ne semble pas spécialement imposer.

Sacré du vivant de son père, Robert lui succéda sans la moindre discussion en 996.

Son premier acte fut de répudier son épouse qu'il n'aimait pas tout en conservant sa dot, la cité de Montreuil-sur-Mer, qui ouvrait au roi de France une porte sur la Manche.

Puis il épousa immédiatement Berthe, veuve du comte de Blois, et déjà mère de cinq enfants. Le pape Grégoire V intervint car, outre la bigamie, il y avait inceste, les deux nouveaux époux étant parents à un degré prohibé.

Pour se concilier la Papauté, Robert confirma l'investiture d'Arnoul sur le siège de Reims. Ce geste fut inutile et le pape excommunia Robert. De l'exécution de cette sentence cruelle, le peintre Jean-Paul Laurens a tiré un tableau célèbre.

Après cinq années de résistance, Robert capitula et contracta une troisième alliance avec la fille du comte d'Arles, Constance de Provence, union qu'il tenta de faire dissoudre par la suite pour réépouser Berthe.

Constance de Provence fut une reine insupportable, acariâtre, avare et jalouse ; elle donna cependant à son mari trois fils, Hugues, Henri et Robert.

Hugues fut associé au trône comme l'avait été Robert mais il mourut avant son père.

La reine Constance exigea alors que la couronne fût dévolue au puîné, Robert, qu'elle préférait à l'aîné, Henri.

Robert s'opposa avec fermeté au désir de son épouse et fit couronner Henri tandis que le cadet, Robert, recevait le duché de Bourgogne où il donna naissance à une dynastie qui dura plus de trois siècles.

Ces événements, assez peu connus, marquent un précédent : à partir d'Henri Ier, la succession

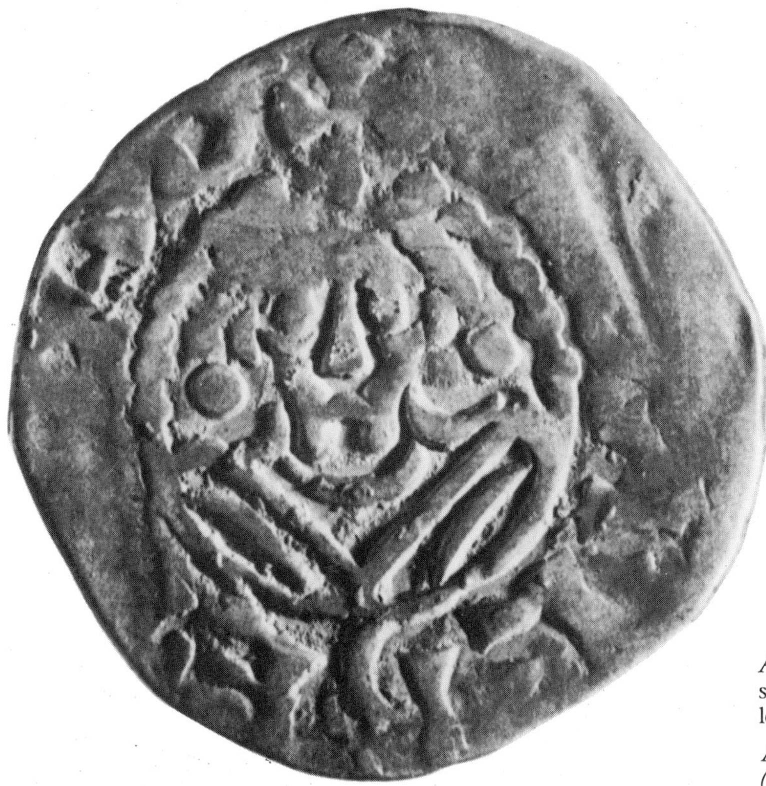

A gauche : Une pièce de monnaie semi-épiscopale, du temps de Robert le Pieux.

A droite : Robert le Pieux à l'église. *(Grandes Chroniques de France.)*

Cy commancent les chapitres du Roy
robert. Le premier conte le Roy hue cap
pet se fist couroner et de son trespassement

par primogéniture devient indiscutable et prend force de loi.

Mais la reine ne l'entendit pas de cette oreille et elle dressa ses deux fils contre leur père.

Ces dissensions assombrirent la fin d'un règne que l'on pourrait considérer comme très médiocre s'il n'avait été marqué par l'union au royaume de la Bourgogne, union qui fut malheureusement éphémère puisque Robert, tout comme un Mérovingien ou un Carolingien, partagea ses biens.

L'ensemble du règne n'est guère marqué que par des difficultés avec les vassaux qui, à part l'affaire heureuse de la Bourgogne, limitent tout agrandissement du domaine royal qui reste borné au sud par la Loire.

Trop faible pour accepter la couronne d'Italie qui lui fut un moment proposée, Robert fut fidèle à sa réputation de piété lors d'une entrevue avec l'empereur allemand Henri le Saint, à Ivois, en 1023 : ils essayèrent, d'ailleurs en vain, de s'entendre pour mettre fin aux désordres qui affligeaient alors la Papauté.

Robert le Pieux mourut après trente-cinq ans d'un règne sans éclat en l'année 1031, laissant une situation difficile en raison des intrigues menées par la reine Constance.

HENRI Ier
(1031-1060)

DE TOUS LES ROIS CAPÉTIENS, Henri Ier reste le plus mal connu ; personne, en son temps, n'a écrit son histoire et la destruction des archives au temps de Louis le Gros a laissé une grande obscurité sur son règne.

On sait seulement que la reine Constance contesta le droit de son fils à la couronne de France qu'elle souhaitait voir attribuer à Robert ; il en résulta une guerre entre les deux frères, guerre dont les péripéties sont à peu près ignorées.

Henri la gagna en achetant l'appui de ses vassaux ce qui lui coûta le Vexin français et la renonciation totale en faveur de son frère du duché de Bourgogne, en 1034.

Sans la vertu du sacre, il est probable qu'Henri Ier, homme qui paraît avoir été médiocre, eût été balayé. Mais l'onction reçue imposa le respect et permit, en faisant gagner du temps, de consentir des concessions.

Arriver à durer est tout de même un gage de stabilité et, malgré la grisaille qui entoure Henri Ier, son règne sans éclat fortifia la dynastie.

De même que son père, il eut une entrevue à Ivois avec l'empereur romain germanique. Elle n'avait pas pour objet de réformer la Papauté qui commençait, avec les papes allemands, à connaître un renouveau, mais d'étudier la question de Lorraine qui hanta l'esprit d'Henri Ier, comme elle avait tourmenté celui de Louis IV d'Outremer.

Henri Ier considérait la Lorraine comme une terre strictement française ; cette vue lointaine mettra sept siècles à trouver son accomplissement.

Le côté le plus intéressant d'Henri Ier c'est sa tentative de nouer une amitié franco-russe par un mariage. Veuf de Mathilde, fille de l'empereur Henri II, il épousa assez tardivement Anne de Kiev, fille du chef de l'État russe ukrainien.

De ce mariage naquit un fils qui porta le prénom, oriental d'origine, de Philippe. Son père le fit sacrer à Reims bien qu'il ne fût qu'un enfant, le 23 mai 1059.

Il reste une relation des fastes de ce sacre et c'est à peu près le seul document que l'on possède sur ce règne obscur.

Henri Ier mourut en 1060 ; bien que couronné, son fils Philippe, n'ayant que huit ans, ne put gouverner immédiatement.

Pour la première fois dans l'histoire capétienne se posa un problème qui ne se reproduira hélas ! que trop souvent, celui d'une régence.

Elle fut exercée par un oncle du jeune roi, Baudouin, comte de Flandre.

(Anne de Kiev ne voulut pas exercer la régence et la suite de sa vie fut assez singulière. Elle se fit enlever par Raoul de Crépy, vécut maritalement avec lui et l'épousa quand il devint veuf. Veuve une seconde fois, elle avait perdu son titre de reine et était désignée dans les actes sous le simple nom de mère du roi.)

De cette régence nous ignorons à peu près tout, mais il semble qu'elle fut dépourvue d'incidents, ce qui prouverait tout de même que la monarchie capétienne commençait à prendre du poids.

Mais la Bourgogne, où régnait Robert, en profita pour accentuer son indépendance et réduire sa vassalité à l'égard de la Couronne de France, événement qui se répétera plusieurs fois au cours des diverses dynasties bourguignonnes.

PHILIPPE Ier (1060-1108) ET BERTRADE DE MONTFORT

CE ROI QUI RÉGNA QUARANTE-HUIT ANS et dont le règne semble aussi une grisaille est surtout connu par les débordements de sa vie privée ; celle-ci ressemble assez curieusement à celle de son aïeul Robert le Pieux.

Philippe Ier épousa d'abord Berthe de Hollande et en eut un fils, Louis.

Puis il s'éprit de Bertrade de Montfort, femme du comte d'Anjou, Foulque le Réchin, et l'enleva. Cet épisode dramatique se situe fort avant dans le règne, le 15 mai 1092.

Le scandale fut immense. Mais Philippe était roi et il trouva en France des évêques pour l'absoudre. En revanche, le Saint-Siège se dressa et réunit une série de synodes. Philippe promit de renoncer à Bertrade mais il n'en fit rien.

Le pape était un Français, Urbain II, qui venait de prêcher la Croisade. Il montra de la patience au début puis finit par excommunier Philippe : comme celui-ci résista, l'interdit fut jeté sur le royaume.

La France fut moralement accablée et les chro-

Le tombeau de Philippe Ier à Saint-Benoît sur Loire.

L'armée normande passe devant Rennes.
(Tapisserie de Bayeux).

niqueurs du temps ont laissé des récits poignants de cette fermeture des églises et de la privation des sacrements. Devant une pareille condamnation, Philippe Ier fut contraint de céder. Mais il le fit seulement pour la forme, et le pape Pascal II, successeur d'Urbain II et français comme lui, se vit obligé de sévir de nouveau.

Ce ne fut qu'en 1104 que Bertrade cessa sa cohabitation avec le roi mais elle continua à être traitée en reine.

Ces événements domestiques assez affligeants sont à peu près tout ce que l'histoire a conservé du règne de Philippe Ier, règne qui fut assez vide d'événements à l'intérieur, mais très riche au contraire à l'extérieur.

En effet, en 1066, Guillaume le Bâtard, duc de Normandie, franchit la Manche, battit l'armée anglaise à Hastings, prit la place du roi Harold tué pendant le combat. C'était la naissance d'un danger qui troublera l'histoire de France pendant plus de sept siècles. La lutte commença du vivant de Philippe ; les Anglo-Normands prirent l'offensive et vinrent jusqu'à Mantes, qu'ils pillèrent complètement. La mort de Guillaume le Conquérant en 1087, amena un apaisement et les rapports de Philippe avec Robert Courteheuse, nouveau duc de Normandie, paraissent avoir été assez paisibles.

Une petite guerre avait précédé celle des Normands ; elle eut lieu en Flandre en 1070-71. Les Flamands obtinrent l'appui de l'empereur romain germanique et, le 22 février 1071, Philippe Ier se fit battre à Cassel. Ce n'était que le début d'une lutte avec les Flamands, lutte qui devait se poursuivre jusqu'aux Valois.

Ce qui paraît le plus important dans le règne de Philippe Ier, c'est son refus, en raison de ses difficultés avec la Papauté, de participer à la première croisade. Ce geste peu chrétien sera bénéfique pour la France car il mettra en difficulté financière un grand nombre de seigneurs croisés et, par la suite, la Couronne de France profitera de la situation.

Philippe Ier associa son fils Louis à la Couronne, puis il mourut, réconcilié avec l'Église le 29 juillet 1108.

Après sa mort l'histoire de France allait prendre un grand tournant.

LOUIS VI LE GROS
(1108-1137)

L'ASPECT PHYSIQUE DU ROI LOUIS VI nous est connu ; comme son surnom le rappelle, c'était un homme très corpulent, mangeur intrépide et grand buveur. Rompu aux exercices physiques, il ne connaîtra jamais la fatigue ; sensuel, il ne rechignera pas aux joies de la chair.

Sous de rudes apparences c'était un être sensible, accessible à la pitié et capable de pardonner à ses ennemis, et il en connut beaucoup. En effet, il avait, le premier, reconnu les vices et les dangers du système féodal et son effort consista à en réduire les inconvénients ; il ne craignit pas de s'attaquer à ses vassaux les plus dangereux et une partie de ses opérations militaires ressortit à la guerre civile.

Louis VI était né vers 1081 et avait été prénommé à sa naissance Thibaut. Ce ne fut qu'au baptême qu'il reçut ce prénom de Louis, qui rejoignait la tradition carolingienne.

Fils unique de Berthe, première épouse de Philippe Ier, il sera de bonne heure en butte aux persécutions de Bertrade d'Anjou, la maî-

Sceau de la commune de Meulan sous Louis VI le Gros.

tresse du roi qui a réussi à se faire épouser et a fait répudier la reine légitime.

Bertrade poussa l'impudence jusqu'à tenter de faire substituer un de ses fils à Louis, héritier légitime, et c'est à l'honneur de Philippe Ier que de s'être absolument opposé à une pareille iniquité.

Mais en raison des antinomies familiales, Philippe s'associe son fils dès 1098, puis l'envoie batailler dans le Vexin pour se débarrasser de lui.

Cette formation militaire se révéla excellente et porta d'heureux fruits. Les événements importants se multiplient. Tandis que Philippe Ier s'enferre dans les fantaisies sensuelles, son fils mène avec succès diverses guerres locales : au Vexin il combat les empiétements des Normands, puis il réduit un féodal insolent, Bouchard de Montmorency, résout un désaccord entre l'évêque de Chartres et la comtesse de Chartres ; à Angicourt, il règle un différend qui oppose le seigneur et les bourgeois, épisode qui confirme son soutien à l'éclosion des « villes libres ».

Ces activités se déroulent dans un climat pénible, car sa belle-mère, Bertrade, non seulement lui cherche noise mais tente même de le faire empoisonner.

C'est donc un homme tout à fait mûri et endurci qui accède à la Couronne à la fin de juillet 1108. Après avoir fait enterrer son père à l'abbaye de Fleury-sur-Loire (Saint-Benoît-sur-Loire), il fit procéder à son sacre, pour éviter de nouvelles complications avec Bertrade.

Il était le premier Capétien qui, bien que désigné, n'ait pas été couronné du vivant de son père, ce qui montre la consolidation de la dynastie. Consolidation morale certes, mais matérielle également car, au cours des guerres de sa jeunesse, Louis avait sérieusement agrandi le domaine royal ; l'incorporation du Gâtinais et diverses autres acquisitions avaient sensiblement doublé le fief primitif et il était possible désormais de joindre Bourges à Amiens, en dépit des enclaves féodales parsemant encore ce territoire.

Époux de Lucienne de Rochefort, puis d'Adélaïde de Savoie, il eut la douleur de perdre son fils aîné, Philippe, déjà *rex designatus,* et il associa alors son second fils, Louis, qui sera Louis VII, dit le Jeune, précisément parce qu'il fut longtemps le cadet.

Le long règne de Louis VI est impossible à diviser en périodes parce que le roi fit front à

La Cour de Louis le Gros.
(Miniature du XIVe siècle.)

la fois dans tous les domaines : lutte contre les féodaux, lutte contre l'Angleterre, contre l'Allemagne, contre les hérésies, affranchissement des villes, sans compter les luttes à la Cour entre favoris.

Mais il eut la chance immense de trouver en la personne du moine Suger un « premier ministre » de grande qualité. Ce constructeur de la basilique de Saint-Denis a, de surcroît, écrit l'histoire du roi qu'il servit si bien, ce qui permet d'en situer avec certitude les principaux événements entremêlés.

Au premier plan se place une lutte contre les grands féodaux qui s'échelonna sur toute la durée du règne. La liste de ses batailles internes va de la soumission de Bouchard de Montmorency en 1102 à celle des Garlande, favoris trop entreprenants, en 1135.

Entre-temps, Louis le Gros a mis à la raison de dangereux bandits, Hugues de Puiset de 1111 à 1118, Thomas de Marle et Enguerrand de Coucy entre 1103 et 1132. Ces guerres internes ont non seulement débarrassé le territoire de féodaux dangereux mais elles ont permis, par annexions, de fructueux agrandissements et le « nettoyage par le vide » du domaine royal.

Ce serait rabaisser Louis le Gros que de ramener ses activités à ces opérations de grande police. La politique extérieure du roi a été très remarquable.

Une intervention dans la politique flamande faillit cependant mal tourner, Louis VI ayant d'abord joué la mauvaise carte en écartant le comte Thierry de Flandre au profit d'un Anglo-Normand, Guillaume Cliton. Cliton ayant été tué au siège d'Alost, Louis fit volte-face et soutint Thierry de Flandre dont il se fit un allié.

L'aventure militaire la plus importante s'était jouée en 1124.

L'empereur Henri V fit alliance avec le roi d'Angleterre et la coalition déclara la guerre à la France. Le péril était grand et Louis le Gros ne pouvait seul faire face à deux adversaires aussi importants.

Dans cette situation difficile, le roi lança un appel à tous ses vassaux. Avec une rapidité inouïe, on vit se grouper les contingents ecclésiastiques et féodaux ; puis les milices communales vinrent également apporter leur appui. Huit grands corps purent être formés, le centre étant à Reims, les ailes en Bourgogne et en Flandre.

Le rassemblement se montra tellement puissant que l'Empereur, une fois arrivé devant Reims, fit demi-tour sans combat. C'est un peu le précédent de l'affaire du duc de Brunswick à Valmy.

La France avait été sauvée par son union et le succès moral remporté par Louis VI fut d'autant plus immense que, lors de la retraite de l'Empereur, les contingents lointains, ceux de Bretagne et d'Aquitaine, n'avaient pas encore eu le temps d'arriver.

Il est un autre aspect de Louis VI qui achèvera de le peindre : ce fut un roi très religieux et c'est sous son règne, et non sous celui de Pépin le Bref, que la France reçut le glorieux surnom de « fille aînée de l'Église ».

Louis VI assura la liaison du trône et de l'autel d'autant plus aisément que le Saint-Empire était déchiré par la querelle des Investitures et que la Papauté avait intérêt à s'appuyer sur la France. L'élection d'un pape français, Pascal II, fut de nature à faciliter le rapprochement.

Chassé de ses États par l'empereur Henri V, Pascal II trouva refuge en France et le concile de Vienne, réuni par les soins de Louis VI, proclama très haut la primauté du spirituel, ce qui constituait pour l'Empereur un blâme absolu.

En 1119, Louis VI recevait encore un pape français, Calixte II, qui tint un important concile à Reims, mais se montra peu reconnaissant de l'hospitalité française, puisqu'il ne prit pas parti pour Louis VI lors de la formation de la coalition anglo-allemande de 1124. Après la mort du successeur de Calixte II, Honorius II, l'Eglise fut déchirée par un schisme dit d'« Anaclet »... Deux papes furent élus en même temps, tous deux anciens légats en France, Innocent II et Anaclet. Louis le Gros opta pour le second et Innocent II l'emporta. Louis VI fit une volte-face si habile que, sans rancune, le pape vint rendre visite au roi à Saint-Denis.

Ces aspects multiples, qui font ressortir la personnalité exceptionnelle de Louis VI, doivent être complétés par un dernier, qui sembla le chef-d'œuvre du règne.

En raison des bons rapports avec le duc d'Aquitaine, le féodal le plus important, qui possédait près du quart de la France actuelle, Louis VI lui demanda la main de sa fille unique, Aliénor, pour son fils Louis.

Cette union laissait espérer un agrandissement territorial sans précédent, mais les choses tournèrent autrement qu'on aurait pu le penser ; mais Louis VI n'était plus là lorsque échoua ce projet sage et grandiose. Au retour de Bordeaux, où il avait négocié le mariage de son fils, il fut pris d'un flux de ventre et mourut à son arrivée à Paris, en 1137, âgé seulement de cinquante-six ans, achevant un règne qui avait changé le sort de la France.

LOUIS VII LE JEUNE (1137-1180) ET ALIÉNOR D'AQUITAINE

LOUIS VI LAISSAIT DE NOMBREUX ENFANTS dont l'aîné, Philippe, mourut d'une chute de cheval causée par un porc « diabolique » qui se jeta dans les jambes de la monture. Ce fut donc le cadet, Louis, qui fut appelé à la succession. Les autres enfants étaient Robert, comte de Dreux ; Pierre de Courtenay, dont la descendance règnera un moment sur Constantinople ; Henri, cistercien, évêque de Beauvais puis de Rouen ; Philippe, évêque de Paris en 1159, et enfin Constance, comtesse de Toulouse.

En mourant, le roi Louis VI laissait un domaine pacifié des turbulences féodales, mais le grand atout de Louis VII résidait dans son mariage avec Aliénor d'Aquitaine, ce qui donnait un espoir que ce fief immense pourrait un jour agrandir démesurément le petit domaine royal. Pour le moment, il n'y avait que juxtaposition et tout dépendait de la bonne entente du roi avec son épouse.

Louis VII était un homme sensible et loyal, assez peu doué sur le plan intellectuel. Il était pieux, d'une dévotion étroite, et, en tous points, inférieur à son père.

Aliénor était une femme redoutable, fort lettrée, sensuelle, coquette, pétrie de vices.

Dès le début de l'union, l'amour passionné que Louis portait à sa femme en avait fait un jouet entre ses mains. Heureusement la reine ne s'intéressait pas aux questions de gouvernement et le sage Suger continuait son rôle bienfaisant de « premier ministre ».

Les premières mesures prises par le roi lui aliénèrent l'Eglise : Louis se heurta à saint Bernard à propos des sièges épiscopaux de Langres, puis de Poitiers. Il couronna ces maladresses en entrant en conflit avec le pape Innocent II à propos du siège archiépiscopal de Bourges et fut excommunié.

Tout donne à penser que la politique religieuse de Louis VII était la conséquence de la mauvaise influence d'Aliénor.

A ces erreurs initiales s'en ajoutèrent de nouvelles sur le plan féodal. Louis voulut ressusciter les prétentions des ducs d'Aquitaine sur le comté de Toulouse où régnait sa sœur, ce qui entraîna des frictions ; il prit sur lui de soutenir sa femme qui poussait Raoul de Vermandois à répudier son épouse. Saint Bernard s'interposa et, le pape Innocent II étant mort, obtint de son successeur la levée de l'excommunication. Mais beaucoup de mal avait été fait.

D'autre part un épisode important se produisit : Geoffroy le Bel comte d'Anjou, marié à l'héritière du trône d'Angleterre, avait enlevé la Normandie et Louis VII se montra incapable d'arbitrer un conflit qui devait, en partie, être la cause de ses malheurs ultérieurs.

L'attention fut détournée par les événements du royaume franc d'Orient. Saint Bernard prêcha la croisade à Vézelay et, pour rentrer tout à fait en grâce auprès de l'Eglise, Louis VII décida d'y participer. Le roi se mit en chemin, accompagné d'Aliénor, car il craignait, en raison de la coquetterie de sa femme, de la laisser seule à Paris, mais le résultat ne fut pas plus heureux.

Louis VII débarqua en Syrie et, en mars 1148, à Antioche, le scandale éclata dans le ménage royal. Les relations d'Aliénor avec son jeune oncle Raymond de Poitiers, prince d'Antioche, prirent une allure inquiétante. Un plan de campagne fut élaboré, qui prévoyait de laisser Aliénor à Antioche. Le roi ne l'entendit pas de cette oreille et, changeant de stratégie, il prit en compagnie de sa femme la route de Jérusalem.

Dans la ville sainte, Louis VII se concerta avec l'empereur Conrad et le roi Baudouin III. Ces conférences aboutirent à mettre inutilement le siège devant Damas pour revenir bredouille à Jérusalem.

On assure sans preuves qu'Aliénor prodigua alors ses faveurs à un bel esclave maure.

Suger, inquiet de l'absence du roi et pensant que sa croisade avait suffisamment racheté ses torts envers l'Eglise, le pressait de revenir. Le roi suivit le conseil et, après avoir fait escale en Sicile, il alla rendre visite au pape à Rome et retrouva la France en 1149.

Suger avait assumé avec conscience une véritable régence pendant la longue absence et il remit avec joie le pouvoir au souverain.

Celui-ci, qui exaspérait Aliénor par sa dévotion, songeait de plus en plus à dissoudre son mariage. Suger l'en empêcha mais, quand ce sage ministre fut mort, le drame se produisit.

Louis fit annuler son union par une réunion de canonistes réunie à Beaugency le 21 mars 1152, sous prétexte qu'une parenté au quatrième degré entraînait le nullité de droit du mariage.

ci-dessus La prière de Louis VII pour avoir un héritier. Agenouillé, avec sa femme Alix, il reçoit des mains de Dieu son fils, sous la forme d'un petit roi couronné, le futur Philippe Auguste. *(Grandes Chroniques de France.)*

à droite Le tombeau de Richard Cœur de Lion, avec sa mère, Aliénor d'Aquitaine, à Fontevrault.

Le prétexte était admissible, mais il semble que Louis VII aurait dû considérer les intérêts de la France, d'autant plus que cette annulation allait être une source de malheurs défiant les plus folles imaginations.

Sitôt libre, Aliénor se remariait avec Henry Plantagenêt, comte d'Anjou, de plusieurs années son cadet, et héritier présomptif du trône d'Angleterre. Elle devait lui donner de nombreux enfants dont les noms ont passé dans l'Histoire.

On arrivait à ce résultat déplorable : non seulement de mauvais rapports s'établirent avec l'Angleterre, mais encore l'Angleterre allait avoir la suzeraineté sur près de la moitié du territoire français.

D'Aliénor, Louis VII avait eu deux filles, ce qui ne réglait pas le problème dynastique. Il se remaria avec Constance de Castille mais l'union resta stérile. Veuf, Louis VII convola pour la troisième fois avec Alix de Champagne. Celle-ci lui donna enfin, en 1165, un fils qui sera Philippe Auguste et qui aura fort à faire pour réparer les erreurs de son père.

Henry Plantagenêt était monté sur le trône d'Angleterre sous le nom d'Henry II. Il ne niait pas sa vassalité à l'égard du roi de France pour ses possessions continentales, mais des conflits locaux ne tardèrent pas à éclater pour des rectifications de frontières intérieures. Ce furent les prémices d'une longue lutte que certains historiens appellent la première guerre de Cent Ans.

Ces réserves faites, il convient aussi de rendre à Louis VII la justice qui lui revient. Conscient de ses fautes il tenta de les réparer en continuant l'œuvre intérieure de son père, Louis le Gros.

Pour contrebalancer le puissant État d'Henry II, il va chercher des contrepoids dans les fiefs qui lui sont soumis, guidé par l'idée générale que la France, pour assurer sa sécurité, doit créer un État-tampon entre les possessions anglaises et celles de l'Empereur qui est suzerain de l'est du territoire français.

Louis mettra à profit ses rapports redevenus excellents avec l'Eglise. Aidé par l'évêque de Langres, il citera à sa cour le duc de Bourgogne en 1153 ; il fera la même chose en 1160 avec le comte de Champagne, Henri le Libéral. En 1166 il assure la défense de Vézelay contre le comte Hugues de Nevers, puis il soutient les moines de Cluny contre le comte de Chalon dont il confisque le territoire.

Il donne suite à son idée d'Etat-tampon en soumettant les territoires qui peuvent permettre ce résultat.

Il obtient d'abord les hommages des Bourbons et des Beaujeu ce qui lui ouvre la route d'Au-

L'entrée de Louis VII et Conrad III à Constantinople, en 1147. *(Grandes Chroniques de France.)*

L'empereur Frédéric Ier Barberousse. *(Histoire de Jérusalem* par Robert le Moine.)

vergne ; puis il reçoit le serment vassalique du comte du Forez Guigue III. Il met à la raison le vicomte de Polignac avec l'appui de l'évêque du Puy. Puis il entre en Gévaudan où il obtient l'hommage de l'évêque de Mende. Le voici enfin en Languedoc, sous couleur d'assister son beau-frère, le comte de Toulouse.

La venue du roi en Languedoc fit réfléchir Henry II, qui se préparait à attaquer le comté de Toulouse. Il semble que, pour se faire payer le service, Louis VII revendiqua l'hommage de Narbonne.

Henry II, ayant réfléchi, invita alors ses fils Richard Cœur de Lion et Jean sans Terre à rendre hommage au roi de France et Louis VII accueillit les fils de la femme qu'il avait répudiée. Pour faire pièce au roi d'Angleterre, il donna asile à l'archevêque de Cantorbéry, Thomas Becket, en délicatesse avec son souverain. Et, en 1173, le roi de France arriva à soulever les fils d'Henry II contre leur propre père.

Enfin, en conflit avec l'empereur Frédéric Barberousse en raison de la seconde querelle des Investitures, Louis VII accueille à Sens le pape Alexandre III et la médiation papale évite la conjonction militaire des Anglais et des Allemands.

Tel est le bilan de ce règne peu cohérent, qui créa de nouveaux périls extérieurs, mais maintint et améliora à l'intérieur la lutte antiféodale de Louis le Gros. Enfin, il faut noter que c'est Louis VII qui fit des fleurs de lys l'emblème de la monarchie française.

Le roi mourut en 1180, après quarante-trois ans de règne, laissant, sans l'avoir fait sacrer, le sceptre à un adolescent de quinze ans, Philippe Auguste, dont le destin n'a pas fini d'étonner.

PHILIPPE II AUGUSTE (1180-1223) ET ISABELLE DE HAINAUT

TOUT SORT DE L'ORDINAIRE dans le règne de Philippe Auguste qui dura quarante-trois ans, tant par la vie privée du roi qui compta trois épouses que par son action politique qui porta le fief primitif d'Hugues Capet à des dimensions près de quarante fois plus élevées qu'à l'origine.

Philippe avait été associé à la couronne par son père en 1179.

Nous sommes peu renseignés sur son aspect physique : il semble d'après les chroniques que « c'était un bel homme, bien découplé, d'une figure agréable, chaude, avec un teint coloré et un tempérament très porté vers la bonne chère, le vin et les femmes.

« Il était large avec ses amis, avare pour ceux qui lui déplaisaient, fort entendu dans l'art de l'ingénieur. Il jugeait avec beaucoup de rapidité et de droiture. Aimé de la fortune, craintif pour sa vie, facile à émouvoir et à apaiser, il était très dur pour les grands qui lui résistaient et se plaisait à nourrir entre eux la discorde. Jamais, cependant, il n'a fait mourir un adversaire en prison. Il aimait se servir des petites gens, se faire le dompteur des superbes, le défenseur de l'Eglise, et le nourrisseur des pauvres [1]. »

Philippe Auguste (ainsi surnommé parce qu'il était né au mois d'août) monta sur le trône le 18 septembre 1180 et manifesta aussitôt une grande indépendance d'esprit bien qu'il n'eût encore que quinze ans.

Pour débrouiller ce règne long et compliqué il est sage de parler d'abord de la vie conjugale du roi. Celui-ci avait contracté fort jeune un mariage avec Isabelle, fille du comte de Hainaut et nièce du comte de Flandre, qui lui apportait en dot Amiens et l'Artois. Il eut de celle-ci un fils qui sera le futur Louis VIII mais la reine Isabelle mourut prématurément en 1190.

Philippe Auguste, n'ayant que vingt-cinq ans, décida de se remarier et, en 1193, il épousa Ingeburge, fille du roi de Danemark. Il se produisit alors un fait singulier : au cours de la cérémonie du mariage, le roi se rendit compte que sa nouvelle épouse ne lui inspirait aucun désir ; consomma-t-il ou non la mariage, on en est réduit aux hypothèses. Ce qui est certain, c'est qu'il répudia la nouvelle reine et l'enferma dans un cloître, puis dans diverses prisons, dont l'une est conservée dans son état d'alors, à Etampes.

Puis le roi céda à un coup de passion ; il avait toujours aimé les femmes et il tomba follement amoureux d'une princesse germanique, Agnès de Méranie, dont le père régnait sur Merano, dans la haute vallée de l'Adige.

Comme si Ingeburge n'existait pas, il épousa Agnès de Méranie ; elle lui donna un fils, Philippe Hurepel, qui sera presque considéré comme un bâtard. Car la Papauté s'était mêlée de l'affaire et le pape Innocent III, considérant qu'il ne s'agissait pas seulement d'un adultère mais bien de bigamie, fulmina une excommunication contre le souverain. Celui-ci s'étant refusé à obtempérer, le Pape aggrava la sanction en jetant l'interdit sur le royaume.

A regret, pour sauver l'âme des Français fidèles, et aussi parce qu'il avait besoin de la médiation papale, Philippe Auguste dut se résigner à se séparer d'Agnès de Méranie et à rappeler Ingeburge avec laquelle ses rapports restèrent distants.

La politique de Philippe Auguste consista d'abord à mater les féodaux comme l'avaient fait son grand-père et son père, elle visa à supprimer dans la mesure du possible l'empire des Plantagenêts en France ; ses succès et ses ambitions donnèrent lieu à une coalition européenne encouragée par la Papauté, coalition dont il fut le grand vainqueur ce qui consolida fortement sa situation nationale et internationale. Parallèlement à ces activités, se déroule un drame, accessoire au début, celui de la croisade contre les Albigeois, croisade dont Philippe Auguste se désintéresse au début, mais dont il saura prendre la tête au moment voulu, ce qui, par la suite, rattachera le Languedoc à la France.

Les débuts du règne avaient été compliqués par les rivalités entre les factions de Flandre et de Champagne. Celles-ci furent provoquées par un des premiers actes politiques du roi, la signature d'un pacte de non-agression avec Henry II Plantagenêt. Ce pacte, signé à Gisors le 28 juin 1180, avant le mort de Louis VII, fortifiait tellement la position interne de la Couronne que les féodaux s'en alarmèrent.

Les comtes de Champagne et de Flandre s'allièrent et se firent appuyer par les grands vassaux du nord et de l'est. Il y eut quelques escarmouches

1. *Chronique de Tours,* citée par Achille Luchaire *(Histoire de France* de Lavisse).

Le sceau de majesté du roi Henry II d'Angleterre.

et surtout des intrigues et des trahisons. Ces difficultés ou Philippe Auguste par son opiniâtreté se fortifia furent réglées par le traité de Boves, signé en juillet 1185. Le roi devenait suzerain du Vermandois et recevait confirmation de la possession d'Amiens et de l'Artois qui avaient été promis en dot à sa femme. De surcroît il obtenait de la Bourgogne la cession de Châtillon-sur-Seine.

Désormais son autorité sur ses vassaux ne fut plus contestée. Ses vassaux mis à la raison, le roi passa à la seconde partie du programme qu'il s'était fixé, à savoir l'attaque contre les Plantagenêts.

Philippe Auguste commença par réclamer à Henry II une part de la Normandie, part ayant constitué la dot de sa sœur Marguerite quand elle avait épousé Henry le Jeune, fils d'Henry II, et qui venait de mourir. De surcroît, il contestait la vassalité à l'Angleterre en Berry et en Auvergne.

Pour arriver à ses fins, il noua amitié avec l'un des fils d'Henry II, Geoffroy de Bretagne, et, quand ce prince fut mort prématurément, il le remplaça par un autre fils d'Henry II, Richard Cœur de Lion.

Enfin, s'étant fortifié politiquement par une alliance contre l'Angleterre avec l'empereur Frédéric Barberousse, Philippe Auguste, sans déclaration de guerre, passa le Cher et s'empara d'Issoudun. Henry II, décidé à éviter une guerre, proposa immédiatement une paix, qui fut signée à Châteauroux en 1187.

Richard Cœur de Lion vint en séjour à la cour de France ; quand les méfiances anglaises furent endormies, le roi repassa à l'attaque et fit mine de pénétrer en Normandie en réclamant la possession de Gisors ; ce fut une reprise de guerre qui se termina pas une réconciliation immédiate. Celle-ci n'empêcha pas Philippe Auguste de récidiver et de profiter d'un soulèvement de l'Aquitaine pour attaquer le Berry. La guerre anglo-française se généralisa et elle dura de juillet à novembre 1188.

Henry II, vieux et las, se prêta à une nouvelle négociation. Philippe Auguste exigea que Richard Cœur de Lion fût proclamé immédiatement roi d'Angleterre ; le jeune prince vint faire hommage au roi de France et combattre à ses côtés. La Papauté s'en mêla, donnant tort à Philippe Auguste qui n'en tint aucun compte : il envahit et soumit le Maine. Henry II prit la fuite, puis capitula près d'Azay-le-Rideau. Il désigna Richard comme roi d'Angleterre et mourut le 6 juillet 1189 à Chinon.

Ayant fait Richard roi d'Angleterre, Philippe Auguste estimait l'avoir désormais à sa dévotion.

Mais Richard, devenu roi, se conduisit autrement que lorsqu'il était simple prince héritier. Il mesura ses territoires et ses forces et, se reconnaissant plus puissant que son suzerain, il marqua des velléités d'indépendance.

Il y aurait eu vraisemblablement un nouveau conflit si l'attention n'avait été détournée par l'occupation de Jérusalem par le sultan Saladin, ce qui impliquait la nécessité d'une nouvelle croisade. Richard fut d'accord avec Philippe Auguste pour y participer avec lui ; l'empereur Frédéric Barberousse devait se joindre à eux.

Avant de quitter la France, Philippe Auguste régla sa succession, nomma régente éventuelle la reine-mère, mais en la bridant par des organismes de contrôle.

Les souverains français et anglais traversèrent la France de concerve, puis se séparèrent à Marseille pour prendre des itinéraires différents ; ils n'atteignirent les rives de Syrie qu'en juin 1191.

Les difficultés commencèrent tout de suite parce que Richard refusa d'épouser la princesse Alix, sœur de Philippe Auguste ; pour ne pas interrompre la croisade, la rupture de fiançailles se solda par une indemnité.

De surcroît, l'homme rude qu'était Philippe Auguste s'irrita vite de l'élégance et du faste de Richard. Les rapports se tendirent et, sous le prétexte de la mort du comte de Flandre au siège de Saint-Jean d'Acre, Philippe Auguste quitta assez subitement l'Orient en vue de recueillir effectivement l'Artois et le Vermandois qui lui avaient été concédés par le traité de Boves.

Richard, qui commençait à se méfier, fit jurer à Philippe Auguste que celui-ci n'entreprendrait rien contre lui avant son retour en Angleterre.

De retour dans son royaume, Philippe se parjura sans attendre : il suscita une révolte de Jean sans Terre en Angleterre. Inquiet des activités suspectes de son frère, Richard Cœur de Lion abandonna rapidement la Palestine pour regagner son île (1192).

Il ne pouvait imaginer que le roi de France s'était entendu avec le fils de Barberousse, Henri VI : quand le roi d'Angleterre traversa le territoire impérial, il fut arrêté et interné dans la forteresse de Trifels, édifiée sur un piton de la Haardt, près de Landau. Cette captivité a passé dans la légende.

Richard obtint sa liberté contre rançon et en se reconnaissant vassal de l'Empereur. Puis, de retour en Angleterre, il vint entamer la guerre sur le territoire français qui eut, entre autres conséquences, la perte totale des archives de France qui suivaient l'armée sur un fourgon.

Ci-dessus : Saladin. (Miniature persane.)

Ci-dessous : L'empereur Henri VI. (Miniature du *Manessischen Liederhandschrift.)*

Le pape Innocent III, qui excommunia
Philippe Auguste lorsqu'il épousa Agnès de Méranie.
(Mosaïque de l'ancienne basilique Saint-Pierre de Rome.)

Puis, pour défendre la Normandie, Richard construisit au-dessus des Andelys la formidable, forteresse de Château-Gaillard.

Fort de ses succès, le roi anglais trouva des alliés chez les vassaux de Philippe Auguste et un allié imprévu dans la personne d'Othon IV, le nouvel Empereur, qui avait passé sa jeunesse à la Cour des Plantagenêts.

La situation militaire de Philippe Auguste se détériora ; en 1198 il se jugea incapable de la redresser et il envisagea une médiation papale ; elle était difficile à obtenir car il était en plein conflit avec Rome à cause de son remariage avec Agnès de Méranie. Le pape Innocent III jugea cependant politique d'intervenir ; à son instigation, une trêve fut signée à Vernon, suivie d'un traité à Péronne ; ce traité enlevait au roi de France toutes ses conquêtes sauf Gisors. Si Philippe Auguste était mort alors, on ne parlerait de lui qu'avec mépris dans l'Histoire.

La chance servit alors le roi de France : Richard Cœur de Lion qui avait repris les hostilités en Limousin fut tué par une flèche au siège de Chalus, en 1199. La succession du trône d'Angleterre fut ardemment disputée entre Arthur de Bretagne et Jean sans Terre : Philippe Auguste opta pour ce dernier, mais en se faisant payer de l'Anjou et de la Normandie.

Appuyé par sa vieille mère Aliénor d'Aquitaine, Jean sans Terre feignit d'accepter puis il reprit la Normandie. Philippe Auguste dut acquiescer par le traité du Goulet (22 mai 1200) et sa situation se trouva plus détestable encore qu'en 1198. Il fut sauvé par une erreur de Jean sans Terre qui entra en lutte avec les Lusignan. Ces derniers en appelèrent à la justice de leur suzerain Philippe Auguste.

Le roi cita Jean sans Terre devant sa Cour en avril 1202 et celui-ci, ayant refusé de comparaître, fut déchu de ses droits ; en vertu d'un jugement de commise, Philippe Auguste reprit en main tous les fiefs anglais.

C'était un abus de pouvoir évident et le roi de France ne possédait pas les moyens matériels pour entrer en possession de territoires aussi vastes. Il se résolut donc à n'occuper que la Normandie et il plaça comme vassal à sa main sur les autres terres Arthur de Bretagne, qui prit son rôle au sérieux et vint assiéger dans Mirebeau sa propre grand-mère, Aliénor d'Aquitaine. Celle-ci devait pourtant, avant de mourir, négocier le mariage de sa petite-fille Blanche de Castille avec le prince Louis, propre fils de Philippe Auguste.

Jean sans Terre était venu débloquer sa mère à Mirebeau, puis il fit prisonnier Arthur de Bretagne et le fit mettre à mort. Ce drame ne modifia pas la politique de Philippe Auguste qui vint assiéger le Château-Gaillard. Quand, après un long siège, la forteresse se fut rendue, la Normandie fit sa soumission (24 juin 1204).

Exploitant ce succès, le roi de France s'empara de l'Anjou, puis du Poitou. Jean sans Terre perdit ses fiefs continentaux, mais il n'abandonnait pas un espoir de revanche. Une coalition menée par ses soins allait regrouper avec lui le nouvel Empereur, Othon de Brunswick, assisté par le comte de Flandre, le comte de Hollande et le comte de Boulogne.

Le plan de campagne, très ingénieux, visait à

Simon de Montfort, seigneur d'Ile-de-France, chef de la croisade contre les cathares. (Notre-Dame de Chartres.)

disperser les forces de Philippe Auguste en menant l'attaque sur deux fronts, celui d'Aquitaine et celui de Flandre.

Sur le premier, la chance tourna en faveur de la France. Au combat de la Roche-aux-Moines (7 juillet 1214), le prince Louis dispersa les forces de Jean sans Terre.

Le même mois, mois capital dans l'Histoire de France, le 27 juillet, entre Lille et Tournai, à Bouvines, Philippe Auguste battait la coalition et Jean sans Terre évacuait le territoire français. Il rentrait vaincu à Londres où ses barons, le jugeant déconsidéré, lui imposèrent cette Grande Charte qui établit en Angleterre la monarchie constitutionnelle (1215). Le roi d'Angleterre feignit de se soumettre mais fit appel de la décision devant le pape Innocent III. Les barons anglais, outrés de cette félonie, pensèrent à déposer leur souverain et à le remplacer par le propre fils de Philippe Auguste, le prince Louis, devenu par son mariage avec Blanche de Castille, le petit-fils d'Aliénor d'Aquitaine. Ce projet qui inquiéta fortement Philippe Auguste n'eut pas de suite parce que Jean sans Terre mourut en 1216 et que les barons anglais reconnurent son fils le jeune Henry III. Louis renonça à ses prétentions par le traité de Lambeth (1217).

Parallèlement à cette étonnante série de faits d'armes qui va de 1204 à 1214 et amène la prépondérance française, se déroule sur le territoire national un autre drame dont l'Histoire a gardé la mémoire, la fameuse croisade des Albigeois.

A cette expédition provoquée par des ambitions féodales on a donné fort abusivement le nom de croisade, parce qu'il s'agit en fait d'une opération de caractère religieux, entreprise pour mettre fin à des activités hérétiques.

Les albigeois, que l'on appelle également cathares, étaient les disciples lointains d'un hérétique des premiers siècles nommé Manès. Sa doctrine, le manichéisme, distinguait deux principes celui du Bien et celui du Mal. Le bien était l'esprit, le mal le corps.

Cette théorie conduisait les élites à l'ascèse, mais, pour le peuple, la possibilité d'une absolution générale, le *consolamentum,* autorisait au cours de l'existence les pires désordres. La Papauté s'était alarmée de l'hérésie dès le concile de Latran en 1179 et une offensive missionnaire, à laquelle devait s'attacher le nom de saint Dominique, fut entreprise en Languedoc. Mais l'offensive religieuse resta pratiquement sans effet parce que les cathares bénéficiaient des complaisances du comte de Toulouse Raymond VI.

En 1208, le légat du Pape en Languedoc, Pierre de Castelnau, fut massacré par les hérétiques en sortant de l'église abbatiale de Saint-Gilles du Gard. Malgré la pénible amende honorable que fit dans cette même église en 1209 le comte de Toulouse, le pape Innocent III prêcha la croisade contre les cathares, dans l'idée de les intimider.

Fidèle au droit féodal, Philippe Auguste refusa de faire la guerre à l'un de ses vassaux pour un motif confessionnel et, de surcroît, sur l'injonction papale. Mais le roi ne put empêcher une partie de la noblesse de s'enrôler, alors que la Couronne se maintenait dans une stricte neutralité qui ne l'exempta pas de critiques.

La croisade fut conduite par un seigneur d'Ile-de-France, Simon de Montfort, avec une grande habileté tactique et aussi une grande férocité. On parle encore du massacre des habitants de Béziers dans l'église de la Madeleine et du mot prêté au légat du Pape, Arnaud Amalric : « Tuez-les tous. Dieu reconnaîtra les siens. »

En quelques semaines, Simon de Montfort mit le Languedoc à merci et l'annexa à son propre profit. Le comte de Toulouse s'allia au roi Pierre d'Aragon pour retrouver sa souveraineté. Simon de Montfort les battit à Muret en 1213, ce qui assurait la conquête. Le concile de Latran, en 1215, prononça la déchéance du comte de Toulouse et investit Simon de Montfort. Le roi de France ne pouvait accepter une investiture étrangère dans l'un de ses fiefs vassaux, ce qui l'obligea à intervenir par les soins de son fils Louis.

Ce fut quand cette affaire se réglait que Philippe Auguste mourut à Mantes en 1223. Son règne avait été grand : dans le domaine administratif, c'est le moment où l'histoire du domaine royal se confond enfin avec l'Histoire de France. Les grands féodaux sont mis à la raison. La centralisation administrative apparaît avec le choix définitif de Paris comme capitale.

Le roi occupe le palais de la Cité, établit les grandes croisées de Paris, deux larges voies pavées dans le sens des quatre points cardinaux. L'entrée ouest de Paris est marquée par la tour du Louvre. La ville est entourée par une enceinte correspondant au tracé des grands boulevards actuels et qui a gardé le nom d'enceinte de Philippe Auguste.

L'Université s'établit sur la montagne Sainte-Geneviève et Paris devient la capitale du savoir et de l'esprit.

Ce qui montre le mieux la splendeur de cette période, c'est son œuvre architecturale, cette floraison à Paris et dans son pourtour des grandes cathédrales gothiques dont le style original a gardé chez les spécialistes le nom *d'opus francigenum.*

LOUIS VIII LE LION (1223-1226) ET BLANCHE DE CASTILLE

LE COURT RÈGNE DU FILS DE PHILIPPE AUGUSTE, Louis VIII le Lion, n'a vraisemblablement pas permis à l'Histoire de lui faire la place qu'il y mériterait, tant par sa valeur personnelle que par les mérites de son admirable épouse, la reine Blanche de Castille, petite-fille d'Aliénor d'Aquitaine, qui devait lui donner onze enfants.

Louis VIII, né en 1187, était le fils d'Isabelle de Hainaut.

Il fut initié de bonne heure à la guerre par Philippe Auguste ; la victoire de La Roche-aux-Moines qu'il remporta seul en 1214 sauva la France de l'invasion par le sud et assura en grande partie le succès de la bataille de Bouvines.

Puis la destinée du futur Louis VIII connut un tournant extraordinaire. Les Anglais, après avoir imposé à Jean sans Terre la Grande Charte, constatèrent que leur roi n'admettait pas sa diminution de pouvoir et songeait à faire appel au Pape pour ramener ses sujets à l'ordre ancien. Pensant que leur intérêt était de déposer Jean sans Terre, ils pressentirent le prince Louis d'accepter la couronne d'Angleterre. Si ce changement de dynastie s'était effectué, tout le cours de l'Histoire en eût été changé et les Capétiens, possédant à la fois l'Angleterre et la France, fussent devenus les principaux souverains d'Europe.

Le prince Louis fut bien élu roi d'Angleterre et, comme gage de fidélité, vingt-quatre barons anglais furent envoyés en otages à Compiègne pour garantir l'élection.

Une armée française fut levée et, le 21 mai 1216, les troupes de Louis débarquaient en Angleterre. Le prince Louis fut accueilli à Londres avec les honneurs royaux et s'apprêta à disperser les quelques troupes restées fidèles à Jean sans Terre.

L'issue des événements ne paraissait pas faire de doute quand Jean sans Terre mourut le 19 octobre 1216. Cette brusque disparition provoqua un retournement du sentiment public britannique. Si les Anglais méprisaient leur roi défunt, ils ne ressentirent pas les mêmes rancunes à l'endroit de son héritier.

Un parti nombreux se forma autour du jeune prince Henry III qui fut sacré par le légat du pape Honorius III, le cardinal Galon. La lutte éclata entre Henry et Louis et le nouveau roi d'Angleterre essuya une grave défaite à Lincoln.

Mais, le 24 août 1217, la flotte française dut affronter la flotte anglaise près de Calais ; selon son habitude, l'Angleterre triompha sur mer et Louis dut abandonner. Avant son départ les Anglais lui firent secrètement un don de dix mille marcs d'or.

Philippe Auguste, ayant désapprouvé l'entreprise, revit son fils avec satisfaction et utilisa aussitôt ses services pour intervenir dans les affaires du Languedoc. La mort de Simon de Montfort, tué en 1218 au siège de Toulouse et remplacé par son médiocre fils Amaury, facilita singulièrement le règlement d'une situation confuse.

Il y a lieu de noter que Louis VIII fut le premier roi capétien non désigné du vivant de son père, qui jugea la monarchie assez solide pour prendre ce risque et en confirmer le caractère héréditaire.

Une fois couronné, Louis VIII, accédant aux demandes du pape Honorius III, sollicita la participation financière de l'Eglise à la lutte contre les cathares. Raymond VII, fils de Raymond VI, décédé, fut excommunié ; le roi acheta à Amaury de Montfort ses droits sur le comté de Toulouse qui fut ainsi mis hors de jeu au point de vue de la coutume féodale.

Le siège de Toulouse, qui résista quelque temps, fut facilité par la prise d'Avignon qui ne suscita pas de protestation de la part de l'Empereur, et Louis VIII obtint la soumission totale du Languedoc.

Il n'en reste pas moins que ces opérations nécessitèrent parfois l'emploi de la violence, et l'Histoire a retenu la pénible affaire de Marmande, dont Louis VIII fit massacrer toute la population sans distinction d'âge ni de sexe.

Replacée dans le cadre général de sa vie, l'œuvre de Louis VIII fut considérable. Il avait soumis le Poitou, l'Aunis et la Saintonge, sauvé la France à la Roche-aux-Moines, failli devenir roi d'Angleterre.

Son action en Languedoc fut habile et riche de conséquences pour l'avenir, puisque, au lendemain de sa mort, Blanche de Castille, politique habile, put régler le problème de la dévolution. En mariant un de ses cadets, Alphonse, à la fille de Raymond VII, elle donnait une chance au fief de faire retour à la France en cas de non-descendance. La conjoncture arriva beaucoup plus tôt qu'on ne pouvait l'espérer puisque Alphonse mourut, ainsi que sa femme, en 1271, et que le Languedoc revint sans discussion à la Couronne.

Après avoir soumis le Languedoc, Louis VIII mena quelques tentatives en Aquitaine, qui préparèrent la future annexion. Au retour de ses expéditions méridionales il tomba malade et mourut à Montpensier, d'une dysenterie, le 8 novembre 1226. Il n'avait que trente-huit ans et sa mort posait un problème encore peu connu des Capétiens, celui d'une régence ; elle allait être dévolue à la reine Blanche de Castille, qui s'acquitterait remarquablement de ses difficiles fonctions.

LOUIS IX OU SAINT LOUIS (1226-1270) ET MARGUERITE DE PROVENCE

LE NOUVEAU ROI, LOUIS IX, n'ayant que douze ans à la mort de son père, sa mère, la reine Blanche de Castille, exerça la régence. Son époux l'ayant désignée avant de mourir, l'investiture ne posa pas de problème sérieux.

La régente conserva auprès d'elle les anciens ministres de son mari qui avaient été également ceux de Philippe Auguste. Ces maintiens, pourtant excellents, n'empêchèrent pas des difficultés dues à Philippe Hurepel, comte de Boulogne, fils de Philippe Auguste et d'Agnès de Méranie, et à Pierre Mauclerc, duc de Bretagne. Il faut y ajouter les rancunes assez compréhensibles du comte de Toulouse. Aussi une première tentative de soulèvement eut-elle lieu en 1227, six mois après le sacre du roi. La régente prit les armes et, soutenue cette fois par Philippe Hurepel, elle s'avança jusqu'à Loudun. Cette manœuvre amena immédiatement la signature d'un traité à Vendôme avec Pierre Mauclerc et son allié, le comte de La Marche.

Puis Philippe Hurepel changea de camp et tenta de faire enlever son neveu qui dut se sauver précipitamment. Une nouvelle fois, l'énergique Blanche de Castille brisa la coalition, puis, au printemps de 1228, reprit la croisade en Languedoc et signa en 1229 le traité de Paris qui assurait pour l'avenir le retour du Languedoc à la France.

En dépit de ce succès, Blanche de Castille eut à faire face à de nouveaux affrontements. On lui reprochait une amitié peut-être amoureuse à l'égard du comte Thibaut de Champagne, et également de trop bonnes relations avec le cardinal de Saint-Ange, légat du Pape, dont le domicile fut pillé par les étudiants de l'Université de Paris en 1229.

L'année suivante, une conjuration dont Hurepel et Mauclerc étaient les instigateurs décida d'envahir la Champagne pour anéantir le comte Thibaut.

La première opération des coalisés fut une incursion en Lorraine, dont le duc soutenait le comte Thibaut. Pierre Mauclerc lança un défi au roi, disant qu'il se considérait comme délié de ses liens de vassalité et se faisait l'homme-lige du roi d'Angleterre. Profitant de la conjoncture, le roi d'Angleterre débarqua à Saint-Malo à la tête d'une forte armée.

Louis IX et Blanche de Castille se trouvaient alors en Anjou où se déroulèrent de molles hostilités ; des combats, en revanche, eurent lieu en Champagne.

Le jeune roi et la régente sauvèrent la situation en faisant savoir qu'ils soutiendraient à fond Thibaut de Champagne. Alors Philippe Hurepel abandonna la coalition et vint soutenir la cause de son royal neveu. Cette volte-face, largement récompensée, désagrégea l'entente. La Couronne l'emportait une nouvelle fois sur les grands vassaux. Toutefois le roi d'Angleterre, Henry III, continuant à guerroyer sporadiquement dans le Sud-Ouest, il fallut conclure avec lui une trêve de trois ans, aux termes de laquelle les quelques conquêtes faites en Anjou étaient incorporées au domaine royal. La régence de Blanche de Castille se terminait donc par un succès complet. La mort de Philippe Hurepel, en 1234, enlevant toute nouvelle velléité d'agitation, le roi Henry III se vit obligé de conclure en 1235 une seconde trêve de cinq ans.

Devenu roi effectif à vingt et un ans, Louis IX va vite surprendre ses contemporains par les mérites de son caractère et par la beauté de son âme. Il devait apporter à la royauté capétienne une autorité morale qui ne se retrouva plus jamais.

On aurait tort, cependant, de croire que le roi était patient et doux et qu'il se refusait par souci de charité aux opérations de guerre.

Au physique c'était un homme grand, plutôt maigre, un peu voûté ; ses cheveux blonds étaient portés longs et encadraient un visage assez irrégu-

A gauche : Saint Louis. (Musée de Cluny.)
A droite : Marguerite de Provence, femme de Saint Louis (provenant du portail de la chapelle de l'hospice des Quinze-Vingts.)

lier de traits, mais d'un charme inexprimable dû à la douceur du regard et à une expression naturellement gracieuse.

En 1234, Louis IX épousa Marguerite de Provence, fille aînée de Raymond Bérenger IV, comte de Provence, qui devait par la suite marier une fille cadette au frère du roi, Charles d'Anjou.

Marguerite de Provence est l'une des plus intéressantes figures de reines de France. Les débuts du mariage furent difficiles car la tradition assure que Blanche de Castille se montra une belle-mère autoritaire, encline à trop s'immiscer dans le ménage de son fils. Marguerite en aurait conçu une certaine amertume. Mais les choses changèrent après que la reine eut participé à la croisade où elle se conduisit héroïquement. A son retour en France, Blanche de Castille étant morte, Marguerite régna sans conteste sur le cœur de son époux et elle eut sur lui une grande influence, l'empêchant d'abdiquer parce qu'il avait manifesté, un moment, l'intention de se faire dominicain. Marguerite de Provence survécut près d'un quart de siècle à son époux, mais, loin de continuer à intriguer à la Cour de France, elle se retira dans un couvent où elle mourut pieusement en 1295.

Les premières activités gouvernementales de Louis IX furent d'ordre militaire et il acheva paisiblement la conquête du Poitou amorcée par son père.

Mais cette conquête ne fut pas du goût des Lusignan qui, oubliant leur vassalité, appelèrent à l'aide le roi d'Angleterre. Louis IX se vit obligé de reprendre les armes.

Le roi Henry III débarqua à Royan le 12 mai 1242. Il amenait beaucoup d'or mais peu de troupes. Avec des effectifs réduits, il vagabonda dans la Saintonge ; les Français circulaient de leur côté et, un beau jour, les deux armées se trouvèrent face à face, sur les bords de la Charente, au pont de Taillebourg (21 juillet 1242). Henry III, estimant la partie inégale, leva le camp et battit en retraite, épisode qui est appelé abusivement la bataille de Taillebourg.

Saint Louis entama la poursuite et rejoignit les

Saint Louis s'embarque pour la croisade. (Feuillet d'un livre d'heures du XVe siècle.)

Anglais à Saintes où ils furent complètement battus (22 janvier 1242).

Le roi d'Angleterre s'enfuit et les barons qui comptaient sur son appui en furent si démoralisés qu'ils se soumirent à Louis IX. Le comte de La Marche et son épouse vinrent se jeter aux pieds du roi et implorèrent en pleurant sa miséricorde.

Le roi Henry III, poursuivant sa retraite, s'était embarqué à Blaye, car il avait compris ne plus pouvoir compter sur un appui continental. On put un moment espérer que les conquêtes de Louis IX seraient définitives et que les possessions anglaises seraient réduites à la seule Guyenne, c'est-à-dire le territoire compris entre le cours de la Dordogne et les Pyrénées.

Pensant que le roi de France était suffisamment occupé par sa lutte contre les Anglais, le comte de Toulouse s'était agité et avait passé à la révolte. Louis IX était d'autant plus résolu à en finir qu'un massacre organisé par les cathares survivants avait ensanglanté la petite ville d'Avignonet, en Lauraguais. Il envoya deux armées, l'une envahissant le Quercy, l'autre surveillant les cols des Pyrénées au cas où les Espagnols bougeraient.

La défection d'un allié de Raymond VII, le comte de Foix, amena la soumission du comte de Toulouse ; dans l'impossibilité de continuer seul la lutte, Raymond VII demanda l'intercession de Blanche de Castille et s'abandonna au bon plaisir du roi. Louis IX pardonna et la paix fut signée à Lorris en janvier 1243.

Raymond VII, pour se faire pardonner, jura d'extirper les restes de l'hérésie. Cette expédition punitive fut marquée par un épisode célèbre, le siège de Montségur et le bûcher de ses défenseurs, bûcher qui a passé dans la légende. La prise de Montségur ne termina d'ailleurs pas la répression des albigeois qui tinrent encore longtemps leur autre forteresse de Quéribus.

En 1244, l'année de la chute de Montségur, Louis IX tomba gravement malade et il fit vœu de partir pour la Croisade.

Ce projet déplut au pape Innocent IV alors en pleine lutte avec l'empereur Frédéric II de Hohenstaufen, mais Louis IX tint bon et passa à l'exécution de son projet.

Le 25 août 1248, partit du port d'Aigues-Mortes, la seule ouverture du royaume sur la Méditerranée, une flotte de trente-huit vaisseaux. Laissant la régence à Blanche de Castille, Saint Louis emmenait avec lui la reine Marguerite de Provence et deux de ses frères, les comtes d'Artois et d'Anjou.

La traversée ne présenta pas de difficultés jusqu'à Chypre où Saint Louis se proposait de réunir

Les croisés attaquent les Sarrazins.
(En bas) un jeu d'échecs. *(Historia rerum transmarinarum,* de Guillaume de Tyr.)

toutes ses forces. Il dut subir une attente qui se prolongea jusqu'au 13 mai 1249.

On profita de ce long délai pour amasser à Chypre des approvisionnements en vue d'une expédition de longue durée.

On quitta Chypre pour rencontrer rapidement la tempête, si bien qu'une partie de la flotte dut rentrer au port de Limassol, et ce fut seulement le 4 juin que les vaisseaux du roi parvinrent en vue de Damiette, en Egypte, base choisie par Louis IX pour donner l'assaut à la Palestine par voie terrestre.

L'armée débarqua et dispersa aisément les quelques bandes de Sarrazins qui patrouillaient sur les plages. On envoya les éclaireurs à Damiette ; ils trouvèrent la ville désertée par ses habitants ; aussi, le 6 juin, Saint Louis, qui avait revêtu l'habit de pèlerin, fit son entrée dans Damiette. Ce succès trop facile engendra de dangereuses illusions pour la suite des opérations.

Saint Louis commit tout de suite une erreur :

au lieu de foncer immédiatement sur Le Caire il préféra attendre la fin de la crue du Nil.

Alors que Pierre Mauclerc conseillait de prendre Alexandrie, le comte d'Artois suggéra de marcher sur Mansourah. La traversée du bras du Nil, dit Bahr es Seghir, compliqua la marche ; le 7 février 1250, on découvrit enfin un gué : le comte d'Artois le franchit à la tête de ses troupes et fonça sur le camp égyptien ; la surprise fut totale et le camp fut enlevé. Au lieu de s'en tenir à ce succès, Robert d'Artois entraîna ses soldats dans les ruelles de Mansourah. Alors le chef arabe Baïbars fit charger les mamelouks ; les Français, pris dans une souricière, furent tous massacrés. Saint Louis qui venait de passer le Bahr es Seghir fut encerclé par les musulmans et, après six heures d'une lutte héroïque, il fut fait prisonnier. Par miracle, Saint Louis parvint à s'échapper et, pendant cinquante-cinq jours, il se cramponna à sa position. Mais le typhus se déclara ; le roi, atteint à son tour, fut obligé de s'aliter et il fut pris au gîte par le sultan.

Menacé de mort, le roi prisonnier offrit rançon ; il rendrait Damiette et paierait cinq cent mille livres tournois. C'était l'échec total.

A Damiette, Marguerite de Provence fit l'admiration de tous : au moment où son époux était fait prisonnier, elle accoucha d'un fils. Avant d'accoucher, elle fit sortir tout le monde de sa chambre, hors un vieux chevalier octogénaire qui veillait sur elle, et, rapporte Joinville, elle le fit jurer de lui accorder ce qu'elle allait lui demander. Quand il eut prêté serment, la reine lui dit : « Si les Sarrazins arrivent, tranchez-moi la tête avant que je ne tombe entre leurs mains. » Et le vieillard répondit noblement : « Madame, j'y songeais.»

La reine fut sauvée par l'intervention des Génois auxquels elle se vit forcée de verser des sommes fort élevées.

Pour payer sa lourde rançon, le roi connut des moments très pénibles car les Templiers refusèrent l'aide financière qui leur avait été demandée. Joinville sauva la situation en les menaçant de faire sauter leurs coffres à coups de hache. Les Templiers durent s'incliner et Louis IX, sauvé par cet emprunt forcé, fut libéré ; le 13 mai 1250, il abordait à Saint-Jean d'Acre où il fut accueilli triomphalement. Il imposa d'abord une pénitence publique aux Templiers pour sanctionner leur mauvais vouloir, puis il entama avec les musulmans des négociations qui firent espérer la libération de Jérusalem.

Il eût peut-être abouti si un messager n'était venu lui annoncer en 1254 la mort de sa mère la reine Blanche de Castille, ce qui exigeait son retour rapide en France, car la régence n'avait pas été exempte d'orages, et il fallut faire face à une révolte de paysans connus sous le nom de Pastoureaux.

Une raison avait retenu longtemps Louis IX en Orient ; il avait estimé ne pouvoir rentrer en France tant que sa rançon ne serait pas entièrement payée. En agissant ainsi, le roi mit sa mère en grande difficulté et, sans l'énergie de Blanche de Castille, la Couronne eût été menacée par la révolte intérieure. Cette affaire est à noter car elle se reproduira, et beaucoup plus gravement encore, pendant la captivité de Jean le Bon.

Il n'est pas possible de juger Saint Louis selon les normes admises en politique. Sa générosité, sa foi ardente, sa sainteté en un mot ne peuvent être considérées comme des vertus politiques, mais elles firent beaucoup pour son autorité morale, ce qui lui conféra dans le monde une situation hors de pair qui en fit le médiateur de l'Europe et la plus haute figure du Moyen Age.

La mort de Blanche de Castille eut une heureuse conséquence pour la vie conjugale du roi qui se rapprocha certainement de sa femme et lui accorda une plus grande confiance, ce qu'il eut, par la suite, à regretter.

Les derniers événements du règne de Louis IX sont assez surprenants.

En 1259, le roi signa un traité à Corbeil avec le roi d'Aragon ; cet acte présentait un caractère de compromis : si le roi Jacques Ier d'Aragon renonçait à ses droits sur les comtés de Toulouse et de Provence, le roi de France renoncerait à sa suzeraineté sur le Roussillon et la Catalogne.

Plus étonnant encore, dans son désir d'équité, fut le traité signé l'année suivante avec l'Angleterre pour régler définitivement les suites de la guerre de 1242. Ce traité de Paris, en 1260, étonna fort les Français. En effet, considérant que la condamnation de Jean sans Terre avait été un abus de pouvoir de Philippe Auguste, Louis IX estimait ne pas pouvoir conserver la totalité des territoires arrachés aux Plantagenêts. Certes, il n'était pas question d'abandonner la Normandie, le Poitou et l'Anjou. En revanche, Saint Louis consentait à restituer, à l'extinction de l'apanage constitué à son frère, la Saintonge, le Périgord, le Quercy et une partie de l'Agenais.

Ce traité, si surprenant et exceptionnel dans les normes de conquête, choqua certainement les générations suivantes puisqu'il fut l'une des causes de la guerre de Cent Ans ; mais, au siècle de foi où vivait Louis IX, il fut considéré comme empreint de stricte justice et le prestige du roi s'en accrut.

Aussi celui-ci fut-il, en 1263, choisi comme mé-

Le couronnement de Louis VIII et de Blanche de Castille.
(Grandes Chroniques de France, XIVe siècle.)

Comment le roy saint loys seiourna en surie xxv.e chapitre.

Quant le roy saint loys eut envoie en france ses deux freres pardeuers la royne sa mere. Il demoura en surie et y seiourna lespace de cinq ans et ce pendant racheta moult des prisonniers xpiens qui estoient encores es mais des sarrazins fist fortiffier diateur par les barons révoltés contre Henry III ; par la « Mise » d'Amiens, il rendit en 1264 une sentence arbitrale favorable au souverain anglais, ce qui eut hélas ! pour conséquence de plonger l'Angleterre dans la guerre civile.

Un autre aspect de Saint Louis qui arbitra bien d'autres conflits est à trouver dans son attitude désapprobatrice à l'égard de son frère Charles d'Anjou.

Après la mort de Frédéric II de Hohenstaufen, en pleine querelle des Guelfes et des Gibelins, Charles d'Anjou se proposa au pape comme candidat au trône de Sicile. Le Pape accepta mais, pour entrer en possession de son royaume, Charles d'Anjou en fut conduit aux atrocités et notamment à faire exécuter en 1268 l'héritier de Frédéric II, le jeune empereur Conradin.

Saint Louis ne pouvait s'associer à de tels excès, mais, toujours enclin à l'indulgence, il se crut obligé de modifier son attitude à l'égard de son frère, générosité qui devait hâter sa fin.

En effet, après l'échec de la VIIe Croisade, Saint Louis n'avait plus qu'une envie, c'était de retourner en Terre sainte. Les soucis du royaume ne lui en ayant pas laissé la possibilité pendant quinze ans, il put mettre sur pied une nouvelle expédition qui partit, également d'Aigues-Mortes, en 1270.

Mais il eut le tort de céder aux demandes de Charles d'Anjou qui, pour consolider sa situation branlante en Sicile, conseilla à son frère de faire escale à Carthage pour y purger la région des Infidèles.

Louis IX eut la faiblesse de ne pas contrecarrer ce dessein. Au lieu de gagner directement la Syrie, il débarqua sur la côte tunisienne où son armée fut décimée par la peste.

Atteint du mal, le roi mourut saintement : couché sur un lit de cendres, il expira, les bras en croix, le 25 août 1270.

Il laissait à la France, en dépit des territoires qu'il n'avait pas voulu conserver, une situation morale hors de pair et une prospérité matérielle que le pays n'avait encore jamais connues.

La population s'était fortement accrue, les villes s'étaient développées. Les progrès de l'agriculture avaient conduit à étendre les exploitations. La France connut une hausse générale des prix qui se révéla un facteur de richesse parce que la monnaie fut frappée honnêtement. Cette monnaie, stable en sa teneur, vit parfois son pouvoir d'achat ne pas se maintenir intact.

Toutefois, l'enrichissement des producteurs amena une quantité de capitaux disponibles ce qui provoqua un grand développement du commerce. Bien que condamné par l'Église, le prêt à intérêt fut moralement accepté par le pouvoir civil. Cette prospérité matérielle ne fut d'ailleurs pas sans incidences sociales.

Ce qui caractérise l'administration intérieure de Saint Louis, c'est une véritable transformation des institutions.

Saint Louis fut le premier à comprendre qu'un royaume aussi important que celui qu'avait créé son grand-père ne pouvait s'administrer comme une simple propriété privée.

Philippe Auguste, après le désastre de Fréteval, avait découvert la nécessité de sauvegarder les archives. C'est sous Saint Louis que va se marquer la distinction entre la maison du roi et le gouvernement proprement dit. Mais les termes employés ne sont plus les mêmes qu'aujourd'hui.

Il existe d'un côté un organisme particulier qui porte le nom général de Cour *(curia regis).* Cet organisme se réunit fréquemment sous la présidence royale. Elle tient du Conseil d'État, et de la Cour de Cassation et l'on voit assez justement en elle l'origine des Parlements. A partir de 1268, les actes de la Cour sont conservés dans des registres spéciaux, dits *olim.*

Cette organisation n'empêche pas Saint Louis, quand il lui plaît, de juger directement. C'est une figure légendaire que celle du roi rendant la justice assis sous le chêne de Vincennes.

L'autre organisme qui est le moteur du gouvernement est le service du Trésor installé au Temple et administré par les chevaliers de l'Ordre. Cet organisme perçoit les premiers impôts tels que la taille et assure le règlement des dépenses. La comptabilité est vérifiée par la *curia in compotis,* ancêtre de la Cour des Comptes.

Les grandes sources de dépenses, outre la guerre et la diplomatie, sont l'assistance : dons aux églises, aux hôpitaux, aux bonnes œuvres, ce qui souligne l'infatigable charité du roi.

On laisse aux grands fiefs le soin de leurs finances locales et on respecte leurs coutumes. L'exemple des États de Languedoc, où les trois ordres votèrent l'impôt à leur gré jusqu'en 1789, est typique d'une grande largeur de vues de la part du roi.

Cette époque de création se montre remarquable dans le domaine de l'art et de la pensée. C'est sous le règne de Saint Louis que sont achevées les grandes cathédrales gothiques dont les fondements ont été établis sous Philippe Auguste et à cette floraison de chefs-d'œuvre religieux Saint Louis apporte sa pierre en construisant le bijou qu'est la Sainte Chapelle.

On constate un mouvement intense des idées :

Saint-Louis reste en Palestine ; il renvoie ses deux frères près de la reine mère et s'emploie à racheter les prisonniers chrétiens et à enterrer les morts. *(Vie et Miracles de Saint Louis,* de Guillaume de Saint-Pathus, XVe siècle).

De la nativite du glorieux
St loys z de son sacre et coro
natio͞ z diverses rebellio͞s q
lors lui furent faittes.
Ledit glorieux Saint
loys fut filz de loys
roy de france filz de philippe
auguste quart de ce nom
aussi roy de france. Lequel
loys fut en son temps vail
lant et chevaleureux. Car
avant quil fust roy vivat

Comment le roy print port a damiete. xxviii. chippre.
A la parfin par
le moyen des
ambaxadeurs
Cest assavoir le patriar
che de Iherusalem et les
autres dessus nommez de
vindrent des contrees des
susdittes atout grande
quantite de nefs et galees
en chippre. vindrent aussi

la légende du Graal naît sous le règne de Saint Louis, mais, à côté des romans de chevalerie tels que *Lancelot du Lac,* prototype du héros français, on voit aussi apparaître des œuvres plus originales et plus libres comme le fameux *Roman de la Rose,* de Guillaume de Lorris, achevé trente ans plus tard en pamphlet par Jean de Meung.

L'historien sire de Joinville demeure le peintre exact et naïf du temps de Saint Louis. Mais les philosophes dépassent l'historien : on a découvert les écrits d'Aristote et, à Paris, le centre de pensée s'établit à l'Université qui a gardé le nom du maître Pierre de Sorbon. L'Allemand Albert le Grand et saint Thomas d'Aquin vont tenter de mettre d'accord la haute philosophie païenne avec les enseignements de l'Église chrétienne et mener à peu près à bien la synthèse.

C'est ce royaume en pleine expansion matérielle et spirituelle que Louis IX lègue en mourant à un fils plein de qualités mais qui se trouve dans la situation difficile de succéder à un saint.

PHILIPPE III LE HARDI (1270-1285) ET MARIE DE BRABANT

PHILIPPE III, FILS DE SAINT LOUIS, est ordinairement considéré par les historiens comme un homme médiocre dont le règne offre peu d'intérêt. En allant au fond des choses on se convainc, au contraire, que la vie de Philippe le Hardi ne manque nullement d'intérêt, qu'elle fourmille d'événements curieux et que son action politique fut bénéfique.

Né en 1245, Philippe, âgé de dix-huit ans, fut l'objet d'une manœuvre familiale très étrange. La

A droite : Le couronnement de Philippe III le Hardi. *(Grandes Chroniques de France.)*

Pages précédentes : Deux scènes tirées de la *Vie et Mirales de Saint Louis,* de Guillaume de Saint-Pathus 1488) ; *a gauche* le sacre de Saint Louis enfant ; *à droite* l'arrivée à Damiette.

Sceau de Philippe le Hardi. (XIIIe siècle.)

reine Marguerite de Provence, ayant acquis sur son époux Louis IX une influence totale, éprouva vraisemblablement des ambitions de gouvernement.

Elle imposa donc à son fils, héritier du trône, un serment par lequel il lui jurait obéissance jusqu'à l'âge de trente ans et donnait l'assurance qu'il ne ferait jamais alliance avec son oncle Charles d'Anjou. Louis IX fut informé, on ne sait dans quelles circonstances, de cette sorte de conjuration. Il ne prit pas de sanctions contre la reine, mais demanda au Pape de relever son fils du serment, ce qui fut accordé.

Aussi ce fut sans la moindre réticence que, après la mort de Saint Louis à Carthage, Philippe le Hardi fut investi de la couronne.

Le voyage entrepris pour ramener à Saint-Denis la dépouille du roi défunt se déroula par voie terrestre et il abonda en événements dramatiques. A Cosenza, la reine Isabelle d'Aragon tomba malade et mourut ; elle fut enterrée dans le duomo de Cosenza. Un nouveau deuil eut lieu les 21 et 22 août de l'année 1271 où Alphonse de Poitiers et son épouse moururent des fatigues du voyage à l'étape de Savone.

Ce décès impliquait le retour du Languedoc à la Couronne, ce qui marquait un bon début de règne.

Ci-dessus : Philippe IV le Bel et sa famille : *de gauche à droite* ses enfants Philippe V, Charles IV, Louis X le Hutin, et son frère, Charles de Valois.

A gauche : Le mariage de Charles de La Marche, futur Charles IV, fils de Philippe le Bel. (Manuscrit du XIVe siècle ayant appartenu à Jean de Berry.)

C'était un immense héritage : les sénéchaussées de Poitou, de Saintonge et d'Albigeois, la terre d'Auvergne, les sénéchaussées du Quercy, d'Agenais, de Rouergue, le Comtat-Venaissin, sis en terre d'Empire.

Conseillé par Pierre de La Brosse, le roi, dès le 9 octobre 1271, fit saisir la succession par le sénéchal de Carcassonne.

En 1273, Philippe III juge opportun de céder le Comtat-Venaissin au Saint-Siège, décision qui sera vite lourde de conséquences.

Le traité de Paris signé par Saint Louis avec le roi d'Angleterre en 1260 n'entra en application qu'à la suite d'un nouveau traité signé à Amiens en 1279 : le roi de France cédait l'Agenais au roi d'Angleterre, mais des difficultés subsistèrent, ce qui devait bientôt amener une rupture.

En 1274, le roi Philippe III s'était remarié avec Marie de Brabant, dont il faut dire un mot de la touchante histoire.

Cette fille du duc de Brabant, née en 1260. était presque une enfant fort innocente. Or, en 1276, elle fut accusée par Pierre de La Brosse, ministre favori de Philippe III, d'avoir empoisonné le fils aîné, Louis, que le roi tenait de sa première épouse.

Elle risquait une condamnation à mort : heureusement son frère, Jean de Brabant, envoya un chevalier pour défendre sa sœur et cet envoyé démontra son innocence, les armes à la main.

L'accusateur n'ayant pu soutenir ses calomnies fut envoyé au gibet. Marie de Brabant, dont l'aventure a inspiré le poète Ancelot, rival de Victor Hugo à l'Académie, survécut longtemps non seulement à son époux mais aussi à deux de ses successeurs puisqu'elle mourut seulement en 1321.

La suite du règne est marquée par un fait capital pour la suite de l'histoire, celui de la réduction des apanages. Un arrêt du Parlement rendu en 1284 débouta Charles d'Anjou, roi malheureux de Sicile, de ses prétentions en France, en affirmant l'indivisibilité du territoire et la réversion des héritages à la Couronne.

Une autre succession s'était ouverte, celle de Champagne et de Navarre. Philippe en profita pour marier l'héritier du trône, son second fils Philippe devenu aîné par la mort de son frère dont Marie de Brabant fut injustement accusée, à Jeanne de Navarre. Celle-ci mourut en 1305 mais, la Navarre étant fief féminin, ce ne fut pas le mari de la reine, Philippe IV le Bel, qui en hérita, mais leur fils aîné, le futur Louis X le Hutin. La Champagne fut dévolue par la suite à Jeanne de Champagne, fille de Louis X et épouse de Philippe d'Évreux.

Une fille de Philippe IV, Isabelle, épousa Edouard II d'Angleterre.

La fin du règne fut occupée par une guerre contre Pierre III d'Aragon qui disputait la couronne de Sicile au fils de Charles d'Anjou. Par un revirement surprenant, en 1284, la couronne d'Aragon fut offerte à Charles de Valois, frère puîné de Philippe le Bel. Le roi accepta mais, pour réaliser la transmission, il fallait détrôner Pierre III d'Aragon.

Ce dernier fit appel à son peuple pour se maintenir ; ce fut la guerre pour repousser l'invasion française. Au cours des opérations, Philippe III mourut à Perpignan le 5 octobre 1285 sans avoir remporté le succès espéré.

De Philippe III subsiste en architecture un des monuments français les plus imposants. Sans doute dans le dessein lointain de reprendre la croisade, Philippe III fit entourer Aigues-Mortes d'une enceinte de murailles qui, toujours intacte, atteste l'art des bâtisseurs de ce temps.

PHILIPPE IV LE BEL (1285-1314) ET JEANNE DE NAVARRE

AVEC PHILIPPE IV LE BEL nous abordons le plus mystérieux des Capétiens et l'un des plus remarquables en dehors de la mauvaise réputation qui l'entoure.

Cette réputation est due aux événements les plus marquants de son règne : le conflit dramatique avec la Papauté, le supplice des Templiers, l'inconduite de ses belles-filles, l'émission de fausse monnaie.

Mais il faut voir au-delà de ces bavures pour faire le bilan d'un règne très favorable, dans son ensemble, à la grandeur française.

A gauche : Gisant de Philippe IV le Bel à l'abbaye de Saint-Denis. (Début du XIVe siècle.)

A droite : Un frère de l'Ordre de Saint-François dédie son livre à la reine Jeanne de Navarre. (XVe siècle.)

Cy commence le
prologue sur
le livre qui est
appelle le mire.
des dames q
fist ung frere de lordre de saint
francois par la petition et de
mande de noble dame Jehanne
royne de france et de navarre a
la louenge de dieu et au salut de
son ame

Sur l'aspect physique du roi nous sommes médiocrement renseignés : il était d'une certaine beauté naturelle avec un visage particulièrement expressif ; il était blond de chevelure. On le représente toujours somptueusement vêtu de robes de velours fourrées de vair, mais on sait aussi que, sous ses somptueux vêtements, cet homme pieux et mortifié portait ordinairement un cilice.

En parlant de lui on dit habituellement « Philippe le Bel et les légistes » : il fut en effet constamment entouré d'hommes de loi dont il écoutait volontiers les avis : les noms de Pierre Flotte, de Pierre Dubois, de Guillaume de Nogaret ont passé à la postérité.

A côté de ce conseil du roi qui semble autocratique, Philippe le Bel présente un aspect démocratique puisque, en convoquant, en 1302, en assemblée, les trois ordres de la nation pour obtenir leur appui il fut en théorie, le fondateur des Etats-généraux.

Ces contrastes révèlent assurément une des figures les plus originales de l'Histoire de France.

Il paraît nécessaire pour étudier ce règne particulièrement long et compliqué de sérier des problèmes dont certains furent concomitants.

Marié à Jeanne de Navarre, Philippe le Bel fut le premier roi de France et de Navarre, mais la possession de la Navarre resta éphémère et c'est dans d'autres domaines qu'il convient de situer les agrandissements de territoire.

Tout d'abord, jugeant vaine la guerre entreprise par son père contre l'Aragon, il commença par signer une trêve avec Pierre III et à renoncer à conquérir un royaume pour son frère Charles de Valois ; celui-ci, selon une formule célèbre, fut fils de roi, frère de roi, père de roi, mais jamais roi, bien qu'on eût fait parfois des offres considérables et qu'il ait tenté d'être candidat à l'Empire.

Poursuivant la politique d'agrandissement, Philippe le Bel réunit, en 1289, le Quercy au domaine royal par un traité conclu avec Henry III, moyennant le versement au roi d'Angleterre d'une rente de trois mille livres.

En 1307, le comté de Bigorre fut acquis également par une rente, mais seulement de trois cents livres, en faveur de l'évêque du Puy.

D'autres acquisitions se payèrent comptant : en 1291 Philippe achète Beaugency, en 1293 l'évêché de Maguelonne et la partie orientale de la ville de Montpellier. Il se fait reconnaître la propriété de la Franche-Comté en 1301 ; l'année suivante, il réunit au domaine les comtés de la Marche et d'Angoulême ainsi que la seigneurie de Forges. En 1313, sous prétexte de félonie, il confisque Mortagne et Tournai. Après la guerre de Flandre il annexe Lille, Béthune et Douai.

Ces acquisitions coûtaient parfois fort cher, ce qui explique en partie les déplorables problèmes financiers qui troubleront tout le règne.

On a beaucoup glosé de cette politique financière et d'ordinaire sans bienveillance.

Pour payer les dépenses de ses acquisitions, pour assurer un traitement décent aux nombreux fonctionnaires qu'il créa, pour financer quelques coûteuses opérations de guerre, le roi employa les moyens les plus divers.

Le premier et le plus simple fut la spoliation : les juifs, et spécialement les usuriers, en furent les premières victimes ; saisie des fortunes et des trésors personnels, substitutions de créances en faveur du roi, ce sont les moindres exactions, le comble étant atteint par le procès des Templiers.

En 1306, le roi, à court d'argent, confisque les biens des Lombards, banquiers italiens disséminés dans le territoire.

Ce qui a le plus frappé la postérité c'est l'adultération des monnaies. Leur valeur nominale s'établissait par rapport à l'étalon-or et, à la frappe, on ne mettait qu'un poids réduit de métal. De surcroît, il existait des différences de valeur entre des monnaies-types et les monnaies de compte ce qui facilitait de fructueuses opérations de compensation. Mais il est juste de noter que ces expédients ne furent pas systématiques. Toutes les fois que le roi le put, il fit frapper des monnaies correctes, ce qui ne faisait pas l'affaire des débiteurs, plus nombreux d'ordinaire que les créanciers.

Cette page pénible tournée, il y a lieu de considérer l'ensemble de la politique extérieure de Philippe IV.

Elle fut comme celle de ses prédécesseurs dirigée contre l'Angleterre : le nouveau roi, Edouard Ier, fut cité à comparaître comme vassal en Aquitaine méridionale sous menace de confiscation. Désireux de paix, Édouard Ier accepta l'occupation temporaire de places fortes en Guyenne.

Ces places une fois occupées par les troupes françaises, Philippe, trouvant sa tâche simplifiée, fit occuper tout le territoire en trois campagnes (1291-1295-1296) menées par Charles de Valois et Robert d'Artois.

En même temps, le roi faisait construire une flotte dans le dessein d'un débarquement en Angleterre. Édouard Ier patienta longtemps puis il s'allia avec les Pays-Bas et la Flandre.

Le comte de Flandre, Guy de Dampierre, vassal maltraité lui aussi, accepta de participer à l'affaire ; mal lui en prit car les Anglo-Flamands furent battus en 1297 à Vyve-Saint-Bavon.

Pour faciliter la conclusion d'un traité, Édouard Ier épousa Marguerite, sœur de Philippe le Bel,

Édouard Ier d'Angleterre prête hommage à Philippe IV le Bel.

tandis que la fille de Philippe le Bel, Isabelle, était promise au futur Édouard II. De ces unions, et particulièrement de la seconde, devait sortir la guerre de Cent Ans. Mais vraiment le roi ne pouvait voir si loin, puisque trois fils assuraient d'avance la pérennité de la race. Le traité fut signé à Paris en 1303 : la Guyenne était rendue à Édouard Ier et une alliance fut conclue.

Il est vrai que la France n'était plus en position de force ; dès la trêve conclue avec les Anglais en 1297 elle avait tenté d'annexer purement et simplement la Flandre. Celle-ci se souleva et passa au massacre des Français le 17 mai 1302.

Philippe IV envoya immédiatement des troupes qui se firent battre piteusement à Courtrai (11 juillet 1302). Philippe IV prit alors sans succès le commandement de ses armées. Les Flamands envahirent l'Artois. Il fallut conclure une trêve en 1303, puis les hostilités reprirent et un succès relatif des Français à Mons-en-Pévèle (18 août 1304) effaça un peu l'humiliation de Courtrai. Un traité de paix fut signé à Athis-sur-Orge en juin 1305 et une réconciliation fut obtenue très malaisément ; elle se solda par l'annexion de Lille.

Si les différends avec l'Angleterre et la Flandre rapportèrent somme toute assez peu d'avantages il n'en fut pas de même à l'est où le roi finit par obtenir la Franche-Comté mais, hélas, d'une manière précaire puisque son fils Philippe V devra la restituer à l'Empire.

Ce qui frappe bien davantage l'opinion dans l'histoire de Philippe le Bel c'est son conflit avec la Papauté, conflit dans lequel, il convient de le dire, tous les torts ne furent pas de son côté.

Les rapports avec les papes Honorius IV et Nicolas IV avaient été excellents. A la suite d'un conclave difficile tenu à Viterbe, les cardinaux prirent l'initiative fâcheuse de conférer la tiare à un ermite du mont Majella, Pierre de Morrone, qui n'était même pas prêtre. On lui conféra l'ordination *per saltum* et sous le nom de Célestin V ; le nouveau pape commit tant d'erreurs qu'il dut démissionner après six mois de règne. Il fut remplacé par celui qui l'avait abattu, le cardinal Caetani ; il prit le nom de Boniface VIII.

C'était un homme violent, intransigeant et autoritaire. Il entra immédiatement en conflit avec Philippe le Bel bien qu'ils fussent amis de longue date, puisque le cardinal Caetani avait été légat pontifical en France au temps de Nicolas IV.

Le différend éclata dès la prise de la tiare parce que Philippe le Bel, à court d'argent, réclama des subsides au clergé ; celui-ci, fort mécontent d'avoir à payer, adressa une réclamation au Pape dès 1296.

Boniface VIII réagit aussitôt et par la bulle *Clericis laïcos* il excommunia le roi de France, coupable d'avoir taxé le clergé.

Le caractère abusif de la décision la rendait malaisément applicable, et appelait une riposte. Le roi réunit une assemblée du clergé et délégua deux émissaires pour discuter avec le Pape ; en même temps il interdit l'exportation des monnaies d'or et d'argent, ce qui priva le Saint-Siège des énormes ressources qu'il tirait de l'Église de France.

Cette riposte brutale impressionna le Pape qui, par la bulle *Ineffabilis amor,* atténua ses rigueurs tout en maintenant l'affirmation que le pouvoir spirituel primait le pouvoir temporel.

Le clergé gallican ayant protesté, le Pape, par une série de bulles successives, en vint à renoncer complètement aux termes de la bulle *Clericis laïcos.*

C'était un succès pour le roi de France, succès qui fit constester par les cardinaux italiens la validité de Boniface VIII.

Craignant une collusion entre Philippe le Bel et les cardinaux italiens, le Pape, par la bulle *Etsi de stato,* prononça la canonisation du roi Louis IX. Se sentant désormais en faveur auprès du roi de France, Boniface VIII fit interner les cardinaux qui l'avaient trahi et confisqua leurs biens. Ceux-ci s'évadèrent et allèrent s'installer dans la région de Narbonne.

Il semble qu'ils s'abouchèrent avec l'évêque de Pamiers, Bernard Saisset, et l'excitèrent à la révolte contre le roi de France. En 1301, Philippe le Bel fit arrêter l'évêque de Pamiers sous le prétexte de trahison.

Boniface VIII refusa la destitution du prélat et réclama sa mise en liberté, que le roi se garda bien d'accorder.

Ce refus surexcita Boniface VIII qui adressa des reproches à Philippe, affirma son pouvoir et son droit de mettre les princes à la raison et convoqua les évêques français à Rome.

La bulle *Ausculta fili* fut résumée tendancieusement par les soins des légistes et publiée avec l'interdiction aux évêques français de se rendre à Rome. Une tradition, assez douteuse, assure que le texte du roi était dédié « à sa fatuité Boniface VIII qui se donne pour Pape ».

Ce qui est frappant, c'est que, pour mener à bien son offensive contre le Saint-Siège, le roi voulut obtenir l'assentiment du peuple français.

Aussi réunit-il en 1302, dans la cathédrale Notre-Dame de Paris, les premiers États-généraux ; il leur fit voter une motion, délibérée par les trois ordres séparés, pour affirmer que le roi étant souverain dans son royaume, le Pape n'avait aucun droit d'intervenir dans des affaires fiscales, d'ordre purement intérieur.

Piqué au vif, Boniface VIII répliqua par la bulle *Unam Sanctam* proclamant l'excommunication du roi. L'arrivée de cette bulle coïncida avec la défaite de Courtrai ; ne voulant pas perdre la face une nouvelle fois, Philippe le Bel, qui venait de voir mourir le sage Pierre Flotte, fut poussé par son remplaçant, Guillaume de Nogaret, descendant d'un cathare, à prévenir les menaces papales de frapper le royaume d'interdit et de réclamer la déposition du roi.

Au début de l'année 1303, Guillaume de Nogaret, muni de lettres royales, gagna l'Italie avec la mission de mettre Boniface VIII à la raison. Sans attendre son arrivée, le Pape renouvela l'excommunication de Philippe le Bel par la bulle *Petri solo excelso* (8 septembre 1303). Par ce document terrible, tous les traités conclus par le roi de France étaient annulés, toutes les provinces attachées au royaume déliées du serment de vassalité. Si les menaces du Pape avaient été exécutées, la France était entièrement démembrée.

Mais l'aventure allait mal tourner pour la Papauté. Secondé par une partie de la noblesse italienne, Nogaret, accompagné de Sciarra Colonna, parvint à Anagni, résidence du Pape, à la tête d'une petite armée. Le palais Caetani fut attaqué ; les gardes s'enfuirent et Boniface VIII demeura seul dans ses appartements.

Il revêtit ses ornements pontificaux et, souffleté par Colonna, il dit simplement : « Voici mon cou, voici ma tête. »

Le 12 septembre 1303, Nogaret et Colonna transférèrent le Pape à Rome où il mourut de rage peu de jours après.

Les conséquences de cet attentat sans précédent dans l'histoire de France allaient avoir une importance imprévue.

Pour remplacer le terrible Boniface VIII, les cardinaux élurent un doux dominicain, le cardinal Boccasini, connu sous le nom de Benoît XI. Celui-ci, dans un dessein de pacification, leva l'excommunication de Philippe le Bel, mais maintint celle de Colonna et de Nogaret. Il refusa de déclarer Boniface VIII hérétique comme l'exigeait le roi de France. Après quelques mois de pontificat, Benoît XI mourut à Pérouse, après avoir absorbé des figues que l'on a prétendues empoisonnées.

Un conclave, qui dura un an, s'efforça de donner un successeur à Benoît XI. Sous la pression des cardinaux français, on finit par élire l'archevêque de Bordeaux, Bertrand de Got, qui prit le nom de Clément V (15 juin 1305).

Le sceau des Templiers (XIIe siècle).

Ce pontife devait établir la Papauté dans la vallée du Rhône et avait peu de chose à refuser à Philippe le Bel ; c'est sous son pontificat que va se dérouler un des grands événements du règne, le procès des Templiers.

Il est fort probable que ce procès n'aurait pu être mené à bien si le Pape s'y était formellement opposé.

Les raisons du procès étaient aisées à comprendre. Les Templiers étaient pratiquement les banquiers de la Couronne et la politique financière de Philippe le Bel avait fortement endetté celle-ci à leur profit. Les neutraliser, c'était non seulement apurer la dette publique mais encore regarnir la trésorerie.

On pouvait attaquer les Templiers sans alerter l'opinion publique car ceux-ci étaient peu populaires ; on leur attribuait sans preuves des mœurs contre nature et l'on assurait que, pour prêter serment, ils étaient contraints de renier la croix ou de cracher sur elle. Ces légendes plus ou moins calomnieuses facilitaient singulièrement le travail des juristes. Sous la surveillance de Pierre Dubois et de Nogaret, les légistes passèrent à l'offensive.

Dans la nuit du 22 septembre 1307, tous les Templiers furent arrêtés par une opération de police remarquablement organisée.

Nogaret rédigea lui-même l'acte d'accusation en insistant sur les obligations sacrilèges imposées aux Templiers et sur leurs mœurs obscènes.

Clément V se crut obligé de dire qu'il ne croyait pas à de telles assertions.

Par la plume de Nogaret, Philippe le Bel fit démentir le propos papal et assura qu'il agissait en plein accord avec le Pontife.

Le procès dura longtemps ; commencé en 1307, il ne se termina vraiment qu'en 1312, le 3 avril, quand le Pape, par la bulle *Vox in excelso,* prononça la dissolution de l'Ordre. Le Pontife n'avait pas pris sa décision sans de longues hésitations, mais il finit par céder aux intransigeances de Philippe le Bel et aussi aux procès-verbaux d'interrogatoires menés sous la torture.

Pour calmer ses scrupules, le Pape réunit un concile à Vienne avant de lancer la bulle de dissolution.

Les procès avaient été conduits avec une partialité révoltante ; la plupart des aveux étaient rétractés une fois la torture suspendue. On arriva cependant à convaincre plus de cinquante Templiers du crime de sodomie et ils furent brûlés dans le bois de Vincennes. Les autres, dont le grand-maître de l'Ordre, Jacques de Molay, et son premier assistant, Geoffroy de Charnay, qui avaient avoué mais que l'on n'avait pu convaincre de sacrilège ou de sodomie, furent maintenus en prison.

Tandis que se déroulaient ces événements atroces, le scandale vint frapper la famille royale dans son honneur et sa dignité.

Les trois fils de Philippe le Bel avaient épousé des cousines lointaines, des princesses de Bourgogne, issues d'une branche cadette des Capétiens, séparée depuis Robert le Pieux.

La future reine Marguerite, fille du duc de Bourgogne, était, par sa mère, petite-fille de Saint Louis. Ses belles-sœurs, Jeanne et Blanche, étaient filles du comte de Bourgogne, suzerain de Franche-Comté, et femmes du futur Philippe V et du futur Charles IV.

Les aventures des trois princesses royales ont été popularisées par les aventures de la Tour de Nesle. Il y a une grande part de vérité dans cette histoire et les trois belles-sœurs étaient certainement des épouses légères.

Leurs turpitudes furent dénoncées par leur autre belle-sœur, la fille de Philippe le Bel, épouse d'Édouard II d'Angleterre, qui a passé dans la petite histoire sous son surnom de « Louve de France. »

On fit une enquête et l'on découvrit que les princesses avaient bel et bien des amants dont deux furent identifiés, Philippe et Gauthier d'Aulnay.

Le roi fut impitoyable, car il y allait de la pureté de la race capétienne. Les deux coupables furent arrêtés et les trois princesses emprisonnées.

Informées des aveux que leurs amants avaient faits sous la torture, les coupables reconnurent leurs torts qui parurent d'autant plus graves que Marguerite de Bourgogne avait une fille. On ne savait plus si cette fille était légitime ou bâtarde et cette incertitude devait changer le cours de l'Histoire.

Le mariage du futur roi Louis fut annulé. Marguerite de Bourgogne, enfermée au Château-Gaillard, y mourut de froid, de misère et de faim.

Blanche, épouse du futur Charles IV, connut un sort aussi rigoureux ; son mariage fut également dissous, puis, après une dure captivité, elle obtint de devenir nonne à Maubuisson.

Philippe V, plus heureux ou plus sage que ses frères, conserva son épouse Jeanne, convaincu par ses protestations d'innocence.

Philippe et Gautier d'Aulnay furent émasculés avant d'être mis à mort.

Ces pénibles affaires domestiques avaient détourné le roi du procès des Templiers, mais il ne l'avait pas oublié.

Aussi, le 18 mars 1314, il fit tirer de leurs cachots Jacques de Molay et Geoffroy de Charnay ; ils furent conduits sur le parvis de Notre-Dame pour avouer une dernière fois leurs prétendus crimes et entendre lire la sentence les condamnant à la prison perpétuelle.

Alors ces hommes, qui avaient fini par avouer sous la torture, rétractèrent leurs aveux : ils affirmèrent leur innocence et la sainteté de l'Ordre persécuté.

Philippe le Bel, réagissant avec une grande brutalité, les déclara relaps et, le soir même, les fit brûler vifs à la pointe de la Cité, à l'actuel square du Vert-Galant.

Tandis que les flammes commençaient à s'élever, Jacques de Molay aurait proféré cette adjuration :

« Pape Clément, juge inique et cruel bourreau, je t'ajourne à comparaître dans quarante jours devant le tribunal de Dieu. Roi de France, tu ne finiras point l'année qui vient de commencer et la malédiction divine frappera tes complices et détruira ta postérité. »

Cette prophétie, peut-être inventée après coup, allait se réaliser point par point dans les délais annoncés.

Quarante jours après le supplice de Jacques de Molay, Clément V tomba malade et il mourut le 20 avril 1314.

Au cours de l'été, Nogaret, que Clément V avait relevé de son excommunication, mourut mystérieusement.

Quant au roi Philippe le Bel il devait mourir la même année des suites d'un accident de chasse, âgé seulement de quarante-six ans (29 nov. 1314).

Cette série de morts, annoncée par Jacques de Molay, rend un son d'autant plus troublant que la postérité abondante de Philippe le Bel allait être frappée à son tour et marquer la fin de la lignée capétienne directe.

LES FILS DE PHILIPPE LE BEL (1314-1328)

Louis X le Hutin (1314-1316)

AVANT DE MOURIR PHILIPPE LE BEL appela à son chevet son fils aîné Louis et lui dit ces graves paroles :

« Pesez, Louis, ce que c'est que d'être roi de France. »

Ces mots auraient dû être annonciateurs d'un grand règne ; ce ne fut pas le cas pour Louis X le Hutin, qui ne régna guère que dix-huit mois, et dont la mort fut l'événement principal puisqu'elle posa un problème successoral qui ne s'était jamais présenté aux Capétiens pendant les trois siècles précédents.

La mort de Philippe le Bel amena de fortes réactions, consécutives à la suite d'un long règne mené avec une poigne de fer.

Il y eut des troubles de rue, des émeutes, ce désordre qualifié du nom général de « hutin » dont le surnom, si peu brillant, reste accolé au nom du souverain.

Les remous gouvernementaux ont laissé dans l'histoire une trace plus importante que les mouvements de la rue.

Le principal événement fut le procès d'Enguerrand de Marigny, l'ancien surintendant aux Finances de Philippe le Bel.

Enguerrand de Marigny avait l'opinion publique contre lui car on le rendait responsable avec quelque raison des nombreuses manipulations monétaires qui avaient troublé le règne.

Peu après l'avènement de Louis le Hutin, Marigny fut convoqué devant une commission composée de Philippe de Poitiers (futur Philippe V). de Charles de La Marche (futur Charles IV) et surtout de Charles de Valois, frère de Philippe IV.

Ces trois princes demandèrent à Marigny de justifier sa gestion financière « car ils avaient trouvé le trésor tout desnué ».

Le surintendant répondit qu'il avait payé les nombreuses dettes du roi défunt, ce qui expliquait l'assèchement de la trésorerie. Cette explication n'ayant pas paru suffisante, Louis X fit emprisonner Marigny.

Celui-ci fut conduit au Temple puis il comparut à Vincennes devant le roi en personne, assisté des princes et de la *Curia regis.*

Après un procès qui reste fort discutable, Marigny fut condamné à la potence et, le 30 avril 1315, il fut pendu au gibet de Montfaucon.

Une série d'exécutions décima les conseillers et les fonctionnaires de Philippe le Bel qui avaient par trop résisté aux demandes d'argent des grands féodaux, puis on passa à la solution d'un autre problème, celui du remariage du roi dont l'épouse adultère était morte en prison, ne lui laissant qu'une fille, Jeanne, dont le légitimité paraissait douteuse, peut-être pas d'ailleurs à bon droit.

Les oncles du roi jetèrent leur dévolu sur une princesse qui passait pour la plus belle d'Europe, Clémence, fille du roi Charles Ier de Hongrie. C'était une Capétienne de la branche d'Anjou-Sicile. Le chancelier Hugues de Bouville fut chargé de la demande en mariage et l'union fut conclue.

La future reine fit son entrée à Paris le 19 août 1315 et, moins d'une semaine après, les deux nouveaux époux furent sacrés à Reims ; on pensait que l'avenir de la dynastie était assuré.

Le jeune roi fit d'abord quelques concessions aux féodaux les plus exigeants, puis il se mit en demeure de régler la question flamande, mais son armée se débanda fâcheusement.

L'effet fâcheux de cette équipée lamentable fut atténué par la nouvelle que la reine Clémence était enceinte.

Au mois de mai 1316, le roi, après s'être mis en sueur au cours d'une partie de paume, commit l'imprudence de boire d'un trait un hanap de vin glacé. Il prit mal, fut saisi d'une forte fièvre et mourut d'une pneumonie, le septième jour après s'être mis au lit.

Le bruit d'un empoisonnement circula et il a été souvent reproduit sans preuves par les chroniqueurs du temps. Cependant, la reine étant enceinte, rien ne paraissait s'opposer à la continuité royale.

De fait, dans la nuit du 13 au 14 novembre 1316, la reine Clémence fut prise des douleurs de l'accouchement et elle mit au monde un garçon qui fut prénommé Jean.

Jean Ier (1316)

PENDANT LA FIN DE GROSSESSE DE LA REINE s'était posé le problème d'une régence.

Philippe de Poitiers, étant à Lyon au moment de la mort de son frère, revint précipitamment à Paris. Il y trouva son frère et son oncle et ce dernier, en qualité de frère de Philippe IV, revendiqua la régence. Philippe qui était ambitieux ne l'entendit pas de cette oreille et se fit reconnaître comme régent par les bourgeois de Paris.

Son frère et son oncle manifestèrent quelque résistance, mais Philippe l'emporta sans trop de peine et se fit prêter serment de fidélité.

Toutefois il trembla quand sa belle-sœur eut mis au monde un fils qui était incontestablement l'héritier du trône.

Les craintes de Philippe de Poitiers ne furent pas de longue durée puisque, cinq jours après sa venue au monde, Jean Ier le Posthume mourut et fut enterré à Saint-Denis.

Cette mort ne parut pas naturelle ; on raconta sous le manteau que l'enfant-roi avait été tué au moyen d'une épingle par sa tante Mahaut d'Artois, mère de Jeanne de Bourgogne épouse de Philippe.

On fit également courir le bruit d'une substitution d'enfants. Il est indispensable de noter ces bruits, car la suite de l'histoire de Jean Ier n'est pas sans ressembler à celle des faux dauphins qui prétendirent être le roi Louis XVII.

En effet, quarante années plus tard, au lendemain de la défaite de Poitiers et de l'espèce de vacance virtuelle du trône qui en résultait, on vit paraître un faux Jean Ier, soutenu par l'agitateur italien Rienzi. Ce prétendu Jean Ier réclama la Couronne, et avec l'aide de Rienzi leva des troupes dans le Comtat-Venaissin, passa le Rhône près d'Orange et occupa deux villages du Languedoc, Chusclan et Codolet, à l'endroit exact où la France a édifié, au XXe siècle, son premier établissement atomique, celui de Marcoule.

L'histoire du faux Jean Ier ne bouleversa pas la Couronne et la ligne successorale en 1357. Il en alla tout différemment à la mort du vrai car elle posait pour la succession capétienne un problème nouveau.

Philippe V le Long (1316-1322)

LA MORT DE JEAN Ier laissait le trône vacant et il pouvait sembler logique que la dévolution se fît au profit de Jeanne, fille de Louis le Hutin et de Marguerite de Bourgogne.

Il se passa alors un événement capital pour la suite de l'histoire des rois de France.

Le régent Philippe V se fit sacrer au début du mois de janvier 1317 en compagnie de son épouse Jeanne de Bourgogne, définitivement blanchie des soupçons qui avaient pesé sur son inconduite.

Ce sacre fut vivement discuté, tout le monde n'étant pas partisan de l'éviction de la princesse Jeanne...

Le roi fit alors intervenir les légistes, et, sur leur conseil, il assembla les États-généraux. Ceux-ci furent d'accord pour convenir que « femme ne succède point au royaume de France » et, à l'appui de ce dire, ils invoquèrent, probablement de manière abusive, une vieille loi des Francs Saliens, la loi *salique,* qui excluait les femmes de la succession à la couronne. Il semble que, bien plus que cette loi assez fantaisiste, les mobiles qui guidèrent les intéressés furent de deux ordres : le premier est assurément que la légitimité de Jeanne prêtait à contestation, la seconde que, en cas de mariage avec un prince étranger, le royaume de France ne serait plus gouverné par un Français.

Jeanne conservant des partisans, Philippe dut faire des concessions. Charles de Valois reçut de grasses prébendes. De plus, pour contenter les Bourguignons, le roi maria sa fille Jeanne au duc Eudes IV en lui concédant la Franche-Comté. Jeanne, fille du Hutin, fut richement dotée et mariée à son cousin Philippe d'Évreux petit-fils de Philippe le Hardi.

De Philippe V, sur le plan physique, nous savons seulement qu'il était de haute taille d'où son surnom de Long.

Il s'appliqua avec conscience à remplir son métier de roi avec les conseils des anciens légistes de Philippe le Bel, à qui il fit concession de dépendre le cadavre d'Enguerrand de Marigny et de lui assurer une sépulture décente.

En son règne trop bref, Philippe V entreprit des modifications administratives dont une a survécu, à savoir l'autonomie de la Cour des Comptes. Son travail de législateur se poursuivit par la rénovation du Conseil du roi et par le règlement des droits des grands fonctionnaires.

Ces réformes très sages se déroulèrent dans un climat social agité car une nouvelle révolte des Pastoureaux déferla sur le royaume.

Philippe V se prépara à rétablir l'ordre, en même temps qu'il tentait d'unifier les poids et les mesures. Il proposa un impôt d'un cinquième sur le revenu, proposition qui souleva une indignation générale.

Au milieu de ces difficultés, le roi, qui était atteint de tuberculose, sentit son état s'aggraver brusquement et il mourut dans la nuit du 3 janvier 1322.

Charles IV le Bel (1322-1328)

PHILIPPE V LAISSAIT QUATRE FILLES, mais, en vertu de la loi salique, son frère Charles IV le Bel se fit promptement couronner à Reims par l'archevêque Robert de Courtenay (11 février 1322).

Pour assurer sa succession, il demanda l'annulation de son mariage avec Blanche de Bourgogne.

Le roi Philippe V le Long remettant des privilèges.

On retira celle-ci du Château-Gaillard où elle croupissait, et, où, incorrigible, elle avait eu un enfant d'un geôlier et on la cloîtra à l'abbaye de Maubuisson.

Le mariage fut déclaré nul par une commission ecclésiastique et Charles IV épousa, le 21 septembre 1322, Marie de Luxembourg, fille de l'empereur Henri VII.

Puis le roi tenta de se faire élire empereur romain germanique avec l'appui du pape cadurcin Jean XXII (Jacques Duèse) solidement établi à Avignon, que la Papauté venait de racheter à la reine Jeanne de Naples.

Le roi Charles IV visita le Languedoc où il fonda à Toulouse la compagnie des Sept troubadours de Toulouse, qui est peut-être à l'origine de l'académie des Jeux Floraux (1323). Au retour du voyage à Toulouse, la reine Marie, enceinte, accoucha avant terme d'un enfant mort-né dans un château des environs de Bourges et mourut de la fièvre puerpérale.

Charles IV, impatient d'une descendance, se remaria au mois de juillet 1325 avec sa cousine germaine Jeanne, fille de Louis d'Evreux, après avoir obtenu une dispense de parenté.

Puis il accueillit à la Cour sa sœur Isabelle d'Angleterre, qui avait quitté le roi Édouard II en raison de son homosexualité.Celle-ci, fort intrigante, essaya de se faire rendre les provinces cédées par l'Angleterre et fit investir son fils, le futur Édouard III, du duché d'Aquitaine.

Aidée par son amant Édouard Mortimer, Isabelle fit assassiner son mari, Édouard II, dans des conditions d'atroce cruauté. Charles IV, qui avait soutenu la cause de sa sœur, reçut un blâme de la Papauté.

De sa troisième épouse, Charles IV eut deux filles dont une seule avait survécu, mais on ne perdait pas tout espoir d'un héritier mâle car la reine se trouvait enceinte pour la troisième fois.

Au début de l'année 1328, le roi Charles IV fut terrassé par un mal inconnu et il mourut très rapidement, à Vincennes, le 1er février 1328.

Il avait désigné son cousin germain, Philippe de Valois, comme régent en attendant la naissance. Mais la reine donna le jour à une troisième fille. Les Capétiens directs étaient éteints et l'on allait assister, sinon à un changement de dynastie, du moins à un changement de ligne en la personne de Philippe VI, premier roi valois.

La reine Jeanne d'Évreux, veuve de Charles IV le Bel, attend son enfant. Mais elle donnera le jour à une troisième fille, et la lignée des Capétiens directs sera éteinte. *(Grandes Chroniques de France.)*

Cy cōmence les faitz et gestes du roy phillippe de valoys.

Le p̄mier chappittre parle des grās questions ou quel devoit estre cōmis le gouvernement du royaulme.

APres la mort du roy charles qui bel fut appelle le quel avoit laisse la royne iehanne sa fēme grosse furent assemblez les barōs ⁊ les nobles a traicter du

x.iiii.

Charles V dans sa bibliothèque. Son intérêt pour la culture lui valut le surnom de « Sage ». (Miniature extraite du *Polycratique,* de Jean de Salisbury).

Quatrième partie

LES VALOIS

1328-1589

Guerre de Cent Ans et Renaissance

LES VALOIS

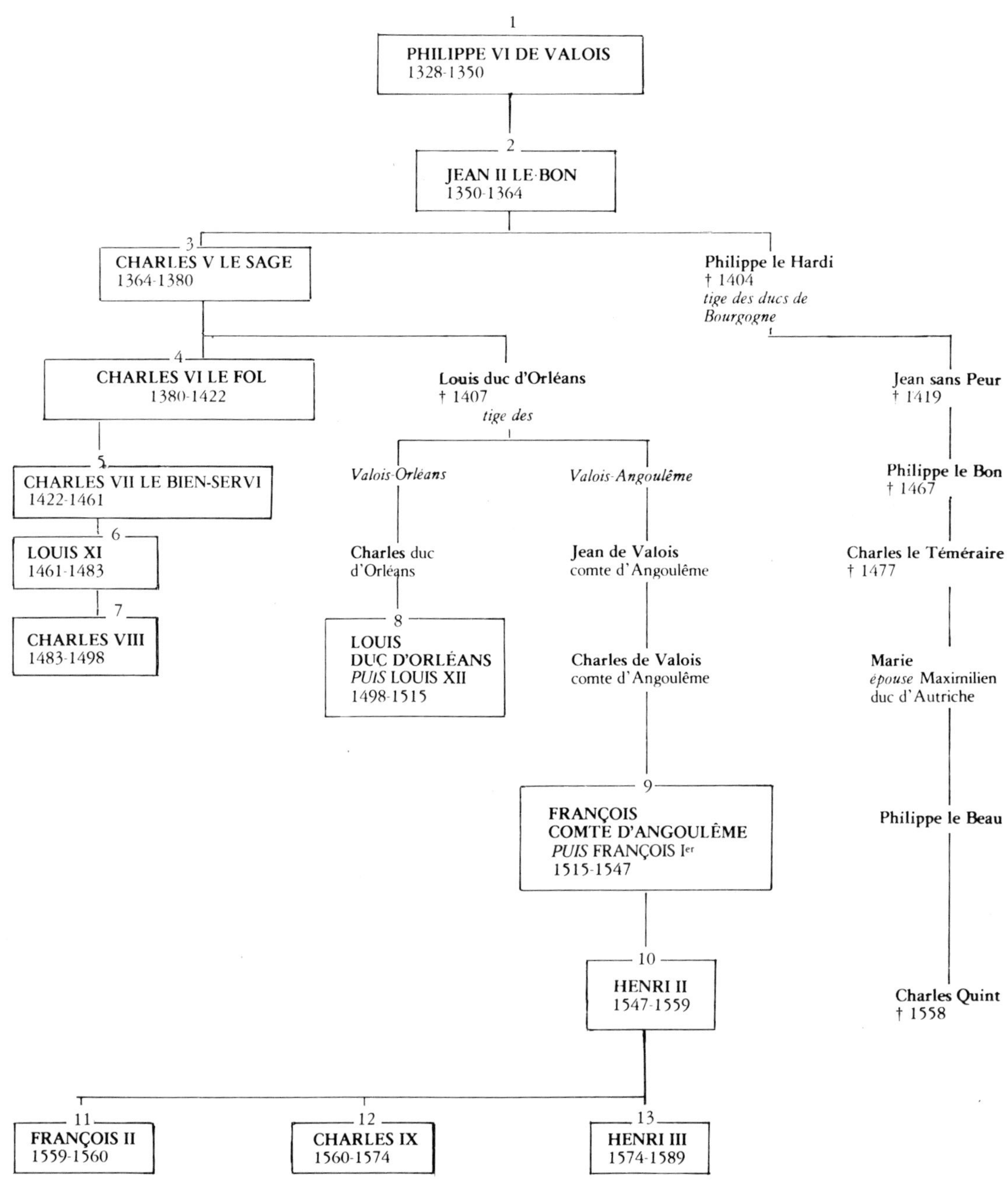

1
PHILIPPE VI DE VALOIS
1328-1350
2
JEAN II LE BON
1350-1364
3
CHARLES V LE SAGE
1364-1380
Philippe le Hardi
† 1404
tige des ducs de Bourgogne
4
CHARLES VI LE FOL
1380-1422
Louis duc d'Orléans
† 1407
tige des
Valois-Orléans
Valois-Angoulême
Jean sans Peur
† 1419
5
CHARLES VII LE BIEN-SERVI
1422-1461
Philippe le Bon
† 1467
6
LOUIS XI
1461-1483
Charles duc d'Orléans
Jean de Valois
comte d'Angoulême
Charles le Téméraire
† 1477
7
CHARLES VIII
1483-1498
8
LOUIS
DUC D'ORLÉANS
PUIS LOUIS XII
1498-1515
Charles de Valois
comte d'Angoulême
Marie
épouse Maximilien
duc d'Autriche
9
FRANÇOIS
COMTE D'ANGOULÊME
PUIS FRANÇOIS Ier
1515-1547
Philippe le Beau
10
HENRI II
1547-1559
Charles Quint
† 1558
11
FRANÇOIS II
1559-1560
12
CHARLES IX
1560-1574
13
HENRI III
1574-1589

PHILIPPE VI DE VALOIS (1328-1350)

IL NOUS PARAÎT TOUT NATUREL aujourd'hui que Philippe de Valois, déjà régent et cousin germain des trois rois défunts, ait accédé à la couronne des lys.

S'il ne s'éleva pas de grandes contestations en France puisque le principe d'écarter les lignes féminines avait été accepté, il n'en fut pas de même en Angleterre. La reine Isabelle, propre fille de Philippe le Bel, soutint la thèse que, son fils étant, par le sang, le continuateur de la ligne directe, c'était à lui que devait revenir le trône de France. Les légistes firent justice de cette prétention en soutenant avec raison qu'Isabelle, en raison de son sexe, n'était pas dynaste et que, de ce fait, elle ne pouvait transmettre à son fils un droit qu'elle ne possédait pas. C'était le sens commun, mais le roi d'Angleterre ne l'admit pas et le changement dynastique en France allait être la cause d'une longue querelle entre les deux nations, querelle qui a gardé dans l'Histoire le nom de guerre de Cent Ans, mais qui dura un peu plus longtemps en réalité puisqu'à travers des rémissions la guerre, commencée en 1340, ne se terminera qu'en 1453.

Philippe VI a finalement laissé dans l'Histoire une réputation des plus médiocres. Pourtant son avènement enrichissait la France royale de fiefs très importants, ce qui augmentait sa puissance.

De surcroît, le roi était un brillant chevalier portant beau. Son point faible était son épouse, la reine Jeanne de Bourgogne, sœur de Marguerite, une femme ambitieuse et acariâtre dont l'influence sera plutôt maléfique.

Épris de faste, le nouveau roi voulut pour son sacre des fêtes magnifiques qui se déroulèrent à Reims le 28 mai 1328. La couronne fut posée sur la tête de Philippe par l'archevêque de Reims, Guillaume de Trie.

Le sacre fut marqué par un léger incident, celui des hésitations du comte de Flandre, qui voulait attirer l'intérêt du roi sur les difficultés accablant son fief en révolte. Philippe VI tint compte de la remarque et le premier acte de son règne fut d'aller combattre les Flamands.

La campagne de Flandre a pris un aspect légendaire. On parle encore du siège de Cassel où les habitants avaient placé à leur porte un coq gigantesque avec cette inscription infamante :

« Quand ce coq-ci chanté aura
Le roi trouvé y entrera.»

Car, fidèles à la Couronne d'Angleterre, les Flamands, contestant la légitimité de Philippe VI, l'affublaient du surnom de « roi trouvé ».

La chute immédiate de Cassel, défendue par le brasseur Jacques Artevelde fut la revanche de Courtrai (23 août 1328). Ce facile succès emplit d'illusions militaires le roi Philippe VI et ses illusions lui coûteront fort cher par la suite.

Toutefois, le nouveau roi d'Angleterre, Edouard III, s'étant, à l'instigation des Flamands, proclamé roi de France, il fallut le mettre à la raison et Philippe VI exigea qu'il vînt lui faire hommage de vassalité pour ses fiefs de Guyenne. Il fallut plus de deux ans de discussions pour obtenir ce résultat ; par lettres patentes du 28 mars 1331, Edouard III s'exécuta, mais fort imparfaitement puisqu'il maintint le refus d'hommage-lige comme il l'avait déjà fait à la rencontre du 5 juin 1329 à la cathédrale d'Amiens.

Philippe VI, désireux de paix, s'en tint à ce demi-succès. En mai 1332, il maria son fils aîné, Jean, à Bonne de Luxembourg, fille du roi de Bohême Jean l'Aveugle, au cours d'une fête éclatante célébrée à Melun.

Cette vie fastueuse coûtait fort cher et, dès le début du règne, les finances royales connurent de grandes difficultés. Mais Philippe pensait surtout à sa gloire et son règne jetait un tel éclat qu'en 1333 il fut désigné par le pape Jean XXII pour prendre la tête d'une croisade qui n'eut d'ailleurs jamais lieu.

En 1336, la gloire de Philippe était si grande que l'Europe entière allait jusqu'à le considérer comme une résurrection de Saint Louis. Si l'on ajoute que la France doit à Philippe VI l'acquisition du Dauphiné en 1347 (sous la réserve qu'après la mort du dernier souverain du Viennois le fils aîné du roi de France reprendrait son titre de *dauphin)* et qu'en 1348 il acquit des rois de Majorque la souveraineté de Montpellier, on ne peut dire que ce règne ait été sans profits.

Cependant, à partir de 1337, la situation intérieure se modifia et ce fut le début d'une série de malheurs qui allaient faire en moins de quinze ans de la France riche et prospère, considérée comme la première nation du continent, un pays exsangue et au bord de la misère et de la ruine.

Les premières difficultés vinrent du beau-frère du roi, le comte Robert d'Artois, époux de Jeanne de Valois.

La bataille de l'Écluse, où la flotte de Philippe VI fut anéantie en 1340 par les Anglais. *(Chroniques de Froissart.)*

pou et tournoyerent tant qlz
leurent a leur voulente. Les
normans qui les veoyent
tourner sesmerveilloient
poz quoy ilz le faisoient ⁊
disoient ilz resongnet et

Robert d'Artois était en procès au sujet de la possession de son comté avec sa tante Mahaut, mère de l'autre Jeanne de Bourgogne, veuve de Philippe V, et il avait assigné Mahaut devant la cour des Pairs, dès 1329. Robert prétendait avoir en sa possession quatre pièces rendant ses droits indiscutables. Fort opportunément, Mahaut puis sa fille Jeanne moururent mais le procès fut continué par la fille de Jeanne, épouse d'Eudes, comte de Bourgogne.

Robert leur opposa les quatre pièces justifiant ses droits. Or une expertise prouva que les pièces étaient fausses et avaient été fabriquées sur ordre par une intrigante, Jeanne de Divion, qui fut condamnée au bûcher.

Présumé instigateur des faux, Robert d'Artois fut sommé de comparaître devant la cour des Pairs en 1331 et, pour assurer sa comparution, Philippe VI fit emprisonner sa femme et deux de ses enfants. Robert d'Artois s'enfuit en Angleterre.

Alors, par lettres patentes du 7 mars 1337, Philippe déclara son beau-frère ennemi de l'Etat et le débouta.

La riposte de Robert d'Artois n'allait pas tarder à porter ses fruits. En Angleterre, il était devenu l'ami du roi Edouard III et il lui insufflait la haine contre la France et son roi.

Il était volontiers écouté car Edouard III, débarrassé de sa mère et de l'amant de cette dernière, Mortimer, n'avait pas pardonné l'hommage qui lui avait été imposé et il se préparait à la guerre.

Au printemps de 1337, Robert d'Artois, devenu duc de Richmond, fit jurer au roi d'Angleterre de conquérir le royaume des lys et, à la fin de la même année, un cartel fut envoyé au roi de France par les soins de l'évêque de Lincoln.

Il y eut des escarmouches en Bretagne : Robert d'Artois fut mortellement blessé au siège de Vannes et enterré solennellement à la cathédrale Saint-Paul de Londres.

Le répit dura peu. Philippe VI faisait armer sa marine avec l'idée de préparer un débarquement. Mais sa flotte, très maladroitement dirigée, fut complètement anéantie, en 1340, à la bataille navale de l'Ecluse, sur les côtes de Belgique. L'état du Trésor ne permettant pas de reconstituer une flotte, il devint évident que, en cas de reprise des hostilités, celles-ci se dérouleraient sur le sol français.

Pour se renforcer, Philippe VI procéda à une offensive diplomatique : il fit passer à ses côtés l'empereur Louis IV. Artevelde, ayant tenté de reprendre la guerre en Flandre, fut assassiné. Edouard III fit de nouveau tenter une escarmouche en Bretagne.

En 1345, la situation s'aggrava. Geoffroy d'Harcourt, brouillé avec Philippe VI, passa au service du roi d'Angleterre et lui apporta ses directives pour mener à bien un débarquement en Normandie. Pour pouvoir l'effectuer sans rencontrer de résistance, Edouard III envoya des troupes en Guyenne sous les ordres du comte de Derby.

Philippe VI, à la tête de son armée, se porta dans le Sud et vint mettre le siège devant la ville d'Aiguillon.

Grâce à cette malheureuse diversion, le roi d'Angleterre put débarquer, presque sans combat, à Saint-Vaast-la-Hougue, dans le Cotentin, sensiblement dans la région où les troupes américaines prirent terre en 1944.

La France de l'Ouest étant totalement dépourvue de défense, le roi d'Angleterre s'avança rapidement, pillant et incendiant villes et villages. Il arriva ainsi à Poissy aux portes de Paris.

Averti du danger, Philippe VI leva le siège d'Aiguillon et remonta à marches forcées vers le nord. Pour éviter une rencontre, Edouard III, qui était en infériorité numérique, retraita et se retrancha en Picardie, à Crécy-en-Ponthieu.

En s'approchant, Philippe VI envoya une reconnaissance dirigée par le capitaine Le Moine de Bâle. Celui-ci, soldat expérimenté, conseilla au roi de France de faire reposer ses troupes plusieurs jours avant de livrer une bataille dont il lui traça les plans.

Mais la chevalerie française avait gardé depuis Cassel le sentiment qu'elle était invincible et elle refusa d'attendre le temps nécessaire.

Mal engagée, mal commandée, la bataille, où pour la première fois les Anglais employèrent trois bombardes, tourna au désastre. Philippe, qui s'était battu bravement, eut deux chevaux tués sous lui, vit abattre Jean l'Aveugle, beau-père de son fils, fut sauvé de la capture par le comte de Hainaut qui l'entraîna hors du champ de bataille.

A la nuit tombante, Philippe arriva à la porte du château de Broves où il lança l'appel fameux « Ouvrez châtelain, c'est l'infortuné roi de France » (26 août 1346).

Crécy ne signifiait pas la perte de la guerre. Edouard III, libéré de la pression française, vint mettre le siège devant Calais. On connaît l'épisode célèbre des bourgeois de Calais en 1347. Une trêve de trois ans fut signée. Edouard III rentra en triomphateur en Angleterre où il fonda l'ordre de la Jarretière.

En même temps que ce désastre militaire, un

A droite : Edouard III d'Angleterre débarque en France, à Saint-Vaast-la-Hougue. (Miniature des *Chroniques d'Angleterre,* XIVe siècle.)

Ci-dessous : Les bourgeois de Calais se rendent à Édouard III.

autre malheur beaucoup plus grand frappa la France, une épidémie, la *Peste noire,* qui tua les habitants par millions ; on a parlé de près de la moitié de la population.

Philippe de Valois n'en reprit pas moins sa vie de fêtes. En 1349, moururent de la peste la reine Jeanne et Bonne de Bohême. Le père et le fils se trouvèrent veufs et le prince Jean se fiança à Blanche d'Evreux, fille du roi de Navarre. Philippe, ayant trouvé la jeune fille à son goût, l'enleva à son fils et l'épousa bien qu'il eût l'âge d'être son père. Le prince Jean se consola en épousant Blanche de Boulogne en février 1350.

Philippe VI ne résista pas longtemps aux fatigues de son remariage et il mourut à Nogent-le-Roi dans la nuit du 22 au 23 août 1350, après avoir solennellement rappelé à ses fils que leur Maison régnait légitimement, ce qui était les inciter à reprendre les hostilités contre l'Angleterre.

JEAN II LE BON (1350-1364)

DE JEAN II NOUS POSSÉDONS une image physique des plus exactes parmi les primitifs français du Musée du Louvre : c'est le visage d'un homme aux cheveux emmêlés, aux sourcils broussailleux, aux paupières lourdes, aux yeux globuleux, à la mâchoire pesante. Cette effigie peu flatteuse est celle du vaincu de Poitiers, un des rois les plus calamiteux qui aient régné en France.

C'était un homme absolument inconscient des réalités, cruel et vindicatif.

Son règne débutait dans des circonstances difficiles. Calais était perdu, la peste noire avait tué plus de la moitié des Français, la trêve avec l'Angleterre était de brève durée.

En dépit de ces auspices défavorables, Jean II, avec une grande inconscience, continua à faire vivre la Cour dans le luxe et à s'étourdir de fêtes.

Le sacre du roi et de la jeune reine eut lieu à Reims le 26 septembre 1350. Le roi adouba à la cérémonie son fils aîné Charles, son second fils, Philippe, ainsi que le duc de Bourgogne et une grande partie de sa parentèle.

On revint à Paris et les fêtes durèrent une semaine.

Puis le vent tourna et l'on passa de la joie à la tristesse. Le connétable Raoul de Brienne, comte d'Eu et de Guines fut libéré par les Anglais après cinq ans de captivité. Mais, dans l'impossibilité de payer sa rançon, il imagina de céder Guines aux Anglais.

Le roi Jean considéra l'acte comme une trahison ; il fit enfermer le connétable à l'hôtel de Nesle le 16 novembre 1350 et le fit décapiter trois jours plus tard, dans la consternation générale de la noblesse.

Pour succéder au comte d'Eu, Jean le Bon nomma un étranger qui était son ami d'enfance, La Cerda, petit-fils de Saint Louis. Le roi lui témoigna une faveur si visible que l'on chuchota le mot d'homosexualité.

Cette accusation ne semble pas prouvée car Jean II gratifia de faveurs insensées d'autres personnages de la Cour, prouvant sa propension naturelle à s'entourer de favoris.

Pour faire pièce à l'Ordre de la Jarretière, qui avait bénéficié très vite d'une grande considération, Jean le Bon créa l'Ordre de l'Etoile, dont Froissart a parlé avec une admiration qui paraît tout à fait excessive.

En février 1352, le roi donna sa fille en mariage au roi de Navarre Charles le Mauvais, petit-fils de Louis X le Hutin, union qui allait valoir beaucoup de déboires à la Couronne, Charles le Mauvais pensant *in petto* que, par son ascendance, la Couronne de France aurait dû lui revenir.

Peu de temps après, Charles le Mauvais et son frère Philippe, assistés de deux barons normands, Harcourt et Graville, assassinèrent le connétable La Cerda. Jean le Bon pensa périr de chagrin, il menaça son gendre et finalement se réconcilia avec lui. Mais Harcourt, ayant refusé de payer ses impôts, fut exécuté, puis, reniant la réconciliation, le roi fit mettre Charles le Mauvais en prison.

Au même moment, la guerre avec l'Angleterre reprit sous le prétexte de faire libérer Charles le Mauvais.

Le 1er septembre 1355, le roi procéda à une mobilisation générale et, pendant une dizaine de mois, il remporta quelques succès non négligeables contre les Angevins soutenant le duc de Lancastre.

Une campagne menée par le Prince Noir, fils d'Edouard III, venait de ravager le Languedoc de Toulouse à Nîmes. Le roi Jean estima qu'il fallait

Jean le Bon fait arrêter Charles le Mauvais, et ordonne la décapitation du comte d'Harcourt. *(Chroniques de Froissart,* XVe siècle.)

lui couper la retraite et il gagna les environs de Poitiers au moment où le Prince Noir en approchait.

Le cardinal de Talleyrand-Périgord, légat du pape Innocent VI, alla d'une armée à l'autre pour tenter une médiation. Les Anglais n'étaient pas prêts mais la tentative de médiation leur donna les loisirs nécessaires.

Il était possible de discuter et d'éviter le combat. Jean le Bon jugea, au contraire, que l'occasion était très favorable pour détruire l'armée anglaise et il passa à l'attaque aussi légèrement que son père l'avait fait à Crécy.

La bataille tourna en débandade pour les Français mais Jean le Bon ne voulut pas renouveler l'exemple de Philippe VI qui avait quitté le champ de bataille. Il continua à combattre d'une manière courageuse et l'on a retenu le cri de son fils Philippe :

— Père gardez-vous à droite, père gardez-vous à gauche.

Après une lutte désespérée, le roi et son fils furent faits prisonniers ; on avait heureusement pris la précaution de faire évacuer à temps l'aîné, le prince Charles, qui put regagner Paris.

Ce prince, qui, sous le nom de Charles V, a laissé un si grand souvenir, n'avait pas encore donné ses preuves et l'on assure qu'il ne s'était pas distingué par sa bravoure au cours de la bataille.

Marié, dès 1350, à la belle Jeanne de Bourbon,

La bataille de Poitiers, 1356, où Jean le Bon fut fait prisonnier par les Anglais. *(Chroniques de Froissart,* XVe siècle.)

il se conduisait en mari peu sérieux et portait ostensiblement sur son armure les armes parlantes de sa maîtresse Biette Cassinel (K + cygne + aile).

Alors que le roi Jean était emmené en captivité à Londres, le prince Charles, dont on attendait peu, allait montrer des qualités extraordinaires et sauver le gouvernement du désastre représenté par la captivité du roi.

Le prince Charles est le premier dans notre histoire qui ait porté le titre de dauphin et il va l'illustrer grandement.

Arrivé à Paris en qualité de lieutenant-général du royaume, Charles convoqua les Etats-généraux.

Il y avait quelque mérite à le faire car ce geste venait de donner de grands déboires à son père. Jean le Bon avait convoqué les dits Etats en 1355 en vue d'obtenir de l'argent pour financer la guerre et cette convocation s'était révélée désastreuse : le prévôt des marchands de Paris, Etienne Marcel, avait réclamé le contrôle des impôts par les Etats et une taxe sur le revenu fut refusée.

Aussi pouvait-on tout craindre d'une nouvelle convocation. C'est ce qui arriva : aux Etats, Etienne Marcel, soutenu par l'évêque de Laon, Robert Le Coq, allait déclencher une aventure sans précédent, qui préfigure à la fois la révolution de 1789 et la Commune de 1871.

Les Etats commençèrent par contester l'autorité des conseillers du roi, puis ils réclamèrent la mise en liberté de Charles le Mauvais en qui ils voyaient un souverain possible. Ensuite, après trois sessions consécutives, les Etats votèrent la Grande Ordonnance de 1357, tentative ayant somme toute pour objet d'imposer à la Couronne une constitution. Si elle avait été appliquée, le pouvoir passait aux Etats et l'on entrait dans un régime d'assemblée ; c'était la révolte de la Nation contre l'État, de la Commune contre la Couronne.

Charles le Mauvais fut libéré et devint le véritable maître de la capitale. Une « journée » fut tentée contre le Dauphin, lieutenant général du royaume. Dans son cabinet furent assassinés sous ses yeux ses deux principaux conseillers, les maréchaux de Champagne et de Normandie. Etienne Marcel, se posant en défenseur, couvrit la tête du Dauphin de son chaperon aux armes de la ville de Paris.

Sagement, au cours de la nuit, Charles quitta Paris sur une barque et convoqua les Etats-généraux à Compiègne avec l'intention marquée de reprendre sa capitale par les armes.

Pour résister, Etienne Marcel s'allia avec des paysans révoltés (la Jacquerie). Alors, par un vieux réflexe féodal, Charles le Mauvais changea de bord et écrasa les paysans révoltés. Le Dauphin vint assiéger Paris et Etienne Marcel, qui s'était abaissé à demander des secours aux Anglais, fut massacré par ses propres partisans (13 juillet 1358).

Après cette exécution, le Dauphin rentra dans Paris sans difficultés, ayant sauvé l'ordre intérieur. Une résistance spontanée s'éveilla dans les campagnes et, devant l'intensité des maquis, Edouard III, en marche pour aller se faire sacrer roi de France à Reims, préféra traiter.

C'était d'autant plus aisé que Jean le Bon, prisonnier était prêt à toutes les concessions, même à céder les côtes atlantiques de la France. On traita finalement à Brétigny au mois d'avril 1360 : le roi d'Angleterre recouvrait la Guyenne agrandie du Limousin, du Périgord, du Rouergue, de l'Angoumois et de la Saintonge. Non seulement il conservait Calais mais on y adjoignait les comtés de Montreuil, de Guise et de Ponthieu. De surcroît, le souverain anglais était délié du serment vassalique. Une rançon de trois millions d'écus d'or était exigée, payable en six ans et garantie par les fils du roi pris en otages.

Grâce à ce honteux traité, Jean le Bon put regagner la France le 8 juillet 1360. Il resta quatre mois à Calais jusqu'au versement du premier terme de sa rançon.

Pour trouver de l'argent, il maria sa fille à l'héritier des Visconti. Puis il prit congé du roi d'Angleterre qui emmena ses fils en otages.

De retour à Paris, Jean II se replongea dans les fêtes, semblant presque inconscient des malheurs du pays ravagé par les Grandes Compagnies.

Il commit une nouvelle faute que la Couronne devait payer très cher : en souvenir de Poitiers il donna la Bourgogne à son fils Philippe le Hardi (6 septembre 1363). Elle allait rester hors du royaume pendant cent dix-sept ans en causant de graves soucis.

Puis le duc d'Anjou, un des fils otages, s'étant évadé, Jean le Bon décida de se reconstituer prisonnier en Angleterre. Il le fit, contre l'avis de ses conseillers, par faux point d'honneur. Son départ ne chagrina guère ses sujets.

Le 3 janvier 1364, Jean le Bon s'embarqua à Boulogne ; à Londres, les Anglais lui réservèrent une entrée triomphale et il fut logé somptueusement au palais de Savoye où il retrouva son fils, le duc de Berry.

Il resta une partie de l'hiver « joyeusement et amoureusement », assure Froissart. Mais cette belle vie dura fort peu de temps.

En mars 1364, Jean II tomba malade et il mourut le 8 avril ; le roi d'Angleterre lui fit assurer un magnifique service funèbre puis la dépouille fut ramenée en France.

Un des plus déplorables règnes de l'Histoire s'achevait enfin.

Dans Paris assiégé par le dauphin Charles (futur Charles V), Étienne Marcel est tué par ses propres partisans, en 1358. (Miniature du XVe siècle.)

CHARLES V LE SAGE
(1364-1380)

CHARLES V A LAISSÉ LA RÉPUTATION d'un bon et grand roi et, certes, ses débuts remarquables comme dauphin ont aidé à asseoir cette réputation. Sans être entièrement usurpée, elle doit beaucoup au contraste d'un règne réparateur placé entre les deux règnes destructeurs, celui de Jean le Bon et celui de Charles VI.

Charles V se trouvait au Goulet, près de Vernon, quand il apprit la mort de son père en Angleterre, ce qui le faisait roi de France.

Pour ceindre cette couronne que les faiblesses de Jean le Bon avait rendue si lourde à porter, le nouveau souverain, mûri par son expérience de 1357, était mieux préparé que tout autre.

C'était à la fois un homme sensible et énergique, ayant un sentiment très aigu de ses responsabilités. Bien que par nature il aimât à récompenser, il ne craignit jamais de punir mais en respectant les principes de la justice. Il eut, en résumé, toutes les qualités dont son père avait été tragiquement dépourvu. Il répugnait aux exploits chevaleresques, mais était libéral et généreux. Il n'aimait guère les fêtes, dédaignait les tournois. En revanche il était épris de culture, il protégea les savants, les artistes, les écrivains, ce qui lui a valu semble-t-il son surnom de Sage qui relève plutôt de la science que de la sagesse.

On possède sa description physique due à la plume un peu serve de Christine de Pisan : « De corsage estoit haut et bien formé, droit et large d'épaules, étroit par les flancs, le visage de beau tour, un peu longuet, grand front et large, les yeux de belle forme, bien assis, châtains de couleur, haut nez assez et bouche non trop petite, le poil ni blond ni noir, la charnure claire brune mais il eut la chair assez pâle et je crois que le fait qu'il était si maigre était venu par accident, non par tempérament. Sa physionomie était sage, raisonnable et rassise, à toute heure en tous états et en tous mouvements ; on ne le trouvait furieux et emporté en aucun cas, mais modéré dans ses actions, contenance et maintien. Eut belle allure, voix d'homme de beau ton, et, avec tout cela, certes, à sa belle parleuse était si bien ordonnée et si belle à entendre, sans aucune superfluité de discours, que je ne crois pas qu'aucun rhétoricien en langue française n'eût rien à en reprendre.»

Ce qui paraît le plus curieux de ce portrait plutôt flatté, c'est cette maigreur du roi « venue par accident » ; le bruit courait alors, peut-être avec raison, que, lorsqu'il était dauphin, Charles avait été victime d'une tentative d'empoisonnement ourdie par son cousin et beau-frère Charles le Mauvais ; il est certain que le roi fut constamment de santé fragile et mourut à un âge peu avancé.

Sa femme, Jeanne de Bourbon, était une belle créature un peu grasse qui fut abondamment trompée, du moins tant que son époux ne fut pas monté sur le trône. Devenu roi, Charles V prit conscience que l'oint du Seigneur ne pouvait se livrer aux débordements de la chair et il devint le mari d'autant plus modèle qu'il n'avait jamais cessé d'aimer son épouse.

Celle-ci devait lui donner neuf enfants, mais, des trois fils et des six filles du ménage, trois seulement atteignirent l'âge adulte : le dauphin Charles, Louis, comte de Beaumont et de Valois et la princesse Catherine. Tous les autres moururent en bas-âge. De son hérédité, Jeanne de Bourbon tenait les germes de la folie qui atteindra plus tard son fils aîné. Il semble que, dans les derniers temps de sa vie, elle donna des signes non équivoques de dérangement mental. Elle mourut en 1378, le 4 février, après avoir péniblement donné le jour à une petite Isabelle qui ne vécut que peu de semaines.

La veille du jour où il allait être sacré, le samedi 18 mai 1364, Charles V, à qui le roi de Navarre avait lancé un défi, reçut la nouvelle que Du Guesclin avait battu les troupes anglo-navarraises à Cocherel. C'était de bon augure pour la suite du règne.

Le dimanche de la Trinité (19 mai 1364), le roi et la reine reçurent à Reims les onctions saintes. Après quoi il y eut grand dîner et de belles fêtes ; puis le roi s'en revint à Paris où il fut reçu avec une grande somptuosité.

Ensuite il fallut passer aux opérations de guerre et de gouvernement. La victoire de Cocherel assurait le contrôle de la Seine de Paris à Rouen. Après quoi, Du Guesclin disputa la Bretagne aux Montfort, et il fut fait prisonnier.

Une fois libéré, Du Guesclin délivra la France d'un autre risque : une partie des mercenaires n'avaient pas regagné leurs foyers ; constitués en petites unités autonomes dites « Grandes Compagnies », ils pillaient le pays à leur compte. Charles V envisagea avec Du Guesclin d'embrigader les Grandes Compagnies pour les diriger vers un autre théâtre d'opérations.

Le roi Charles V entre à Paris en 1364 après son sacre à Reims. *(Grandes Chroniques de France,* XIVe siècle.)

Premierement sist larcevesque de Raime
apres seoit lempereur . apres seoit le
Roy aussi comme au milieu du front de la sall
Apres le Roy de france seoit le Roy des Roma
et avoit autant distence du Roy de france

Il les conduisit en Espagne pour les mettre au service d'Henri de Transtamare, bâtard du roi de Castille, en lutte avec son demi-frère Pierre le Cruel, allié des Anglais.

C'était, de manière indirecte, une reprise de la lutte contre Edouard III, lutte qui permit à Charles V de dénoncer le traité de Brétigny.

Les opérations en Espagne tournèrent mal et, au combat de Najera (3 avril 1367), Du Guesclin tomba aux mains du Prince Noir. La France entière se cotisa pour payer sa rançon et, libéré de nouveau, le grand soldat reprit ses activités.

Il mena une offensive en Provence dont l'idée revenait à Charles V qui, contraint en 1357 de combattre le faux Jean Ier, avait formé le rêve d'accoler le Languedoc au Dauphiné par l'occupation de la Provence. Les opérations connurent un début brillant : la prise de Tarascon et d'Arles. La marche reprit sur Aix-en-Provence.

Le pape Urbain V, craignant pour la sûreté du Comtat, excommunia Du Guesclin.

Charles V n'en éleva pas moins celui-ci à la dignité de connétable en 1370.

Le nouveau connétable continua la guerre sporadique contre les Anglais en reconquérant les provinces de l'Ouest par la victoire de Pontvallain qui rattacha au domaine royal le Poitou et la Saintonge.

La reconstitution de la flotte permit à l'amiral Jean de Vienne de contrôler les côtes de la Manche, ce qui facilita la reconquête de la Normandie dont certains territoires appartenaient à Charles le Mauvais. Pour venir à bout de la résistance du roi de Navarre, Charles V n'hésita pas devant la manière forte : il séquestra les fils de Charles le Mauvais et supplicia ses familiers après les avoir contraints à renier leur maître.

En vue d'annexer la Bretagne, Charles V prononça sa confiscation sous le prétexte que son duc, Jean, se trouvait en Angleterre. Ce procédé déplut aux Bretons qui se soulevèrent. Breton de naissance, Du Guesclin se refusa à massacrer ses compatriotes. Il préféra liquider en Gévaudan les restes des Grandes Compagnies et il mourut au siège de Châteauneuf-de-Randon en 1380, presque en même temps que le roi.

Le bilan militaire du règne se révélait des plus satisfaisants et l'on a appelé assez justement du nom de *première reconquête* les opérations offensives menées sous le règne de Charles V ; elles avaient pratiquement réduit les possessions de l'Angleterre à la seule Guyenne et avaient été génératrices d'une paix qui suspendit la guerre contre l'Angleterre pendant près de quarante ans.

Mais hélas tout ne fut pas aussi parfait.

A la mort de Jean le Bon, il existait des contributions extraordinaires, le fouage et la gabelle, qui permettaient de renflouer le Trésor. Grâce à ces rentrées nouvelles, les difficultés de trésorerie épargnèrent le règne dont les finances furent assez saines. Mais le roi éprouva des scrupules pour avoir taxé trop lourdement ses sujets et, avant de mourir, il détruisit les impôts qui avaient assuré sa prospérité, faute que son successeur devait payer fort chèrement.

La grande idée diplomatique du règne devait être pour la France la source d'une série de catastrophes.

En 1369, le comte de Flandre négociait le mariage de sa fille unique avec le fils d'Edouard III. Pressentant dans cette union un grave danger pour la France, Charles V s'ingénia à la rompre et il obtint la main de la princesse pour son frère Philippe le Hardi, duc de Bourgogne.

Pour faire aboutir le mariage, il n'hésita pas à rendre à la Flandre les conquêtes de Philippe le Bel : Lille, Orchies et Douai.

Il avait constitué ainsi un royaume allant de l'Escaut à la Saône et qui semblait une amorce de Lotharingie. Toutefois, en agissant ainsi, Charles V s'était persuadé que la Flandre deviendrait française. Ce fut le contraire qui se produisit : la Bourgogne subit l'influence flamande au point que ses ducs résidèrent plus volontiers à Bruges qu'à Dijon, et pendant un siècle la France eut à se mesurer avec une rivale qui mit la nation plusieurs fois en grand péril.

On objecterait avec raison que Charles V, n'ayant pas le don de prophétie, ne pouvait guère voir aussi loin, mais l'on dénote, hélas !, d'autres incohérences dans sa politique étrangère.

C'est à Charles V qu'il convient d'imputer les débuts du Grand Schisme d'Occident. Il ne sut pas retenir la Papauté à Avignon et il crut réparer sa maladresse en prenant le parti des cardinaux français.

Ceux-ci élurent un antipape, Robert de Genève, qui prit le nom de Clément VII et s'opposa au pape Urbain VI, le cardinal Prignano, que les Italiens avaient élu et qui semblait être l'héritier légitime du trône de Saint-Pierre.

Sans l'appui du roi de France, l'antipape Clément VII s'effondrait ; avec cet appui il pouvait se maintenir et pendant quarante ans l'Eglise catholique allait être déchirée entre deux factions.

Il semble toutefois que la bonne foi du roi fut entière dans l'affaire mais cette assurance donne une assez piètre idée de ses talents politiques.

On pourrait presque en dire autant de la suite de sa diplomatie. En 1378, Charles V invita à sa

Charles V offre un repas somptueux à l'empereur Charles IV et à son fils pour lui demander son alliance contre l'Angleterre. *(Grandes Chroniques de France,* XIVe siècle.)

Cour l'empereur Charles IV, dont le père, le roi de Bohême Jean l'Aveugle, avait péri à Crécy et il lui demanda sans succès son alliance contre l'Angleterre.

Pour réparer son échec, il entama des négociations avec Richard II d'Angleterre en lui offrant sa fille en mariage avec pour dot les provinces reconquises. Heureusement la négociation échoua.

Il faut donc conclure que le règne, malgré d'appréciables succès, les avait compromis par impéritie ou par faiblesse.

Honnêtement, il faut penser que la santé de Charles V fut si mauvaise qu'il ne fut pas maître de gouverner sainement durant ses dernières années.

La description de la vie médicale du roi est profondément attristante. Peut-être avait-il été victime d'un empoisonnement, mais il semble aussi qu'il fut de très faible complexion.

A base de goutte persistante, la maladie chronique de Charles V lui fit perdre jeune tous ses cheveux. Les ongles de ses mains et de ses pieds se séchèrent et tombèrent également.

Un médecin en qui il avait confiance parvint à faire repousser les cheveux et les ongles mais, pour y parvenir, il avait dû ouvrir dans un bras une fistule pour faire écouler les humeurs avec consigne de ne pas la refermer. Charles garda donc cette plaie ouverte au bras.

On peut penser à des accidents scrofuleux compliqués d'une tuberculose à évolution lente.

Les docteurs s'étant finalement révélés impuissants à le guérir, Charles V multiplia les pèlerinages et les œuvres pies. Rien n'y fit : la goutte lui déforma les mains et la droite fut atteinte d'un œdème chronique, au point qu'il avait de la peine à tenir la plume pour signer les actes.

La mort de sa femme le chagrina au point d'achever de ruiner sa santé. A quarante ans il ne sortait plus qu'en litière, ayant dû renoncer à tous les exercices qu'il avait aimés et surtout à la chasse.

Les douleurs s'aggravèrent encore et il s'y ajouta de cruels maux de reins, si bien que le roi finit par mourir à quarante-trois ans seulement et seize ans d'un règne dont il pouvait peut-être emporter de la fierté malgré ses erreurs...

Le 13 septembre 1380, un nouveau règne s'ouvrit, celui d'un enfant, le dauphin Charles, à qui ses hérédités allaient valoir un destin tragique qui faillit voir la disparition de la France.

CHARLES VI LE FOL (1380-1422) ET ISABEAU DE BAVIÈRE

CHARLES V ÉTANT MORT au château de Beauté, son fils se trouva roi sans avoir l'âge légal de la majorité, mais Charles V, qui n'aimait pas les régences, abaissa cet âge avant de mourir.

Il ne fut tenu aucun compte de ses dispositions et Charles VI, qui n'était qu'un adolescent, fut pris en main par ses oncles, le duc d'Anjou, le duc de Berry et le duc de Bourgogne, auxquels il fallut adjoindre le frère de la reine défunte, le duc de Bourbon.

Cette oligarchie s'attribua toutes les places, chassa les conseillers de Charles V et tenta de trouver de l'argent. On commença par dilapider le trésor du roi défunt puis on rétablit les fouages et la gabelle. Comme les fonds publics furent gérés en dépit du sens commun, il fallut augmenter rapidement le taux de ces impositions. Il en résulta des troubles parfois violents, notamment à Montpellier et au Puy. Ces émeutes, locales au début, tournèrent à une véritable guerre civile et l'Histoire a retenu les noms des Harelles en Normandie, des Maillotins à Paris, des Tuchins en Languedoc, véritables hordes de brigands qui semèrent la terreur et le pillage.

Il fallut armer des troupes et, quand elles eurent remis de l'ordre, on songea à les utiliser contre les Flamands soulevés par le fils de Jacques Artevelde. Ces autres rebelles furent vaincus à la bataille de Roosebeke (27 novembre 1382).

Ce succès donna de l'assurance au jeune Charles VI mais il ne put cependant se débarrasser tout de suite de ses oncles qui soutinrent leur neveu quand il prit des mesures autoritaires contre les bourgeois de Paris. En 1385, Philippe de Bourgogne perdit son beau-père et hérita de la Flandre et ce surcroît de puissance lui assura pratiquement la maîtrise du gouvernement.

Philippe de Bourgogne, dit le Hardi, jugea qu'il serait opportun de marier son neveu et il pensa qu'un mariage allemand serait favorable à ses

La bataille de Roosebeke, 1382. *(Chroniques de Froissart,* XVe siècle.)

propres intérêts ; cette vue, qui causa tant de malheurs à la France, n'était pas incompatible avec les dernières intentions de Charles V qui avait tenté une alliance avec l'Empire, alliance qui, si elle n'avait pas complètement abouti, avait néanmoins marqué une trêve solide avec l'Allemagne.

S'étant avisé que le duc Etienne de Bavière avait une fille de quatorze ans, Isabeau, Philippe intrigua pour conclure l'union de celle-ci avec Charles VI.

On conduisit la jeune Isabeau chez sa tante, la comtesse de Hainaut, qui chapitra sa nièce, lui donna de bonnes façons, lui apprit à se vêtir d'atours somptueux.

La rencontre des deux jeunes gens eut lieu à Amiens au mois de juillet 1385, sous prétexte d'un pèlerinage à la Vierge d'Amiens.

Charles VI n'était nullement opposé à l'idée de cette entrevue. Isabeau fut menée par ses chaperons en présence du roi. Le jeune homme « la regarda de grand'manière ; en ce regard plaisance et amour lui entrèrent au cœur, car il la vit jeune et belle et ainsi il avait grand désir de la voir et de l'avoir. Le Connétable de France, Olivier de Clisson, dit au seigneur de Coucy et au seigneur de La Rivière ; cette dame nous demeurera ; le Roi n'en peut ôter ses yeux ».

Charles VI, jeune, était d'une grande beauté physique et il fit une forte impression sur la jeune Bavaroise.

Après l'entrevue, les deux intéressés furent consultés et tombèrent tous deux d'accord pour s'épouser. Le mariage fut célébré immédiatement par l'évêque d'Amiens et, après un somptueux dîner, on procéda au coucher de la mariée.

Le jeune roi arriva tout flambant de désir. « S'ils furent cette nuit ensemble en grand déduit, vous pouvez bien le croire », rapporte malicieusement l'historien Froissart.

Sur les rapports du roi et de la reine, on peut penser qu'ils furent seulement charnels dans les commencements ; en effet, Isabeau ne savait pas un mot de français et Charles VI ignorait complètement l'allemand.

On a souvent parlé de la beauté d'Isabeau de Bavière et il semble que l'on a été indulgent ; d'après les descriptions, Isabeau était trop courte de jambes, elle avait un teint hâlé peu apprécié, mais elle était pourvue de *sex-appeal.* Son caractère était mal connu, mais elle se révéla vite sensuelle, gourmande, assoiffée de plaisirs, futile et suprêmement égoïste

Charles VI a été peint par la plume d'un religieux de Saint-Denis qui a écrit : « Sa taille,

La rencontre de Charles VI avec Isabeau de Bavière aux portes d'Amiens, 1385. *(Complainte de Charles d'Orléans,* XVe siècle.)

sans être trop grande, surpassait la taille moyenne ; il avait des membres robustes, une large poitrine, un teint clair, les yeux vifs. On remarquait en lui toutes les heureuses dispositions de la jeunesse. Fort adroit à tirer de l'arc et à lancer le javelot, passionné pour la guerre, bon cavalier, il témoignait une impatiente ardeur toutes les fois que ses ennemis le provoquaient pour l'attaquer. Il se distinguait par une telle affabilité qu'en abordant les moindres gens, il les saluait avec bienveillance et les appelait par leur nom. Il se fit remarquer dès ses premières années par sa libéralité ; plus tard sa munificence dépassa les bornes de la modération au point de faire dire qu'il ne gardait rien pour lui que le pouvoir de donner.»

De telles qualités annonçaient un grand règne ; elles débutèrent par la perfection de l'union conjugale. Isabeau, assez vite, apprit le français et put converser avec son époux autrement que dans un lit. Ses dames d'honneur lui montrèrent les usages de la Cour de France et tout donna quelque temps à penser que le ménage du roi serait exceptionnel.

Philippe le Hardi dont les intérêts coïncidaient momentanément avec ceux de la Couronne poussa son neveu à soumettre la Flandre en la détachant de ses attaches anglaises.

Pour y parvenir, on envisagea de faire la guerre à l'Angleterre, de reprendre Calais puis de tenter un débarquement. Dans ce dessein, on entreprit un grand effort de rénovation de la marine et l'on vit se dérouler des préparatifs tels que l'on n'en reverra de pareils qu'avec Napoléon au camp de Boulogne.

Mais ces beaux projets sombrèrent dans le néant. Le duc de Berry, promu grand-amiral, ne mit pas à la voile. Toutefois, les mesures prises avaient alerté les Anglais. On tenta alors de négocier la restitution de Calais. Cette politique moins agressive eut pour effet de prolonger la trêve due aux efforts de Charles V. La France admit comme dernière concession que le roi d'Angleterre restât souverain en Guyenne sous condition de rendre l'hommage vassalique.

Le roi Richard II, pacifiste de nature, admit ces manières de voir ; il alla à Cherbourg et à Brest et rendit l'hommage ; on envisagea pour la suite une possibilité de mariage avec une fille de Charles VI. Ce n'était pas un trop mauvais début et un espoir de paix solide.

A ce point de son règne, Charles VI s'avisa que ses oncles faisaient passer leurs intérêts avant ceux de la France ; quand ils eurent embarqué leur neveu dans une fâcheuse expédition contre le duc de Gueldre, en opposition avec le duc de Bourgogne, le roi, qui avait tout juste vingt ans, fit un coup d'État : il renvoya ses oncles dans leurs apanages et il rappela auprès de lui les anciens conseillers de son père, Olivier de Clisson, Jean de Vienne, Bureau de La Rivière, Juvénal des Ursins prévôt de Paris. Ces sages que l'on appelait par dérision les *Marmousets* rétablirent l'ordre et menèrent une sage politique financière qui fit prospérer le Trésor.

Mais hélas ! Charles VI avait auprès de lui un mauvais conseiller, son propre frère, le duc de Touraine, qui reçut bientôt en apanage le duché d'Orléans. Sous l'influence d'Isabeau de Bavière, le faste revint à la Cour où le roi, enivré de plaisirs, compromit sa santé dans les fêtes et les réjouissances.

En 1392, se produisit une série de drames : le connétable de Clisson fut grièvement blessé par un grand seigneur dévoyé, Pierre de Craon, qui, pour échapper au châtiment de son crime, alla se réfugier auprès du duc de Bretagne. Bien que la santé de Charles VI commençât à donner des inquiétudes, il entreprit une expédition punitive.

Il réunit une immense armée qui se dirigea vers l'Ouest. Comme on traversait la forêt du Mans, par une forte chaleur, un vieillard décharné, probablement un lépreux, sortit de sous le couvert, saisit la bride du cheval de Charles VI et lui cria qu'il était trahi.

Charles VI perdit alors subitement la raison, leva sa hache sur les hommes d'armes et en tua quatre. Il fallut ceinturer le roi et le garrotter (4 août 1392).

On le transporta au Mans au milieu d'une affliction générale, puis au château de Val d'Oise, espérant que le bon air lui ferait recouvrer la santé. Les médecins consultés diagnostiquèrent une hérédité de folie venant de sa mère Jeanne de Bourbon, qui avait à peu près perdu le sens commun dans ses dernières années.

Pourtant le malheureux roi émergea de sa nuit et, quand on lui apprit qu'il avait tué quatre hommes, il dit en pleurant qu'il ne pourrait jamais s'en consoler.

Comme il paraissait remis de sa crise, il reprit le gouvernement et surtout son existence déréglée.

Le 28 janvier 1393, un bal eut lieu à l'hôtel de Saint-Paul. Au milieu de la soirée, on vit une entrée de six « hommes sauvages » vêtus seulement de plumes collées et d'étoupe. Louis d'Orléans, pour voir les sauvages de plus près, approcha imprudemment une torche de l'un des danseurs.

Les « sauvages » furent transformés en boules de feu car l'étoupe s'enflamma. Un crit retentit : « Sauvez le roi » car quelques intitiés savaient que Charles VI était l'un des déguisés.

Ladventure dune danse faitte

Isabeau de Bavière s'évanouit de terreur car le spectacle dépassait les limites de l'horreur et que l'odeur des corps qui se carbonisaient était particulièrement atroce. Puis, soudain, il y eut un répit : Charles VI reparut ; il avait été sauvé par sa tante, la duchesse de Berry, qui, en jetant son manteau sur lui, l'avait sauvé d'une mort horrible.

Cette tragédie, qui a conservé le nom de « Bal des Ardents », déchaîna une émeute et fit, peu de temps après, chavirer de nouveau la raison du roi.

Désormais, jusqu'à la fin de sa vie, qui sera longue, les périodes de démence et les rémissions vont alterner. Le roi fut conscient de son état et il fondait en larmes chaque fois qu'il sentait venir un accès. Au cours de ceux-ci, il se croyait de verre et répétait qu'il allait se briser.

La reine Isabeau souffrit profondément de l'état de son époux qui la chassait du lit conjugal. De cette époque datent les débordements de cette reine sensuelle, qui devint la maîtresse de son beau-frère le duc d'Orléans, puis, quand il eut été assassiné, multiplia les aventures de la plus basse débauche. Mais quand Charles VI retrouvait la raison, il reprenait goût à son épouse et elle fut plusieurs fois enceinte, ce qui jeta un doute permanent sur la légitimité de ses enfants.

Pour occuper Charles VI, on lui trouva une favorite, Odette de Champdivers, dont il eut une fille et qui se dévoua à lui jusqu'à sa mort.

On conçoit sans peine que le désordre se soit installé dans le gouvernement pendant les accès de folie du roi.

On avait d'abord poursuivi une politique d'entente avec l'Angleterre et, suivant les projets formés, Richard II avait épousé une fille de Charles VI en 1396. Ce gage de paix se révéla très vite inutile. La prolongation pour vingt-cinq ans de la trêve entre les deux nations devait provoquer une révolution en Angleterre. Se sentant fort comme gendre du roi de France, Richard II se mit à jouer les souverains absolus ; il ne convoqua plus les Chambres et, à la mort de son cousin Lancastre, il confisqua son héritage.

L'héritier Lancastre se rebella ; il prépara un complot, débarqua en Angleterre, jeta Richard II en prison et se fit élire roi sous le nom d'Henry IV. Cette aventure qui préfigure assez curieusement l'accession de Louis-Philippe au trône des Français ne laissa pas les mains entièrement libres au nouveau roi : devant sa Couronne à la fois aux nobles, à l'Eglise et au Parlement, il se vit dans l'obligation de composer avec les trois pouvoirs, c'est-à-dire de ne rien faire. Ce ne sera qu'après sa mort que son fils Henry V pourra envisager de reprendre la guerre contre la France.

Le « Bal des Ardents ». (*Chroniques de Froissart,* XVe siècle.)

La cause première de cette nouvelle guerre est à chercher dans les ambitions du duc d'Orléans. Marié avec Valentine Visconti, petite-fille de Jean le Bon, il avait voulu assurer Louis II sur le trône de Naples puis constituer un royaume puissant en Italie.

Il tenait de sa femme le comté d'Asti et il usa de son influence en Italie pour faire attribuer à Charles VI la seigneurie de Gênes, avec l'arrière-pensée de l'ajouter à ses propres apanages. Il était fortement soutenu dans ses desseins par le duc de Bourgogne, Philippe le Hardi, qui exerçait la régence avec lui pendant les crises de folie du roi.

Ces vues n'allaient pas sans heurts avec la Papauté de Rome puisque, comme l'avait fait Charles V, le duc d'Orléans soutenait le nouvel antipape d'Avignon, Pedro de Luna, qui ceignit la tiare sous le nom de Benoît XIII ; de plus, elles étaient en désaccord avec celles du duc de Bourgogne, partisan des papes de Rome, Boniface IX, puis Innocent VII.

A partir de 1402, le différend s'aggrava parce que le duc d'Orléans acquit le Luxembourg, ce qui contraria les projets lotharingiens de Philippe le Hardi ; mais le duc de Bourgogne étant mort en 1404, le duc d'Orléans se trouva seul régent.

A Philippe le Hardi succéda son fils Jean, surnommé sans Peur en raison de sa belle conduite contre les Turcs à la bataille de Nicopolis (1396), sorte de tentative de croisade.

Jean sans Peur entra immédiatement en conflit avec le duc d'Orléans et le désaccord devint tel que, en 1407, le duc de Bourgogne fit mettre à mort son rival.

Le duc d'Orléans laissait un fils, le poète, marié à la fille du comte Bertrand d'Armagnac, nom que l'Histoire conservera à ses partisans tandis que ceux de Jean sans Peur seront désignés Bourguignons.

Jean sans Peur, après avoir osé faire l'apologie de son crime, neutralisa Charles d'Orléans, âgé de dix-sept ans, par une paix signée à Chartres, puis il s'allia à la reine Isabeau de Bavière.

Celle-ci l'aida à écarter tous les princes du sang, notamment les ducs de Berry et de Bourbon, qui se mirent d'accord avec Charles d'Orléans par les traités de Gien et de Poitiers, signés tous deux en 1410.

A la faction des Armagnacs se rallièrent les pays de l'Ouest, du Centre et aussi le Languedoc, alors que le reste du pays tombait sous la coupe des Bourguignons.

Coupée en deux, la France se trouva mûre pour la guerre civile. Il s'y ajouta, outre les considérations confessionnelles à l'égard du Grand Schisme, des considérations nationalistes quand la guerre reprit avec l'Angleterre où les Bourguignons se montrèrent partisans des Anglais.

La lutte entre les deux factions ne s'engagea pas immédiatement. En 1413, les États-généraux furent convoqués. Les débats y furent dominés par le parti bourguignon. On arriva à un projet assez voisin de la Grande Ordonnance de 1357 qui n'avait pas été appliquée.

Le duc de Bourgogne fut chargé d'organiser la défense de l'État en face du péril représenté par l'Angleterre. Mais Jean sans Peur, vite débordé par les extrémistes conduits par l'agitateur Caboche, fit adopter un projet illusoire de réforme, l'ordonnance cabochienne (27 mai 1413).

Malgré le refus de Jean sans Peur, le parti modéré de Paris négocia à Pontoise un traité d'alliance avec les Armagnacs (4 septembre 1414). Par ce traité, le duc de Bourgogne renonçait à toute alliance anglaise et la clause avait son intérêt puisque Henry V, venant de succéder à son père, émit la prétention de ceindre la couronne de France.

Assuré moralement de l'appui des Bourguignons, le roi d'Angleterre et ses troupes débarquèrent le 12 août 1415 au cap de La Hève. Ainsi débuta la deuxième phase de la guerre de Cent Ans.

Henry V s'empara d'Harfleur le 22 septembre et se dirigea vers la Picardie, par une manœuvre qui rappelle trait pour trait celle de Crécy.

La rencontre eut lieu à Azincourt le 25 octobre 1415 ; ce fut un désastre pour l'armée française, Charles d'Orléans chef des Armagnacs fut fait prisonnier.

Le roi d'Angleterre se montra surpris de son triomphe et déclara bien haut qu'à son avis Dieu avait voulu punir les Français.

Le roi Henry V que son succès rendait pratiquement maître de Paris ne montra nulle hâte et il se contenta d'occuper la Normandie dont il fut entièrement maître en 1417.

La résistance française était incarnée par Bertrand d'Armagnac qui avait pris la relève de son gendre prisonnier. Mais les Bourguignons s'emparèrent de Paris où il était retranché et il fut massacré avec ses compagnons.

Le dauphin Charles, futur Charles VII, âgé d'à peine quinze ans, arriva à s'enfuir. Paris fut livré à l'émeute et au massacre.

Dans la capitale reconquise par les Bourguignons, Jean sans Peur et Isabeau de Bavière, maîtres du gouvernement et de la personne de Charles VI firent leur entrée dans Paris où ils furent accueillis par le bourreau Capeluche, instigateur des massacres.

Quelques esprits de bon sens pensèrent que pour régler la situation et sauver le pays de l'occupation anglaise une entrevue était nécessaire entre le dauphin et le duc de Bourgogne.

La rencontre eut lieu à Montereau le 10 septembre 1419 ; elle fut tragique ; les chevaliers du Dauphin assassinèrent Jean sans Peur, en réplique au meurtre du duc d'Orléans.

Ce crime odieux se révéla parfaitement inutile. Isabeau arracha à son mari dément l'ordre de transmettre les pouvoirs de l'assassiné à son fils le duc de Bourgogne Philippe le Bon.

Le premier acte de celui-ci fut de négocier avec les Anglais la convention d'Arras (2 décembre 1419).

Cette convention qui suspendait les hostilités contenait en germe le traité de Troyes, qui fut signé par Isabeau de Bavière le 22 mai 1420.

Par ce traité la reine concluait le mariage de sa fille Catherine de France avec le nouveau roi d'Angleterre, Henry V. A la mort du roi fou, le roi d'Angleterre ou son héritier deviendrait de plein droit roi de France et réunirait les deux couronnes.

Un parti collaborationniste soutenu par l'Université de Paris, voyant dans ce traité un gage de paix perpétuelle, fit tout pour le faire adopter.

Henry V prit la régence, le dauphin Charles fut déchu de ses droits et il se réfugia à Bourges. Il contrôlait encore un territoire allant de la Loire aux Pyrénées, sauf les côtes atlantiques. Il était probable que les Anglais arriveraient par la suite à occuper toute la France.

Henry V mourut à Vincennes le 31 août 1422, suivi de près par Charles VI.

Devant la fosse béante à Saint-Denis, le duc de Berry, roi d'armes de France, prononça la formule rituelle :

« Dieu veuille avoir en pitié et merci l'âme de très haut et très excellent prince Charles, roi de France, sixième du nom, notre naturel et souverain seigneur. »

Puis, après une minute de silence, il reprit :

« Vive le roi Henry, par la grâce de Dieu roi de France et d'Angleterre. »

Tout était consommé et la trahison d'Isabeau de Bavière avait porté son plein effet. Il n'y avait plus de roi de France et la suite de l'Histoire semblait sans espoir.

Pourtant, par un retournement sans exemple, c'est l'Angleterre qui sera vaincue et la France triomphante renaîtra de ses abaissements.

CHARLES VII LE BIEN SERVI (1422-1461) ET MARIE D'ANJOU

LE RÈGNE DE CHARLES VII est un des plus intéressants de l'histoire de France et il est traversé par un événement d'allure surnaturelle, la venue de Jeanne d'Arc qui renversa le cours des événements.

Le futur roi était l'avant-dernier des douze enfants de Charles VI ; il était né en 1403 et porta successivement les titres de comte de Ponthieu et de duc de Touraine.

« C'était un homme de belle stature et bon régime, de complexion sanguine, humble, doux, gracieux et débonnaire, libéral sans être prodigue. Il était solitaire, vivant sobrement, aimant joyeusetés. Il aimait les dames en toute honnêteté et portait honneur à toutes femmes. Ses jeux favoris étaient les échecs et le tir à l'arbalète ; il se levait matin et ne répugnait pas au travail. »

Sa jeunesse, on s'en doute, avait été fort bousculée par les troubles qui agitaient la France ; il s'y ajoutait des inquiétudes dynastiques, car, quand il eut pris conscience de la vie de débauche de sa mère, Charles se demanda maintes fois s'il était légitime et cette inquiétude assombrit la première partie de son règne.

Obligé de quitter Paris en raison des troubles, délaissé par son père, en difficulté avec sa mère, le dauphin semble avoir eu une jeunesse morose. Il s'était établi à Bourges avec une petite Cour dont les mérites semblent discutables et les conseillers assez mal choisis.

Ce furent eux qui lui conseillèrent, en 1419, de faire assassiner Jean sans Peur, crime dont il conservera le remords tout au long de sa vie.

Son mariage avec Marie d'Anjou fut bénéfique, moins par la personnalité de son épouse que par celle de sa mère, Yolande d'Aragon, femme supérieure, qui maintint le moral de son gendre et joua un rôle politique important quoique imparfaitement connu.

De Bourges, le dauphin, peut-être poussé par sa belle-mère, fit du vivant de Charles VI une tentative pour repousser les Anglais. Au lendemain du traité de Troyes, ses armées, confiées au maréchal de La Fayette, remportèrent sur les occupants un succès appréciable à Baugé ; cette offensive ne fut malheureusement pas poursuivie.

Charles VI mourut et le dauphin apprit la nouvelle au château de Mehun-sur-Yèvre où il résidait. Certes, de dauphin il devenait roi, mais, Reims étant occupée par les Anglais, il n'était pas question d'aller s'y faire couronner. Il en eut pourtant l'idée et tenta de s'ouvrir le chemin de Reims ; ses troupes se heurtèrent par deux fois aux Anglais, à Cravant en 1423 et à Verneuil en 1424, et furent repoussées.

Entre ces deux défaites, il y eut une joie ; en 1423, Marie d'Anjou mettra au monde un dauphin, le futur Louis XI. Mais la joie se mêla d'inquiétude car Charles VII, assistant à une réunion à La Rochelle, vit le plancher s'effondrer ; cette catastrophe qui tua pas mal de monde et où il fut miraculeusement sauvé aggrava son hypocondrie.

La Cour de Bourges s'enlisa et il devint évident que cette passivité risquait de coûter fort cher.

En effet, le roi Henry V n'ayant laissé en la personne du jeune Henry VI qu'un enfant au maillot, celui-ci ne peut être couronné et il fallut organiser une régence ; elle avait été confiée au duc de Bedford, frère d'Henry V. C'était un homme de grande valeur, bon administrateur et ayant des idées saines.

Il pensa rapidement que l'intérêt de son pupille était de devenir maître de tout le territoire qui lui était attribué, c'est-à-dire de la partie non occupée de la France, de la Loire aux Pyrénées.

Les batailles de Cravant et de Verneuil ayant prouvé la supériorité de l'armée anglaise, Bedford passa à l'offensive et voulut s'ouvrir la route de Bourges. Pour y arriver il fallait enlever la position-clef d'Orléans.

Bedford fit mettre le siège devant la ville au cours de l'année 1428 et, le 12 octobre, les troupes anglaises encerclaient en partie la place. La résistance d'Orléans, défendue par un bâtard du duc d'Orléans, Dunois, fut héroïque et, six mois après l'investissement, la ville résistait toujours. Mais le risque demeurait grand et, pour y parer, Charles VII avait quitté Bourges et était venu se mettre à l'abri au château de Chinon.

Ce fut dans ce château que se produisit, le 25 février 1429, un événement hors du commun. Une jeune fille demanda audience : elle était assez massive de corps, vêtue en homme et déclara s'appeler Jeanne d'Arc.

Le dauphin eut alors l'idée curieuse de se travestir et, vêtu de vêtements modestes, il fit introduire la jeune fille, ayant fait revêtir ses propres habits par un courtisan qui occupa sa place.

A la grande surprise de tous, la jeune fille, négligeant le prétendu souverain, chercha dans la foule, et s'approcha du dauphin qu'elle avait identifié par un véritable don de voyance et elle lui dit :

« Gentil dauphin, je te dis de la part de Messire Dieu que tu es vray héritier du trône de France. »

Ces paroles eurent sur Charles VII un effet magique. Lui qui doutait de sa propre légitimité écouta la voix de Jeanne et il crut en elle parce qu'elle le forçait à croire en lui.

Une prophétie courait le royaume qui, perdu par une femme, devait être sauvé par une pucelle ; le propos de Jeanne semblait en être l'accomplissement. (Il est à noter qu'Isabeau de Bavière vivait encore lors de l'apparition de Jeanne d'Arc et qu'elle sera témoin de son action, puisque cette reine indigne ne mourut qu'en 1436, délaissée de tous et dans des conditions misérables).

Toutefois, Charles VII, inquiet peut-être des propos que tenait cette fille de dix-sept ans se disant envoyée par Dieu, jugea sage de la faire examiner par une commission ecclésiastique qui se tint à Poitiers.

Jeanne expliqua qu'elle avait vu depuis plusieurs années des apparitions alors qu'elle gardait son troupeau aux environs de son village de Domremy, en Lorraine. Ces apparitions où se montraient des saintes du Ciel, accompagnées de l'archange saint Michel, lui avaient donné ordre d'aller délivrer Orléans et de sauver la France et elles n'avaient cessé de lui répéter l'ordre : « Va fille de Dieu, va. »

Un gentilhomme voisin de Domremy, Robert de Baudricourt, avait assumé le risque de faire conduire Jeanne jusqu'à Chinon en traversant de manière quasi miraculeuse le territoire occupé et elle avait reconnu le Dauphin en dépit de son déguisement.

Cette histoire assez singulière aurait dû normalement provoquer le scepticisme de la commission ecclésiastique. Or, bien que Jeanne n'eût alors que dix-sept ans, elle sut convaincre ses examinateurs et ceux-ci furent convaincus de sa mission surnaturelle.

Alors Charles VII décida de confier à Jeanne une armée où vinrent se ranger les plus illustres capitaines du temps et cette armée, forte de sept

Jeanne d'Arc.

mille hommes environ, se dirigea vers Orléans. Jeanne, avant de se mettre en route, fit aux Anglais sommation d'évacuer la France :

« Roi d'Angleterre et vous duc de Bedford qui vous dites régent de France, rendez à la Pucelle, envoyée par Dieu les clefs de toutes les bonnes villes que avez prises et violées en France. Roi d'Angleterre, si aussi ne le faites, je suis chef de guerre et, en quelque lieu que j'atteindrai vos gens en France, je les en ferai aller veultent ou non veultent. »

Les Anglais n'ayant pas donné de réponse, Jeanne passa à l'action directe. Elle arriva à Orléans le 29 avril, put pénétrer dans la ville en barque grâce à une crue subite de la Loire ; elle redonna courage aux défenseurs et, quand tous ses renforts furent arrivés, elle débloqua la ville.

Les premiers jours de mai elle fit passer la Loire à une partie de ses troupes et attaqua victorieusement les bastilles anglaises de la rive gauche. Le 7 mai 1429, à l'assaut de la bastille des Tourelles, Jeanne eut le cou traversé par une flèche ; elle arracha courageusement le trait, se confessa, fit reprendre l'assaut à ses troupes hésitantes et emporta la forteresse. Le lendemain 8 mai, les troupes anglaises levaient le siège et Orléans était miraculeusement délivrée.

Les jours suivants, elle purgea les environs de la ville et remporta des succès notoires à Jargeau, à Beaugency, l'ensemble des opérations étant couronné par une victoire décisive à Patay (18 juin), remportée sur le plus illustre général anglais, Talbot.

Puis, accompagnée du dauphin, Jeanne prit la route de Reims, les cités subjuguées ouvrirent leurs portes sans résistance et, le 17 juillet 1429, dans la cathédrale de Reims, Charles VII était couronné par l'archevêque Regnault de Chartres.

Jeanne se tenait aux côtés du roi, son étendard portant les mots *Jhésus Maria* à la main. En cinq mois, la bergère lorraine avait accompli sa mission, elle avait rendu à la France son roi légitime ; elle était quitte envers Dieu, elle pouvait disparaître.

« Je voudrais, dit-elle tristement au soir de ce jour triomphal, qu'il plût à Dieu, mon créateur, que je pusse maintenant abandonner les armes et aller servir mon père et ma mère, en gardant leurs brebis avec ma sœur et mes frères qui seraient bien heureux de me voir. »

Le ciel n'exauça pas cette humble prière ; pour que la mission de Jeanne prît tout son sens il fallait aller jusqu'au martyre.

De nouvelles opérations militaires furent engagées et elles débutèrent par des succès : Laon, Soissons, Château-Thierry, Senlis, Compiègne s'étaient rendues. Jeanne vint mettre le siège devant Paris.

Mais là elle fut victime de la trahison, ce furent les propres conseillers de Charles VII, La Trémoïlle et Regnault de Chartres, qui s'entendirent avec les Bourguignons qui tenaient la ville et firent échouer l'assaut donné à la porte Saint-Honoré, où Jeanne fut une nouvelle fois blessée d'un trait d'arbalète.

Les armées de Jeanne et du roi retraitèrent jusqu'à Sully-sur-Loire. La camarilla qui menait le roi embarqua Jeanne dans une aventure absurde, le siège de La Charité-sur-Loire. Mais la Pucelle revint à son dessein primitif qui était de libérer Paris ; elle voulut d'abord dégager Compiègne, déjà réoccupée par les Bourguignons, elle tomba entre leurs mains le 24 mai 1430 et ceux-ci la vendirent aux Anglais.

Cette chute contenta les intrigants qui se pressaient autour de Charles VII et il est de fait que le roi ne fit rien pour assurer le salut de celle qui l'avait sauvé.

Les Anglais se gardèrent bien de conduire eux-mêmes le procès de Jeanne d'Arc. Bedford, bon juriste, préféra en laisser l'odieux aux collaborateurs des occupants et ce fut entre les mains de l'Église, ralliée aux Anglais, qu'il remit le sort de la prisonnière. Compiègne étant dans la mouvance de l'évêché de Beauvais, ce fut l'évêque de cette ville, Pierre Cauchon, qui fut chargé du procès.

Ce procès se déroula à Rouen d'une manière régulière quant à la procédure mais il fut évident que le jugement serait influencé par la présence des troupes d'occupation. Toutefois Jeanne répondit avec tant de pertinence à ses juges que ceux-ci n'osèrent pas la condamner à mort ; ils imposèrent la prison perpétuelle « au pain de douleur et à l'eau d'angoisse ».

Jeanne à qui l'on avait imposé de reprendre ses habits de femme fut emprisonnée sous la garde de soldats anglais qui lui volèrent sa robe et tentèrent d'abuser d'elle. Pour préserver sa pudeur, elle reprit ses habits de garçon.

Sous ce prétexte futile, pour contenter les Anglais lui reprochant d'avoir épargné la vie de la « sorcière », Cauchon la déclara relapse, ce qui la vouait au bûcher sans nouveau jugement.

Le 30 mai 1431, sur la place du Vieux-Marché à Rouen, Jeanne fut brûlée vive. Ses dernières paroles, quand les flammes commençaient à la consumer, furent pour dire que ses voix venaient de Dieu et qu'elles ne l'avaient point trompée.

Cette mort fit grande impression sur les Anglais et l'un d'eux s'écria : « Nous sommes perdus, nous avons brûlé une sainte. »

Charles VI, étendu sur son lit, s'entretient avec Jean Salomon. (Manuscrit du XVᵉ siècle.)

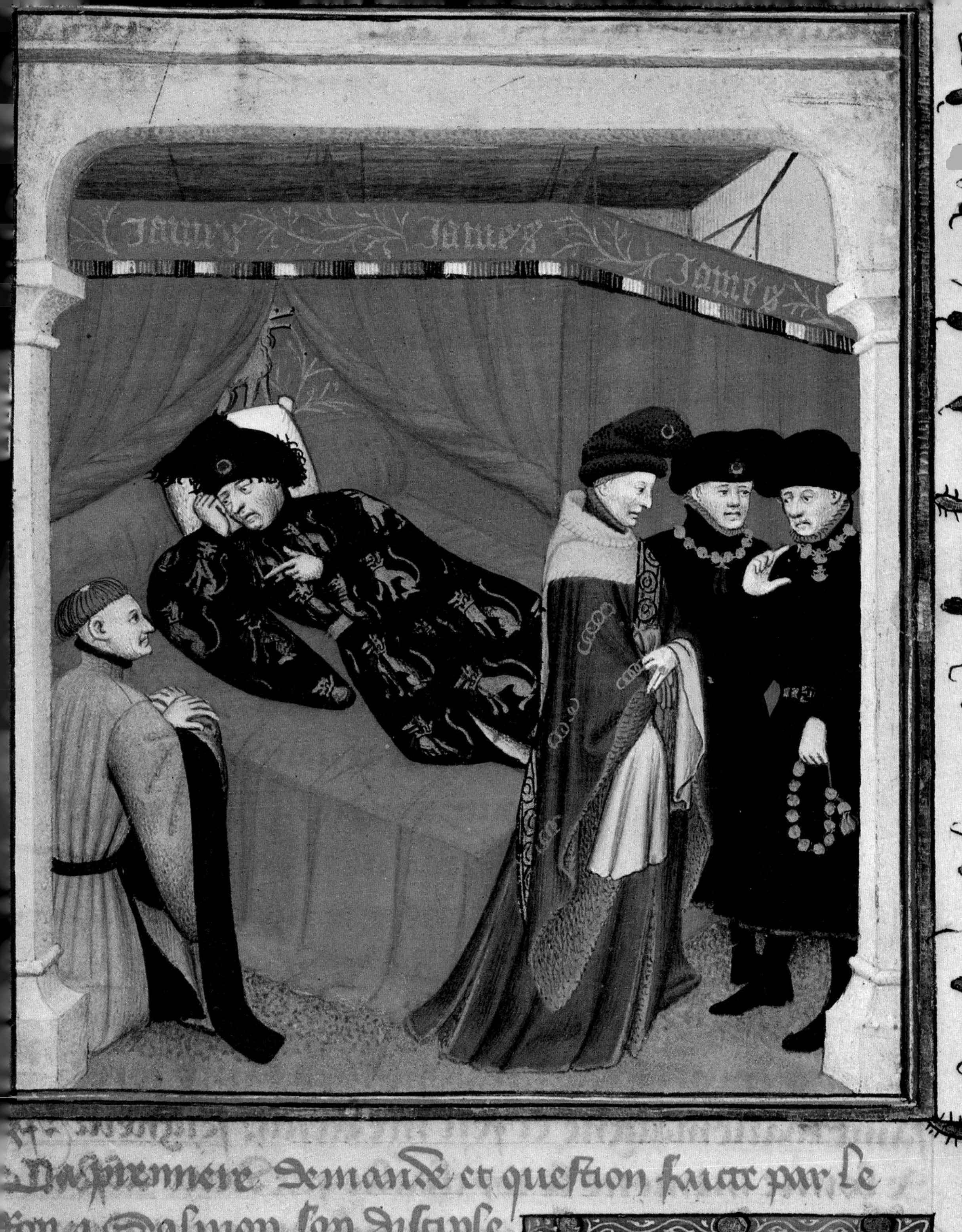

[...]a premiere demande et question faicte par le
[...]ron a Salmon son disciple

Salmon Comme par vraie experience de fait
Avons maintesfoiz apperceu le grant desir
et la bonne voulente que vous avez au bien
de nous & de nostre royaume Tant par les

Charles VII, qui n'avait pas fait le geste nécessaire pour sauver l'envoyée de Dieu, se racheta par la suite en faisant ouvrir, en 1457, un procès de réhabilitation auquel la mère de la sainte put assister.

L'œuvre de Jeanne d'Arc était alors accomplie et la France libérée totalement du joug anglais.

L'évolution des événements après le supplice de Jeanne d'Arc n'avait pas marqué la même rapidité que quand elle les dirigeait.

En 1430, le petit roi Henry VI avait été installé à Rouen, nouvelle capitale et après la mort de Jeanne, il y fut couronné roi de France.

Le roi Charles VII était retombé sous la coupe de ses mauvais conseillers ; le duc de Bourgogne, en étroit contact avec ceux-ci, poursuivit la recherche d'une trêve de deux ans qui fut signée le 13 décembre 1431 à Chinon.

Puis l'atmosphère se modifia sous la bonne influence du connétable de Richemont, guerrier expérimenté et homme de devoir qui n'hésita pas à supprimer La Trémoïlle et à évincer les assassins de Jean sans Peur.

N'osant se désolidariser complètement des Anglais, Philippe le Bon rencontra à Nevers le connétable de Richemont et manœuvra ; il alla jusqu'à envisager une paix générale qui eût consacré la division territoriale et où Charles VII se fut reconnu vassal d'Henry VI.

Sur ces bases les négociations furent abandonnées avec les Anglais ; elles se poursuivirent entre France et Bourgogne et, dans le dessein de sauvegarder l'unité nationale, Charles VII se soumit aux très dures conditions de Philippe le Bon.

Bedford mourut, ce qui affaiblit la résistance anglaise ; la guerre reprit avec succès pour la France ; Richemont occupa la Normandie et fit une entrée triomphale à Paris, le 13 avril 1436.

Deux ans plus tard on entreprit la reconquête de la Guyenne et l'Angleterre demanda une trêve ; il fut un moment question d'un mariage entre Henry VI et Marguerite d'Anjou. Une conférence de paix fut même tenue sans succès à Londres (1444).

En 1447, les Anglais rouvrirent les hostilités en Normandie ; ils furent battus à Formigny en 1450 et toute la Normandie fut conquise.

Enhardie par ce succès, l'armée française, commandée par Dunois, soumit Bordeaux et l'Aquitaine en 1451. La maladresse des fonctionnaires français en Aquitaine souleva le mécontentement de la population qui appela les Anglais au secours. Une armée commandée par Talbot, le vaincu de Patay, reprit Bordeaux et toute la province. A l'été de 1453, Charles VII riposta en encerclant la Guyenne ; le 16 juillet eut lieu à Castillon une bataille décisive où Talbot trouva la mort.

Hors Calais, la France était libérée de toute occupation anglaise, et une trêve de fait s'établit.

Elle ne devait être transformée en traité de paix que vingt ans plus tard par Louis XI.

Mais ce roi qui fit tant pour la France se révéla un dauphin indocile. S'il soutint son père obligé de mater une révolte féodale qui a gardé le surnom de Praguerie, il se brouilla avec lui en soulevant le Dauphiné. Puis, redoutant une intervention militaire de Charles VII, il alla se réfugier chez le duc de Bourgogne qui l'installa au château de Genappe dans le Brabant où il restera jusqu'à son avènement.

« Mon cousin de Bourgogne nourrit un renard qui mangera ses poules », déclarait philosophiquement le vieux roi.

Pour achever de peindre Charles VII, il convient enfin de parler de sa vie privée et de son immense œuvre intérieure.

La vie privée fut conditionnée par la rencontre du roi, vers 1443, avec une fille d'honneur de la reine de Sicile, épouse du roi René d'Anjou. Cette jeune personne se nommait Agnès Sorel et elle a passé dans la légende sous le nom de « dame de Beauté », le roi lui ayant donné le château royal de ce nom.

Trois filles naquirent de cet adultère : Marie, Charlotte et Jeanne. Elles furent mariées convenablement par Louis XI qui se montra fort bon avec ses demi-sœurs de la main gauche.

Charles VII ayant passé la quarantaine, fut transfiguré par cet amour, où il se jeta avec frénésie et Agnès Sorel fut bien plus reine que Marie d'Anjou.

Jamais avant Charles VII un roi de France n'avait affiché aussi ouvertement sa conquête ; rien ne fut trop beau, ni trop cher pour satisfaire Agnès Sorel.

Il est juste de reconnaître que la favorite avait de grandes qualités, qu'elle était spécialement généreuse, qu'elle encourageait les arts et fréquentait les écrivains.

La reine Marie prit mal la liaison dont elle éprouva beaucoup de chagrin ; elle ne tarit pas de plaintes.

La liaison du roi s'interrompit tragiquement en 1449 car la « dame de Beauté », qui avait suivi son amant en Normandie, fut emportée par un flux de ventre, dans lequel on a décelé avec quelque raison un empoisonnement. La favorite mourut en paix avec Dieu et reçut pieusement les derniers sacrements.

Jeanne d'Arc est arrêtée à Compiègne en 1430. *(Vigiles de Charles VII,* de Martial d'Auvergne, XVe siècle.)

L'entrée de Jeanne d'Arc à Chinon (tapisserie allemande du XVe siècle).

AGNESSOREL

Ci-dessus : La mort de Charles VII. *(Chroniques de Charles VII.)*

Ci-contre : Agnès Sorel, maîtresse de Charles VII. (École française du XVIe siècle.)

Le chagrin de Charles VII fut immense et il n'oublia jamais le souvenir de la belle pécheresse, bien qu'il l'eût trompée de son vivant avec sa cousine et qu'on lui ait connu d'autres aventures mineures.

A côté de ces désordres sensuels, il convient de rendre hommage à l'administrateur, l'un des plus grands que la France ait connus, celui qui refit l'État épuisé par cent années de guerre.

Charles VII qui avait été si mal entouré dans ses débuts le fut admirablement dans son âge mûr, ce qui lui a valu le surnom de « Bien servi ». Le plus illustre de ses bons serviteurs a laissé un nom légendaire, celui de Jacques Cœur, qui rétablit les finances, et fut payé de la plus noire ingratitude, tout comme le roi l'avait fait pour Jeanne d'Arc.

L'œuvre immense accomplie pendant les vingt dernières années du règne est à la fois d'ordre militaire, financier et administratif. De l'ensemble des réformes accomplies va naître un ordre social nouveau qui demeurera, dans ses grandes lignes, intact jusqu'à la révolution de 1789.

Ce fut aux réformes militaires que l'on doit les derniers succès de la guerre de Cent Ans. Jusqu'à Charles VII, il n'existait pas d'armée permanente, ce qui rendait impossible toute stratégie à longue échéance.

En 1445, la France vit pour la première fois la création d'une armée nationale : constituée par les quinze compagnies d'ordonnance, ce fut une formation de métier, ancêtre lointaine de la gendarmerie royale.

A cette cavalerie le roi joignit une infanterie, la Compagnie des Francs-Archers, sorte de milice, comprenant le cinquantième de la population mâle.

Enfin, une artillerie commencée par le grand-maître Bessoneau et continuée par les frères Bureau se révéla la première de l'Europe.

La constitution d'une armée régulière devenant une source permanente de dépenses, le roi prit les mesures financières nécessaires pour y subvenir.

Jusqu'à Charles VII les États votaient des subsides temporaires dits « extraordinaire des guerres ». On leur conserva ce nom lénitif tout en les rendant permanents.

Charles VII par Fouquet.

On avait commencé en 1436 par augmenter les impôts indirects et à les rendre également permanents. Ce qui est étonnant c'est que le roi obtint des États de Langue d'oïl, en 1439, la même facilité pour l'extraordinaire. Seuls les Etats de Languedoc conservèrent la faculté du don qu'ils fixaient eux-mêmes et percevaient par voie de répartition. Ils durent, semble-t-il, cette faveur immense qui dura jusqu'à la Révolution à leur fidélité au roi de Bourges qui, sans leur appui, eût été définitivement perdu.

Les impôts extraordinaires se ramenaient à trois types : l'impôt sur le sel ou gabelle ; l'impôt sur les biens roturiers, la taille ; l'impôt sur les objets de consommation, les aides.

Ce qui est intéressant c'est que le principe de ces impôts existe encore au XXe siècle : les aides se nomment taxe à la valeur ajoutée, l'impôt sur les biens est à la fois l'impôt foncier et la taxe sur le revenu, la gabelle est remplacée par les monopoles tels que le tabac.

Ces impôts avaient le tort d'être assez mal répartis ce qui entraînait de grosses inégalités ; de surcroît, ils étaient affermés à des agents qui deviendront un jour les fermiers-généraux, agents qui se servaient trop largement.

La réforme administrative fut d'une importance égale à celle de la réforme fiscale.

Un corps de grands fonctionnaires fut créé. La décentralisation devint de règle.

Dans le royaume subitement agrandi, le Parlement de Paris ne suffit plus à assurer la justice en appel. Charles VII fut donc amené à créer des parlements en province ; ce fut l'objet de la grande ordonnance de Montils-les-Tours, en 1454, qui légalisa l'existence du Parlement de Toulouse, fonda ceux de Grenoble et de Bordeaux. Dans le même esprit furent créées les célèbres cours des Aydes de Montpellier et de Rouen.

Les titulaires des nouvelles charges accédèrent à la noblesse ; ce fut la noblesse de charges qui concurrença rapidement l'ancienne noblesse d'extraction, reste de la féodalité.

Il faut enfin parler de la politique religieuse de Charles VII. Le roi, en 1438, avait promulgué la Pragmatique sanction de Bourges, adhésion aux principes des pères conciliaires de Bâle qui venaient d'élire l'antipape Félix V de Savoie. La Pragmatique avait pour objet de rendre les sièges épiscopaux français électifs sans l'avis de Rome qui se contenterait d'investir les élus. C'était l'établissement d'une Eglise gallicane et cet acte provoqua de telles protestations de Rome que Louis XI dut l'amodier sérieusement.

Ce règne qui avait vu un des plus grands redressement militaires de l'histoire et l'une des plus grandes réformes intérieures fait honneur au roi Charles VII ; celui-ci fut atteint en 1458 d'une plaie cancéreuse à la jambe ; il était, de surcroît, rongé par une cachexie tuberculeuse. En 1461, une fluxion dentaire le fit souffrir au point qu'il ne put plus se nourrir et qu'il mourut le 21 juillet, à l'âge de cinquante-huit ans, après avoir régné près de quarante ans.

LOUIS XI (1461-1483) ET CHARLOTTE DE SAVOIE

LOUIS XI FUT LE PLUS SINGULIER de tous les Valois et l'on n'a pas fini de s'interroger sur lui car il a suscité les opinions les plus contradictoires, assez défavorables quant à l'homme mais louangeuses quant à l'œuvre que d'heureux hasards firent considérable.

Quand Charles VII mourut, le Dauphin résidait au château de Genappe appartenant au duc de Bourgogne... Il eut peine à dissimuler sa joie en apprenant qu'il devenait roi et se mit immédiatement en route vers Paris. A mi-chemin, à Avesnes, il trouva une importante délégation du personnel ministériel et administratif accompagnant les plus grands seigneurs du royaume : tous venaient rendre hommage à leur nouveau souverain dans le dessein de faire consolider leurs avantages et leurs places.

C'était bien mal connaître le tempérament du nouveau roi ; il reçut les hommages et, pour faire sentir qu'il était le maître, disgracia tout le monde ; puis il prit pour le servir tous ceux qui avaient été écartés par Charles VII.

Il fit célébrer à la mémoire de son père un service qui fut jugé fort mesquin. Puis il alla se faire sacrer à Reims avec son épouse le 15 août 1461.

Il est nécessaire de tracer le portrait du ménage

royal : si l'on en croit le méchant chroniqueur Thomas Basin, Louis XI n'avait de prime abord rien de beau ni d'agréable. Bien plus, « si on le rencontrait ne sachant qui il était, on aurait pu penser à un bouffon ou à un ivrogne, en tout cas à un homme de basse condition plutôt qu'à un roi ou à une personne de distinction ».

Il est certain que, d'après les peintures, Louis XI ne payait pas de mine ; son visage blafard a une expression sournoise corrrespondant aux fourberies qui sèmeront son règne ; il est pauvrement vêtu et son avarice pour lui-même a beaucoup frappé les contemporains habitués au faste de Charles VII et à celui plus éclatant du duc de Bourgogne.

Atteint d'une véritable manie ambulatoire, le roi passa près de la moitié de son règne en déplacements à travers le royaume, ce qui ne facilita pas la vie de Cour.

Marié d'abord à une princesse Stuart qui mourut précocement, il régna avec Charlotte de Savoie, qui, au contraire de son époux, aimait le luxe. Bien qu'il lui ait fait de nombreux enfants, il vécut peu avec elle et il la confina au château d'Amboise ou à Tours pendant toute la seconde moitié de son règne. Il est vrai qu'on lui prête une favorite, Marguerite de Sassenage, qui lui donna deux filles dont l'une, Marie, mariée à un Saint-Vallier, fut la grand-mère de Diane de Poitiers, favorite d'Henri II, ce qui établit une certaine continuité de la main gauche.

Charlotte de Savoie, femme de Louis XI.

La reine paraît s'être accommodée de cette liaison qu'il se fit pardonner en étant aussi large avec son épouse qu'il était pingre pour lui : à Amboise, Charlotte de Savoie avait quinze dames d'honneur, douze femmes de chambre, cinquante robes d'apparat et cent soixante-quinze paires de chaussures.

Elle avait donné sept enfants à son mari : l'aînée, Anne, femme remarquable, épousa un Bourbon, Pierre de Beaujeu, et nous la retrouverons bientôt, de même que la seconde, Jeanne, bossue et boiteuse, qu'il imposa comme femme à son cousin le duc d'Orléans dans l'espoir de voir s'éteindre sa lignée. Des autres enfants, un seul survécut, le futur Charles VIII.

Le roi Louis XI a laissé une grande réputation de cruauté et l'imagerie populaire le représente allant ironiquement visiter ses prisonniers enfermés dans des cages de fer, où il ne craignit pas de jeter l'un de ses ministres, le cardinal de La Balue.

Si les férocités royales ont peut-être été exagérées, les propos qui continuent à courir sur son entourage paraissent assez fondés ; bien que ne méprisant pas la noblesse, bien qu'ayant fondé l'Ordre de chevalerie de Saint-Michel dont il fut grand-maître, Louis XI se plut dans la familiarité de compagnons très humbles et l'histoire a retenu le nom de son médecin Coictier, du prévôt Tristan l'Hermite et de son barbier Olivier le Daim qui furent jusqu'au bout ses commensaux préférés.

Pieux par nature, bien que respectant peu les principes évangéliques, Louis XI, dans sa maturité, versa dans la dévotion, multiplia les pèlerinages et, dans ses derniers jours, se fit assister par saint François de Paule.

Son premier acte de grande politique fut une prise de contact avec le pape Pie II (Sylvius Aeneas Piccolomini) ; il s'était intéressé au Pontife qui songeait à lancer une croisade pour chasser les Turcs de Constantinople où ils s'étaient établis en 1453 ; Louis XI était séduit par l'idée de croisade et, pour se faire bien voir de la Papauté, il accepta d'abolir la Pragmatique sanction promulguée par Charles VII en 1438. Ce geste devait

Louis XI et les chevaliers de l'Ordre de Saint-Michel. *(Statuts de l'Ordre de Saint-Michel ;* enluminure de Jean Fouquet.)

être suivi par la suite de la signature d'un concordat avec Sixte IV (1474), concordat qui lui aliéna les sympathies du clergé français.

Mais, avant de mener une croisade qui n'eut jamais lieu, Louis XI eut à se préoccuper de sérieuses difficultés intérieures car ses méthodes brutales d'épuration du personnel politique lui avaient suscité d'inconciliables adversaires.

De surcroît, le roi augmenta les impôts car il avait pour la nation de grands besoins ; il voulut se libérer de la semi-tutelle de Philippe de Bourgogne, auquel, profitant de sa sénilité, il arracha les villes du Nord prévues dans le traité d'Arras contre un versement de quatre cent mille écus d'or, couvert pas la perception des nouveaux impôts.

Ces diverses mesures suscitèrent contre lui une vague d'impopularité et les grands feudataires se liguèrent pour l'abattre. Sous le commandement théorique de Charles de Berry, frère cadet du roi, se constitua une coalition dite « Ligue du Bien public ». L'animateur occulte en était le fils de Philippe le Bon, le futur héritier de Bourgogne, Charles le Téméraire.

Contraint de chercher des alliés pour se défendre, Louis XI fit appel à l'usurpateur du trône de

Milan, François Sforza, et plus encore aux Liégeois, sujets du Téméraire. Le choc des armées eut lieu à Montlhéry le 16 juillet 1465. La bataille fut tellement indécise que le roi, aux traités de Conflans et de Saint-Maur, dut faire de grandes concessions : il restitua sans remboursement les villes du Nord arrachées à Philippe le Bon, il dut donner la Normandie en apanage à son frère et nommer connétable le général en chef des coalisés, Saint-Pol.

L'humiliation du roi va marquer son caractère et la suite de son règne aura pour objet de racheter sa perte de prestige. Il va pour cela utiliser l'intrigue et la ruse ce qui lui vaudra le surnom « d'universelle araigne ».

En 1468, Louis XI réunit les Etats-généraux et ceux-ci acceptèrent de le délier des engagements pris avec la Bourgogne. Mais Charles le Téméraire, ayant succédé à son père l'année précédente, ne l'entendit pas de cette oreille. Alors que les autres conjurés durent faire des concessions : les Etats retirèrent l'apanage normand du duc de Berry et le duc de Bretagne fut mis à la raison à la bataille d'Ancenis (septembre 1468).

Tout en excitant en sous-main les Liégeois contre Charles le Téméraire, Louis XI proposa à celui-ci une conférence de conciliation qui eut lieu à Péronne au mois d'octobre 1468. Au cours des pourparlers, le Téméraire apprit la révolte des Liégeois. Il se rebiffa, fit le roi prisonnier et ne le relâcha qu'après avoir obtenu l'exécution des traités de Conflans et de Saint-Maur et la promesse que le duc de Berry recevrait la Champagne en place de la Normandie, car ce territoire permettait au duc de Bourgogne une facile liaison entre ses possessions.

Non seulement Louis XI dut accepter ces humiliantes conditions mais il dut participer aux côtés du Téméraire à la répression de Liège, et accepter le troisième mariage du duc de Bourgogne avec Elizabeth d'York et également l'achat par celui-ci du Brisgau et de l'Alsace.

Quand Louis XI put enfin récupérer sa liberté d'agir, il avait perdu l'honneur ; la France était menacée sur deux fronts comme au temps de Charles VII. On peut dire que, si Louis XI était mort en 1469, l'Histoire le considérerait comme un souverain de seconde zone. L'intérêt de la suite du règne est précisément qu'il arriva à sortir d'une situation qui paraissait désespérée et que, pendant les quinze ans qui suivirent, il accrut le territoire et la puissance française d'une manière impressionnante.

En 1470, il réunit de nouveau les Etats-généraux à Tours pour leur faire voter l'impossibilité d'aliéner un territoire. Ils dénoncèrent les concessions faites au Téméraire, et pour se débarrasser du duc de Berry, on l'envoya gouverner la Guyenne en place de la Champagne.

Puis le roi se lança dans la grande politique étrangère. En 1461, le roi Henry VI de Lancastre, qui avait perdu la France dans sa jeunesse, perdit l'Angleterre dans sa vieillesse. Avec l'aide de Warwick, il fut détrôné par son cousin de la branche aînée, le duc d'York, qui prit le nom d'Edouard IV.

Louis XI n'hésita pas à soudoyer Warwick et lui fit replacer Henry VI sur le trône. Puis, ayant ainsi assuré ses sécurités du côté anglais, il attaqua la Bourgogne en allant occuper toutes les villes de la Somme arrachées à Philippe le Bon (1470)

Le succès remporté fut éclatant mais il fut aussitôt remis en cause, car Warwick, méritant son surnom de *faiseur de rois,* chassa une seconde fois Henry VI et rétablit de nouveau la branche d'York que les Lancastre avaient détrônée au temps de Richard II.

Et, avec la même logique, le roi d'Angleterre, se targuant de la légitimité, réclama la Couronne de France comme l'avait fait Edouard III ; sa sœur ayant épousé le Téméraire, il se prépara à l'aider pour écraser les Valois.

Une nouvelle fois, les intrigues de Louis XI tournaient court et la France connaissait de nouveau les dangers de la guerre de Cent Ans.

Pourtant les inquiétudes de Louis XI étaient à la veille d'être apaisées et la chance allait virer de bord.

En attendant le secours du débarquement anglais, la Bourgogne se contentait d'actions locales dont la plus célèbre fut le siège de Beauvais, illustré par l'héroïsme de Jeanne Hachette (1472).

L'armée anglaise se fit attendre pendant trois ans. Louis XI avait établi sur la Somme une ligne défensive et il courait le risque d'être pris à revers par les troupes de Bourgogne.

Mais l'éventualité ne se produisit pas, parce que Charles le Téméraire commit la faute immense d'aller assiéger la ville de Neuss dont les habitants s'étaient révoltés contre leur suzerain, l'archevêque de Cologne.

Louis XI tira parti de la situation avec un admirable a-propos. Au lieu de lancer ses troupes contre l'armée anglaise, il fit demander une entrevue à Edouard IV et lui proposa une négociation.

Le roi d'Angleterre, dont les finances étaient déplorables, vit dans la proposition du roi de France un moyen de les arranger. Il proposa de vendre sa neutralité : soixante quinze mille écus

Rencontre de Louis XI et de Charles le Téméraire pour signer le traité de Conflans en 1465. *(Chroniques de Louis XI,* vers 1502.)

d'or payables comptant et une rente viagère annuelle de cinquante mille écus d'or. Shakespeare aurait dû en conclure que de Jeanne d'Arc on aboutissait à Shylock.

Il ne s'agissait pas d'une simple trêve : le roi d'Angleterre, au traité de Picquigny (29 août 1475), acceptait la paix que Charles VII n'avait pu obtenir après la victoire de Castillon. Le traité mettait fin à la guerre de Cent Ans et l'habileté manifestée par Louis XI lui avait permis de terminer l'œuvre de pacification entreprise par son père.

Mais, si le roi d'Angleterre était neutralisé, il restait à régler le compte du Téméraire. Pour y parvenir, Louis XI monta une coalition avec les Suisses et les Lorrains.

A son tour Charles le Téméraire se trouvait pris entre deux feux. Jugeant les Suisses moins forts que les Français il dirigea sur eux ses premières attaques.

Il s'aperçut vite qu'il avait sous-estimé leur valeur. Les défaites de Grandson (3 mars 1476) et de Morat (22 juin 1476) furent pour le Téméraire le début du désastre.

N'ayant pu vaincre les Suisses, il attaqua la Lorraine dont la possession lui eût permis de rattacher la Bourgogne à la Flandre et à amorcer la nouvelle Lotharingie dont il rêvait. Devant Nancy il subit une troisième défaite le 5 janvier 1477. Après la bataille, on retrouva sur un étang pris par les glaces son corps à demi dévoré par les loups.

C'était pour Louis XI le succès total car non seulement il était délivré de son principal ennemi, mais, par la loi des apanages, la filiation bourguignonne étant éteinte en ligne masculine, le fief bourguignon retournait à la Couronne de France.

Louis XI ne se contenta pas de ce succès si peu mérité ; il voulut aller trop loin. La Bourgogne, étant fief capétien, revenait bien à la France ainsi que la Picardie. En revanche, le reste de l'héritage du Téméraire revenait à sa fille Marie.

Ce reste était considérable et comprenait la Flandre, le Brabant, la Hainaut, le Luxembourg, l'Artois, la Franche-Comté, l'Alsace et le Brisgau.

Sans tenir compte de cette distinction essentielle Louis XI fit occuper la Franche-Comté et il chercha à s'approprier la totalité de l'héritage.

Pour ce faire il donna des instructions sévères aux troupes d'occupation et le calcul se révéla déplorable. Les duretés des occupants, de maladroits transferts de population, firent regretter aux Bourguignons de ne point dépendre de la fille du Téméraire.

Celle-ci, qui était nubile, trouva un défenseur en la personne du fils de l'empereur Frédéric III, Maximilien de Habsbourg, et elle l'épousa, ce qui eut pour conséquence de longue durée d'établir les Habsbourg aux Pays-Bas. Cette source de conflits empoisonnera trois siècles d'histoire de France.

La guerre pour la possession de la Bourgogne dura cinq ans ; elle occupa en partie la fin du règne et mit à mal les finances du royaume.

En 1482, la situation se dénoua en partie parce que Marie de Bourgogne fit une chute de cheval et en mourut. Au traité d'Arras Louis XI transigea avec Maximilien : sa fille Marguerite d'Autriche épouserait le dauphin Charles et lui apporterait en dot l'Artois et la Franche-Comté, le solde de l'héritage revenant au fils de la défunte, Philippe le Beau.

Personne ne pouvait alors imaginer les complications et les dangers qui devaient sortir de cet arrangement.

L'Angleterre, jugeant Calais menacé, estima caduc le traité de Picquigny et l'on ne pourrait écarter cette menace par la suite qu'en rompant les fiançailles du dauphin, ce qui fera reperdre l'Artois et la Franche-Comté.

La diplomatie de Louis XI était donc mise en échec et elle le serait malheureusement sur d'autres points : en Espagne il devait compromettre les intérêts français en disputant inutilement la succession de Navarre, en s'aliénant la Castille sans profiter de la faiblesse du roi Henri IV l'Impuissant.

Le résultat de ces maladroites interventions eut pour résultat de réconcilier la Castille avec l'Aragon. Le mariage d'Isabelle de Castille avec Ferdinand d'Aragon scella cette réconciliation.

Ce ménage exceptionnel assurera la reconquête de l'Espagne et achèvera l'unité de la nation ; ainsi la France aura désormais sur ses frontières du sud un voisin puissant et dangereux. Si l'on ajoute que la fille unique de Ferdinand et d'Isabelle, Jeanne la Folle, épousera le fils de Marie de Bourgogne, Philippe le Beau, et que de ce mariage naîtra Charles Quint, on ne peut admirer qu'avec modération certains aspects de la politique étrangère de Louis XI.

On y trouve également d'autres sujets de réserve, notamment son amitié avec les Sforza au détriment des droits des Visconti, son indifférence à ceux de la Maison d'Anjou sur le royaume de Naples, qui expliquent à l'avance les futures guerres d'Italie où la France acquerra beaucoup de prestige militaire mais subira de grands déboires politiques.

On pourra dire que Louis XI n'était pas prophète mais ses erreurs furent masquées de son vivant par d'éclatants succès territoriaux.

En 1482, il annexait définitivement la Bourgogne, et mettait une option sur l'Artois et la Franche-Comté. Des succès au moins aussi importants lui vinrent d'autres côtés. Tout d'abord la mort de son frère, le duc de Berry, permit à la Guyenne de faire retour définitivement à la Couronne.

Le bilan des luttes en Espagne permit une occupation du Roussillon. Le plus important succès vint d'ailleurs.

Le roi René d'Anjou, qui descendait d'une branche cadette des Valois, mourut en 1481 sans héritier mâle ; de ce fait son royaume revint à la Couronne qui put annexer non seulement le Maine et l'Anjou mais aussi la Provence qui avait été fief impérial.

Ces énormes agrandissements territoriaux seront conservés dans leur ensemble et donnent un éclat particulier à Louis XI le rangeant parmi les grands constructeurs.

La politique intérieure paracheva l'œuvre entreprise par Charles VII. Le pouvoir personnel s'est affirmé, le rendement des impôts a quadruplé depuis 1450, l'armée permanente a été organisée, l'artillerie est devenue la première d'Europe.

La fin de la guerre de Cent Ans, ayant pacifié le territoire, a permis de grands progrès en agriculture, le développement du commerce, ces avantages étant balancés par une baisse des prix agricoles, une hausse des produits industriels et une élévation importante des salaires. Toutefois, la France manquant de métal précieux, son économie marquait du retard par rapport au reste de l'Europe.

Toutefois, le roi Louis XI pouvait être satisfait du bilan de son règne. Il ne paraît guère avoir profité de ses succès. Malade, inquiet de la mort, terré dans son château de Plessis-lez-Tours, entouré de ses familiers auxquels s'était joint l'historien Commynes, ancien serviteur du Téméraire, il mourut, assisté par saint François de Paule, le 30 août 1483. Son fils Charles étant mineur, il confia avant de mourir la régence à sa fille Anne de Beaujeu.

CHARLES VIII (1483-1498) ET ANNE DE BRETAGNE

CHARLES VIII AVAIT À PEINE TREIZE ANS à la mort de Louis XI. C'était un enfant assez disgracié physiquement : une tête énorme, des yeux globuleux, des lèvres plates, un gros nez, crochu jusqu'à rejoindre la lèvre supérieure. Le corps allait de pair avec la tête : il était court, mais juché sur des jambes trop longues et trop maigres. A cette disgrâce physique, aggravée par une puberté difficile, s'ajoutait un retard intellectuel alarmant.

On conçoit donc que, bien qu'ayant l'âge légal de régner, Charles VIII ait été pourvu par son père d'une régente, sa sœur plus âgée que lui de neuf ans, Anne, mariée à Pierre de Bourbon, sire de Beaujeu. La nomination de la régente avait vivement contrarié le duc d'Orléans, cousin le plus proche du roi, héritier présomptif de la Couronne, et gendre également de Louis XI par son mariage avec la malheureuse Jeanne de France.

Mécontent d'être évincé par sa belle-sœur, Louis d'Orléans réclama la convocation des Etats-généraux avec l'espoir d'obtenir d'eux la totalité du pouvoir, dont il détenait déjà une portion en qualité de lieutenant-général du royaume.

Ces Etats, réunis à Tours en 1484, revêtirent une importance particulière car ils sont les premiers dont les délibérations aient été conservées. Les membres de cette assemblée s'étaient permis de présenter des cahiers de doléances et les débats laissèrent apparaître le désir de brider le pouvoir absolu.

Philippe Pot, seigneur de La Roche, fit à ces Etats un émouvant appel à l'égalité politique et il demanda le consentement de l'impôt par toutes les catégories de contribuables... Les députés du clergé réclamèrent le retour à la Pragmatique sanction. Les envoyés du Tiers se plaignirent de la lourdeur des impositions et réclamèrent la réduction des dîmes ecclésiastiques et des dépenses militaires.

Toutefois un accord se fit sur certains points tels que l'indépendance des tribunaux, l'amélioration des voies de communication, la diminution des péages. En revanche, aucune manifestation de révolte contre le pouvoir absolu ne fut admise par l'unanimité des Etats, mais la fermentation parut si inquiétante que les Beaujeu inclinèrent aux concessions.

La taille fut réduite, quelques conseillers de Louis XI disgraciés. Louis d'Orléans tenta de faire dissoudre son mariage en raison des disgrâces physiques de son épouse. Il avait toujours rêvé d'épouser Anne de Beaujeu et il est possible qu'elle ait été secrètement amoureuse de lui. Les déceptions amoureuses expliquent parfois certaines duretés. Louis d'Orléans ayant parlé trop haut, Anne fit cerner son palais avec ordre de l'arrêter.

Prévenu à temps, Louis d'Orléans prit la fuite et se réfugia chez le duc de Bretagne. C'était un fait grave car le nouveau roi d'Angleterre, Henry VII Tudor, était l'allié du duc de Bretagne et comptait sur son appui pour reprendre la guerre en France.

Autour du duc d'Orléans plusieurs grands feudataires s'étaient groupés. On demanda l'alliance de Maximilien d'Autriche et les grands seigneurs français réclamèrent le programme de la Ligue du Bien public.

Anne de Beaujeu mata la révolte qui a gardé le nom de « Guerre folle ». Sous les ordres de Louis de La Trémoïlle une armée de douze mille hommes écrasa les rebelles à Saint-Aubin-du-Cormier (14 juillet 1488). Louis d'Orléans fut fait prisonnier et interné au château de Lusignan au régime du pain sec et de l'eau, sans égard à sa qualité d'héritier présomptif du trône.

Jeanne de France intervint en faveur de son mari prisonnier, mais l'emprisonnement se poursuivit pendant trois ans. Ce ne fut qu'en 1491 que Charles VIII, qui commençait tout juste à gouverner, envoya chercher son cousin et le réconcilia avec les Beaujeu.

Pour n'être pas en reste, Louis d'Orléans proposa de faire rattacher la Bretagne à la France en négociant le mariage de Charles VIII avec la princesse Anne, héritière du duché.

Le projet présentait une double difficulté : Charles VIII avait été fiancé par Louis XI à Marguerite d'Autriche, fille de Maximilien ; et celui-ci, veuf de Marie de Bourgogne, devait épouser Anne de Bretagne.

Ce mariage risquait de placer la France entre deux feux et on jugea de bonne politique de l'empêcher. Il fallut rompre les fiançailles de Charles VIII et renoncer à la dot de l'épouse future, à savoir la Franche-Comté et l'Artois (traité de Senlis, janvier 1493).

Charles VIII. (Portrait sur bois inséré dans la reliure d'un livre ; XVIe siècle.)

De surcroît, Henry VII Tudor, craignant pour Calais, avait débarqué des troupes ; il fallut acheter son retrait en lui versant sept cent quarante-cinq mille écus d'or (traité d'Etaples, 1493.)

Restait le problème du mariage de Charles et d'Anne qui fut célébré au château de Langeais. Le contrat posait une difficulté, c'était que, la Bretagne étant fief femelle dont Anne restait souveraine, il était nécessaire, pour que la province revînt à la France, que, si la reine devenait veuve, elle épousât le nouveau roi. On devine les complications posées par cette clause, qui joua cependant car Anne de Bretagne, phénomène unique dans l'histoire de France, fut deux fois reine, aima ses deux maris et ceux-ci le lui rendirent, bien qu'elle fût d'une beauté médiocre et légèrement boiteuse. Mais, plus que la duchesse, c'était la Bretagne que l'on épousait.

Maximilien d'Autriche, doublement blessé par le renvoi de sa fille et le détournement de sa fiancée, se vengea en excitant contre la France les rois voisins ; il avait réussi avec Henry Tudor, et cela avait coûté cher ; il récidiva avec Ferdinand le Catholique à qui, par le traité de Barcelone, il fallut céder la Cerdagne et le Roussillon.

Louis XI ayant pensé à réclamer sur le royaume de Naples les droits qu'il tenait de sa mère, Marie d'Anjou, mais, pressé par d'autres tâches, il n'avait pas donné suite à ses intentions.

Charles VIII fut séduit par le projet. C'était un homme épris de romans de chevalerie, qui rêvait de guerres en contemplant les objets de sa collection : le glaive de Charlemagne, l'épée de Saint Louis, la hache de Du Guesclin, l'armure de Jeanne d'Arc.

L'idée d'une croisade contre les Turcs a certainement hanté le cerveau de Charles VIII ; pour batailler utilement contre les Turcs, les bases italiennes étaient tout indiquées. En conquérant l'Italie, le roi accomplissait un double dessein.

De surcroît, l'armée française était la meilleure d'Europe et les soldats sont difficiles à contenir en temps de paix. Aussi, à la tête de trente mille hommes, Charles VIII franchit-il volontiers les Alpes et prit-il le chemin de l'aventure.

Il s'attendait à une guerre sérieuse et son avance prit plutôt la forme d'une marche triomphale ; à la suite d'une longue et habile préparation diplomatique, l'Italie avait fini par souhaiter la venue des Français.

La Savoie fut conquise sans coup férir ; il en fut de même du marquisat de Saluces et du Montferrat. Charles VIII ne constata quelque réticence qu'à Milan où son allié Ludovic Sforza parut peu enthousiasmé de ses succès.

L'aventure prit à Florence un tour étonnant. Un moine illuminé, Savonarole, avait neutralisé Pierre de Médicis et il dominait la ville. Aux Florentins épris de luxe et avides de débauche il avait prédit comme châtiment de leurs vices une invasion étrangère.

L'approche des Français combla donc les vœux les plus chers de Savonarole. Il était prêt à collaborer avec l'envahisseur. Pierre de Médicis prit la fuite et Savonarole vint en personne offrir au roi de France les clefs de la capitale toscane.

Estimant avoir ses arrières assurés, Charles VIII poursuivit sa marche en avant. A Sienne, en signe de respect, les habitants déposèrent les portes de la ville et les Français s'avancèrent vers Rome (31 décembre 1494).

Le pape Alexandre VI Borgia vit d'un mauvais œil l'arrivée des Français. Le cardinal della Rovere, futur Jules II, proposa à Charles VIII la déposition du pape, proposition qu'il ne retint pas. Il se fit seulement remettre par le Pape, pendant son séjour au palais de Venise, un prisonnier turc de marque, le prince Djem, frère du sultan Bajazet, comme otage à utiliser éventuellement quand on en serait venu à la croisade.

Puis le roi de France alla prendre possession de Naples, où il fit son entrée le 22 février 1495.

Installé à la villa Poggio Reale, il y vivait un rêve merveilleux et se grisait de fêtes, allant,

Le tombeau des enfants de Charles VIII et d'Anne de Bretagne, qui moururent en bas-âge (Tours); la branche aînée des Valois s'éteignit donc, et le duc d'Orléans hérita du trône.

comme s'il avait déjà mené à bien sa croisade, jusqu'à se montrer, au cours d'un bal, en costume d'empereur d'Orient.

Ses troupes poursuivaient des reconnaissances lointaines qui les menèrent jusqu'en Calabre et vraiment l'Italie semblait désormais entièrement soumise.

Ce n'était hélas ! qu'une illusion. Les souverains d'Europe que Charles VIII avait imprudemment payés d'avance pour assurer leur neutralité n'eurent plus qu'une idée, celle de s'unir pour enfermer le roi dans sa conquête, ce qui leur permettrait d'attaquer la France sans défense.

Ludovic Sforza, le More, dont la fille venait d'épouser Maximilien, avait conduit toute l'opération. Philippe de Commynes en fut avisé et prévint Charles VIII à temps.

Il fallut prendre précipitamment la route du retour ; en redescendant des Apennins par la vallée du Taro, près de Parme, Charles VIII rencontra les coalisés près de Fornoue. Ses troupes chargèrent et les coalisés, commandés par le marquis de Mantoue, se débandèrent (6 juillet 1495).

Charles VIII repassa les Alpes avec le reste de ses troupes ; il revenait enivré d'art italien, ouvrant la route à la Renaissance, bien décidé à recommencer.

Il n'en eut pas le temps. En 1498, au château d'Amboise, dont il avait fait sa résidence favorite, il alla un jour jouer à la paume. Il heurta le linteau d'une porte basse, tomba à la renverse, le front fracassé.

Il mourut presque tout de suite, âgé seulement de vingt-huit ans. Des trois fils que lui avait donnés Anne de Bretagne, tous étaient morts en bas-âge ; la branche aînée des Valois s'éteignait ; le trône se trouvait vacant.

L'héritier restait le duc d'Orléans, le rebelle de Saint-Aubin-du-Cormier, beau-frère du roi défunt par Jeanne de Valois, son cousin par le sang, et qui, déjà marié, se trouvait dans l'obligation juridique d'épouser Anne de Bretagne, veuve de Charles VIII.

Cette branche Valois-Orléans ne donnera à la France qu'un seul souverain, Louis XII, dont le règne, en dépit de quelques erreurs, donne encore à rêver.

LOUIS XII (1498-1515) SAINTE JEANNE DE VALOIS ET ANNE DE BRETAGNE

LE NOUVEAU ROI ÉTAIT L'ARRIÈRE-PETIT-FILS de Charles V, le petit-fils de l'assassiné de 1407, le fils du délicat poète Charles d'Orléans. Il était né d'un troisième mariage de son père avec Anne de Clèves en 1462, peu avant la mort de Charles d'Orléans qui avait soixante-sept ans de plus que son fils.

Premier prince du sang, il avait été nommé lieutenant-général à la mort de Louis XI. Nous avons dit comment il s'était révolté contre Anne de Beaujeu, avait été sévèrement emprisonné pendant trois ans, puis pardonné par Charles VIII en 1491.

Il était réconcilié avec les Beaujeu et devenu leur ami au point qu'ils ne cessèrent plus de le soutenir. En revanche, des courtisans envieux persuadèrent Charles VIII que le duc d'Orléans cherchait à provoquer la sécession de la Normandie, dont il avait été nommé gouverneur. Une enquête fut ouverte par ordre royal et Louis d'Orléans jugea sa situation si dangereuse qu'il abandonna Rouen et se terra dans son château de Montils-lez-Blois.

Un jour de printemps de 1498, il entendit un bruit de cavalcade dans sa cour et la vit remplie de gens d'armes... Il fut tellement ému que le souffle lui manqua car il était persuadé qu'on venait l'arrêter.

Un cavalier entra, tomba aux genoux du duc et dit simplement :

— Le roi est mort.

Et le cavalier raconta l'accident de Charles VIII et son décès dans les heures suivantes.

Tout en redoutant quelque guet-apens, le duc d'Orléans partit à franc étrier pour Amboise et, dès qu'il parut, tous les courtisans s'inclinèrent très bas. Au premier rang se trouvait La Trémoïlle, le vainqueur de Saint-Aubin-du-Cormier. Le roi le prit à part et lui annonça qu'il le maintenait dans toutes ses charges en le priant « de lui être aussi loyal qu'à son prédécesseur ».

Quelques jours plus tard il donna audience aux

Ci-contre Louis XII, par Jean Perreal. (Château de Windsor).

Jeanne de France, répudiée par Louis XII, obtient du pape l'autorisation de fonder l'Ordre de l'Annonciade. *(Miracles de Notre-Dame,* XVe siècle.)

bourgeois d'Orléans, fort inquiets de leur sort car ils l'avaient désavoué lors de sa disgrâce. On connaît la réponse fameuse qui a traversé les siècles « qu'il ne serait pas décent à un roi de France de venger les injures d'un duc d'Orléans ».

Cette manière d'agir annonçait une nature généreuse ; elle correspond au physique du roi qui était bel homme, au visage très plein, aux cheveux portés à la Jeanne d'Arc, avec un bon sourire et une moue agréable.

Pourtant le règne allait débuter par un acte cruel, la répudiation de Jeanne de Valois. A la vérité le mariage n'avait pas été consommé mais la sainte Jeanne ne s'en doutait pas, ayant été mariée très innocente. De surcroît, on put produire devant l'officialité une lettre terrible de Louis XI où le roi avait écrit :

« Je me suis délibéré de faire le mariage de ma petite fille Jeanne et du petit duc d'Orléans pour ce qu'il me semble que les enfants qu'ils auront ensemble ne leur coûteront guère à nourrir... »

Bien qu'il fût difficile d'annuler le mariage sur cette pièce assez infamante pour la mémoire de Louis XI, le tribunal ecclésiastique présidé par l'archevêque d'Albi, Louis d'Amboise, invoqua la non-consommation. Le mariage fut déclaré nul (17 décembre 1499) et Jeanne, après avoir gouverné quelque temps le duché de Berry, fonda un ordre cloîtré nommé l'Annonciade. Elle mourut en 1505 et fut bientôt portée sur les autels.

Cette sentence sévère, mais justifiée, permettait de garder la Bretagne puisque Louis XII pouvait désormais épouser Anne sans commettre le crime de bigamie.

Louis avait trente-six ans et était bien plus séduisant que Charles VIII ; Anne avait vingt-trois ans et elle n'était pas insensible aux jeux amoureux. Ce mariage célébré pour des raisons politiques fonda un excellent ménage. Anne de Bretagne, deux fois reine, a fortement marqué bien que, restée très bretonne de cœur, elle ait mis une fois le royaume en péril.

Elle fonda l'ordre de la Cordelière, seconda dignement son époux, lui donna une fille, Claude de France, mais elle mourut assez prématurément le 9 janvier 1514.

Ce qui caractérise le règne de Louis XII ce n'est pas seulement la reprise de la guerre d'Italie, où, par sa grand-mère Valentine Visconti, le roi pouvait prétendre à des titres supérieurs à ceux de son prédécesseur, mais surtout le fait que c'est à peu près la seule fois où les Français se soient déclarés contents de leur gouvernement.

La première action de politique extérieure fut de régler son compte à Ludovic Sforza qui avait fomenté la coalition contre Charles VIII et usurpait le trône de Milan au détriment des Visconti.

Pour mener l'opération contre Milan, Louis XII commença par s'assurer la neutralité d'Henry VII Tudor, de l'empereur Maximilien, de l'Espagne, de Florence, de Ferrare et de Mantoue. Puis il contracta une alliance avec Venise et avec le Saint-Siège.

Possesseur du comté d'Asti, il se trouvait à pied d'œuvre. Une armée de vingt-quatre mille hommes et de cinquante-huit canons fut confiée au condottiere Trivulce ; Arezzo fut occupé, ce qui isolait le Milanais par le sud. Ludovic Sforza s'enfuit en Autriche. Louis XII arriva quand Milan était déjà tombé. Le 2 octobre 1499, il fit son entrée dans Pavie, puis reprit possession de Milan dans un enthousiasme général. Trivulce fut nommé maréchal de France et reçut le gouvernement du Milanais ; il y multiplia les maladresses au point que Ludovic Sforza put reprendre Milan.

La Trémoïlle amena des renforts à Trivulce et Ludovic le More fut livré par les Suisses qu'il appointait. Louis XII fit enfermer Ludovic Sforza dans la forteresse de Lys Saint-Georges, dans le Berry, où il mourut captif en 1510.

Le Milanais fut annexé et confié au cardinal d'Amboise. Puis la conquête se poursuivit jusqu'à Naples ; Louis XII trouva judicieux de partager le royaume de Naples avec Ferdinand d'Aragon dont il acheta ainsi la bienveillante neutralité.

Mais, aussitôt fait, le partage suscita des frictions. Philippe le Beau, fils de Maximilien, s'offrit vainement en médiateur. Les Espagnols attaquèrent : les Français furent défaits à Cérignole (1503) et à Seminara. Les exploits de Bayard au pont du Garigliano atténuèrent un peu l'amertume de ces échecs, qui eurent pour conséquence de détacher Venise de la coalition.

Pour punir Ferdinand d'Aragon, le roi attaqua en Roussillon et mit en vain le siège devant Salses ; il dut le lever et, Ferdinand ayant attaqué Narbonne, il fallut signer une trêve.

Des négociations furent ouvertes avec l'Espagne ; comme elles commençaient, Louis XII tomba si gravement malade qu'on le crut perdu. Anne de Bretagne prit sur elle de signer un traité à Blois, traité dont les conséquences eussent pu être tragiques puisqu'il prévoyait le mariage de la jeune Claude de France avec le fils de Philippe le Beau et de Jeanne la Folle, le futur Charles Quint. Cet acte regrettable assimile presque Anne de Bretagne à Isabeau de Bavière. Heureusement Louis XII n'était pas fou ; quand il eut recouvré la santé il ne voulut pas désavouer publiquement la reine, mais, pour que la Bretagne ne courût pas le risque de tomber entre les mains d'un prince étranger, il soumit le traité aux États-généraux.

Ceux-ci se réunirent à Tours le 14 mai 1506. Les députés demandèrent l'annulation du dangereux projet de mariage et suggérèrent que Claude de France fût fiancée à un neveu du roi, le comte d'Angoulême, héritier présomptif de la Couronne : « Monsieur Françoys qui est tout français. »

Bien entendu, Louis XII donna son accord, ce qui réparait l'erreur d'Anne de Bretagne.

Alors l'un des députés de Paris, Thomas Briart, que l'Assemblée avait délégué comme porte-parole, prononça les phrases suivantes qui sont presque uniques dans l'histoire de France :

« Pour avoir réprimé la licence des gens de guerre, en sorte qu'il n'y en avait plus de si hardi que de rien prendre sans payer, pour avoir abandonné à son peuple le quart des tailles, pour avoir réformé la justice et appointé partout de bons juges, pour toutes ces causes, le souverain devait être appelé le roi Louis douzième, père du peuple. »

Cet éloge sans second donne encore à rêver car, avec les siècles de recul, si le roi Louis XII nous semble avoir possédé un caractère exceptionnellement généreux, il ne paraît pas que son administration et sa politique soient exemptes de critiques.

Certes la taille fut abaissée, mais à quel prix ? Il fallut augmenter les droits de gabelle et instaurer la vénalité des charges, abus qui serait à la longue funeste à la monarchie. A l'actif du roi il faut noter que les péages furent fidèlement employés

LE roy ferrand darrago estoit ia party de gaiete
monte en mer pour sen revenir en espaigne et pas
ser par savone co[mm]e avoit mande au roy de quoy le pape ad
sen alla a hostie ung port de mer terre deglize sur la pas
dud[it] roy darragon et la fist faire grandes provisions et gra
pareil pour le cuyder illecques recueillir et tracter mais sachez
lors celuy roy darrago q[ue] le pape navoit eu a gre le voy

à l'entretien des routes, que l'on fit un effort sur les exploitations minières, et que les métiers d'art furent encouragés.

Ces faibles réussites ne compensent pas la suite de la politique qui paraît avoir été singulièrement aventureuse.

La rupture des fiançailles de Claude de France coïncida avec la mort d'Isabelle la Catholique et Ferdinand d'Aragon fut évincé de la Castille par son fils. Grâce à cette conjoncture, Ferdinand ne prit pas en mauvaise part la rupture. Au contraire, il rencontra Louis XII à Savone en 1507 et accepta d'épouser Germaine de Foix, nièce du roi de France. Les deux souverains convinrent de rétablir l'ordre troublé à Milan où des agitateurs voulaient placer sur le trône le fils de Ludovic Sforza toujours emprisonné.

L'intervention énergique de Louis XII à Milan irrita l'empereur Maximilien qui prépara une expédition pour chasser les Français d'Italie du Nord.

La république de Venise refusa le passage des troupes à l'Empereur. Louis XII envoya Trivulce appuyer les Vénitiens ; ceux-ci profitèrent de cette aide pour s'emparer de Fiume, de Trieste et de Goritz, puis, grisés de leurs succès, ils conclurent une trêve avec Maximilien sans en aviser les Français.

Louis XII, considérant qu'il s'agissait d'une véritable trahison, déclara la guerre à Venise et demanda l'alliance du pape Jules II. Ce pontife, grand politique, mais dénué de scrupules, accepta le principe et signa avec Louis XII l'organisation de la ligue de Cambrai qui fut négociée par le cardinal d'Amboise (10 décembre 1508).

Les Vénitiens, commandés par Barthélemy d'Alviano, furent écrasés par Louis XII à la bataille d'Agnadel (14 mai 1509). Le roi de France se trouva maître de tout le territoire entre le lac de Garde et la Brenta, ce qui permit d'arriver en vue de Venise, mais un bombardement de la lagune ne fit pas capituler la ville.

Louis XII se trouvait cependant maître en Italie du Nord d'un État trop puissant pour ne pas inquiéter les Italiens.

Le pape Jules II s'en avisa le premier. Il ne voulait pas de la destruction de la république de Venise mais désirait seulement limiter ses ambitions. Il forma donc une alliance avec la Sérénissime République, ce qui rompait l'alliance avec la France. Cette coalition dite « Sainte Ligue » mettait la France en danger en Italie, d'autant plus que Jules II était allé jusqu'à proposer à Henry VII Tudor la couronne de France, ce qui faisait renaître le danger de la guerre sur deux fronts.

Entrevue de Louis XII avec Ferdinand d'Aragon. (*Chroniques de Louis XII,* XVIe siècle.)

Il n'y avait d'autre solution que de faire la guerre au Saint-Siège. La pieuse Anne de Bretagne s'y refusa et elle alla jusqu'à délier les évêques bretons du serment de fidélité au roi de France. Le reste du clergé français réagit : une assemblée générale des évêques, tenue à Tours, autorisa la guerre en faisant valoir que Jules II combattait non comme chef de l'Eglise, mais seulement en qualité de souverain temporel.

La guerre commença mais les armées françaises se contentèrent d'occuper la ligne frontière des États pontificaux. Ayant pris position, le roi de France essaya de négocier avec Jules II.

Le Pontife, de plus en plus intransigeant, réunit un concile, à Latran, qui s'opposa à tout accommodement.

Ayant épuisé les conciliations, Louis XII passa à l'attaque. La campagne d'Italie menée par Gaston de Foix, neveu du roi, a pris un caractère d'épopée. Le jeune général s'empara de Brescia, puis de Bologne avec une maëstria qui annonce à l'avance les succès de Bonaparte dans le même secteur. Mais hélas ! Gaston de Foix fut tué devant Ravenne et Bayard, en larmes, veilla sa dépouille (1512).

La mort de Gaston de Foix retourna la situation qui devint très défavorable pour la France. Bien que l'alliance avec Venise eût été renouvelée, on ne put empêcher le fils de Ludovic le More de s'emparer de Milan.

Louis XII expédia en hâte des renforts sous le commandement de La Trémoïlle. Cette armée fut écrasée à Novare le 6 juin 1513. Le Milanais était perdu ; il fallut repasser les Alpes en hâte et faire face à de nouveaux dangers.

Profitant des difficultés de la France, Ferdinand attaqua le Roussillon tandis qu'Henry VII débarquait des troupes à Calais et remportait un succès à Guines. De surcroît, les Suisses menacèrent Dijon.

Cette situation déplorable se dénoua par la mort de Jules II qui, en sous-main, excitait tout le monde contre la France.

Une trêve fut conclue avec l'Espagne au début de l'année 1514. Pour l'Angleterre on trouva une solution matrimoniale.

En effet, la reine Anne de Bretagne étant morte au début de l'année 1514, Henry VIII, successeur d'Henri VII, mit comme condition à une trêve que le roi de France épousât sa sœur Marie d'Angleterre.

Mari un peu vite consolé, Louis XII accepta d'autant plus volontiers que la jeune princesse anglaise était belle et charmante. Mais elle avait seize ans et le roi cinquante-trois.

Le mariage eut lieu au mois d'octobre 1514 et il arriva à Louis XII la même aventure qu'à son aïeul Philippe VI de Valois.

Désireux de plaire à sa jeune épouse, non seulement il se montra un époux trop brillant mais il voulut étourdir la jeune femme de fêtes somptueuses. Sa santé n'y résista pas longtemps et il mourut subitement dans la nuit du 1er janvier 1515.

Bien que son règne se terminât sur une série d'échecs, Louis XII fut unanimement regretté, probablement parce que sous son règne la vie économique avait été facile et la France prospère.

Le roi n'ayant pas eu de fils, le trône revenait à son gendre et neveu, François d'Angoulême, arrière-petit-fils du duc Louis d'Orléans, qui devenait chef de la Maison de Valois.

Avec lui va se dérouler un des règnes les plus brillants de toute l'Histoire de France.

FRANÇOIS Ier (1515-1547) CLAUDE DE FRANCE ET ELÉONORE D'AUTRICHE

QUAND FRANÇOIS, DUC D'ANGOULÊME, naquit, en 1494, de Charles d'Angoulême, arrière-petit-fils de Charles V, et de Louise de Savoie, rien ne semblait le promettre à la Couronne : Charles VIII était jeune et marié à Anne de Bretagne ; en cas d'absence d'héritiers mâles, la Couronne revenait au duc d'Orléans.

Ce fut, en effet ce qui se passa, mais le duc d'Orléans, devenu le roi Louis XII, n'eut d'Anne de Bretagne que des filles ; selon le vœu populaire, il maria sa fille Claude à François d'Angoulême devenu héritier présomptif ; une fois gendre du roi défunt, François d'Angoulême monta sans contestation sur le trône sous le nom de François Ier.

Le nouveau roi avait tout juste vingt et un ans. Au physique c'était un géant de plus de deux mètres ; il présentait un type marqué d'acromégalique avec ses longs bras et ses longues jambes terminés par d'énormes extrémités. L'iconographie a popularisé son visage au grand nez crochu, au front bas, aux yeux globuleux ; le menton est affiné par une barbe en pointe. La magnificence des costumes, des pourpoints largement échancrés marquant la taille et juponnant, avec des manches à crevés, des collants terminés par des souliers assez ahurissants, des chaperons à plumes, ont fini par atténuer un physique peut-être ingrat mais rendu chaleureux par une certaine langueur dans le regard et par une affabilité qui a fait date.

La reine Claude, qu'il aima beaucoup et qui lui donna plusieurs enfants, était une assez belle personne, dont le rôle fut effacé car elle fut dominée par sa belle-mère, la fameuse Louise de Savoie et que, de surcroît, elle mourut en 1524 à la fleur de son âge.

Chez les Français, François Ier représente un temps de grand éclat pour des raisons artistiques : il est le contructeur du château de Chambord, le continuateur de celui de Blois, le créateur de Saint-Germain, le mécène et l'ami des artistes qui vit mourir dans ses bras le grand Léonard de Vinci.

A la mort brutale de Louis XII, François Ier se trouvait dans une situation politique très malaisée.

La France est sous la triple menace du roi d'Angleterre Henry VIII, de l'empereur Maximilien, de Ferdinand d'Aragon et de plus grands dangers s'annoncent puisque Charles d'Autriche sera à la fois l'héritier de l'Espagne et de l'Autriche. François Ier estime que son premier devoir est de s'imposer par un coup d'éclat ; héritier de la dernière des Visconti, il décide de reconquérir le duché de Milan.

Pour mener à bien cet audacieux projet il s'assure de la neutralité d'Henry VIII et propose à Charles d'Autriche d'épouser la sœur de la reine Claude, Renée. De surcroît, il tente de neutraliser les Suisses, qui repoussent ses offres.

Il n'en concentre pas moins ses armées dans la vallée de la Durance et il en prend le commandement, entouré du connétable de Bourbon, gendre d'Anne de Beaujeu, et des trois maréchaux de France Lautrec, Trivulce et La Palice. Il dispose de douze mille chevaux, de trente mille hommes, de soixante-douze grosses pièces d'artillerie et de trois cents canons légers.

Le passage de cette artillerie par le col de Larche tient du prodige. On descend en Piémont après s'être assuré la neutralité du duc de Savoie. Les opérations débutent par un combat victorieux

Claude de France enfant sur les genoux d'Anne de Bretagne ; Louis XII et le cardinal d'Amboise. (Miniature extraite de *Des Remèdes de Fortune,* de Pétrarque.)

Fortune
foy
esperance

Ci-contre : L'empereur Charles Quint par Titien.

A droite : Sceau d'or gravé pour François Ier par Benvenuto Cellini.

à Villafranca qui oblige les Suisses à se replier vers Milan.

Avant de poursuivre la guerre, François Ier tente une négociation fort avantageuse pour les Suisses. Ceux-ci, manœuvrés par le cardinal de Sion, légat du pape Léon X, refusent de l'entendre.

Il ne reste plus qu'à faire parler les armes. La bataille eut lieu à Marignan (Melegnano) et elle dura deux jours (13-14 septembre 1515). Cette éclatante victoire a passé dans la légende : François Ier s'y fit armer chevalier par Bayard et ne trouva pour prendre un peu de repos qu'un affût de canon.

Alors qu'il tenait les Suisses à sa merci, le roi interdit de les poursuivre : il leur offrit les mêmes conditions qu'avant la bataille et signa avec eux un traité de paix perpétuelle, cette paix de Fribourg, la seule de l'histoire qui n'ait jamais été démentie.

Puis il traita avec le fils de Ludovic le More qui lui céda Milan contre un établissement considérable en France.

Enfin, il chercha un arrangement avec le Pape qui lui avait été jusque-là hostile. Avec Léon X, bon diplomate, il signa le traité de Viterbe, après une rencontre fastueuse à Bologne. De ce traité devait sortir le Concordat de 1516, dont les modalités furent réglées pour la France par le chancelier Duprat, le grand ministre du règne. La Pragmatique sanction de Charles VII fut définitivement abolie : le droit de lever des subsides en France fut rendu au Pape à la condition que le roi proposerait les évêques au Pape et qu'il nommerait aux bénéfices ecclésiastiques. C'était pour la Couronne un instrument de puissance financière dont elle usera et même abusera jusqu'à provoquer en partie la révolution de 1789.

Le clergé de France n'apprécia pas le Concordat

et François Ier dut, pour le faire appliquer, utiliser la procédure du lit de justice.

Le double succès dû à la victoire de Marignan fut complété au traité de Cambrai (1517) par un arrangement avec Henry VIII par lequel les deux rois se garantissaient mutuellement leurs possessions respectives.

Alors que la tranquillité paraissait assurée, un bouleversement se produisit par la mort de Ferdinand d'Aragon, suivie par celle de l'empereur Maximilien. L'héritier des deux couronnes, Charles Quint, devenait le véritable maître de l'Europe et la France était prise en tenailles entre ses diverses possessions. C'était le plus grand danger jamais couru par le pays et la politique engagée pour y parer a conservé devant l'histoire le nom d'« équilibre européen ».

Il était évident que le premier acte de Charles Quint serait de poser sa candidature à l'Empire. Comme il ne pouvait être question de soutenir contre lui Henry VIII, ce qui aurait provoqué les mêmes dangers, François Ier se porta candidat.

Henry VIII d'Angleterre rencontre François Ier au camp du Drap d'Or, en 1520.

Il mena sa campagne avec une rare naïveté, payant les électeurs d'avance. Plus subtil, Charles-Quint leur offrit des traites chez les banquiers Függer, payables après l'élection. Celle-ci se fit sans grande difficulté.

L'arbitre de la situation était désormais le roi d'Angleterre, seul capable par son appui de faire pencher la fortune des armes en faveur de son allié. « Qui je soutiens est maître », disait-il orgueilleusement.

François Ier le comprit si parfaitement que, apprenant que Henry VIII avait reçu à Cantorbéry la visite de son neveu Charles-Quint, il invita le roi d'Angleterre en France.

Henry VIII n'avait rien promis à Charles-Quint ; il désirait, avant de s'engager, prendre contact avec le roi de France. La rencontre des deux souverains eut lieu entre Ardres et Guines au fameux camp du Drap d'Or. François Ier y étala un trop grand faste, se montra vainqueur en divers jeux contre Henri VIII et sa désinvolture braqua tellement le roi d'Angleterre, toujours désireux de devenir roi de France, qu'aucun accord ne fut conclu. Au contraire, Henry VIII, de retour à Londres, tendit la main à Charles-Quint, contraignant à la guerre une France encerclée par ses deux ennemis les plus puissants.

Il convient de rappeler, pour donner un aspect complet de la période, l'imprudente politique papale qui, pour financer la construction de la basilique de Saint-Pierre, organisa le trafic des indulgences auquel se mêla scandaleusement l'archevêque de Mayence Albert de Brandebourg. Une partie des fonds collectés servit à payer les électeurs de Charles-Quint.

Alors un moine de Wittenberg, Martin Luther, révolté par cette simonie, éleva bien haut une protestation qui connut un immense retentissement. Le pape le somma de se rétracter et le religieux ayant refusé fut excommunié par la bulle *Decet romanus Pontificus* (3 janvier 1520).

Charles-Quint convoqua Luther devant la Diète de Worms pour qu'il s'expliquât. Devant l'Empereur, le moine soutint ses doctrines et assura que le Pape était dans l'erreur. Il est probable que cette prise de position eût conduit Luther au bûcher s'il n'avait été enlevé par les soins du plus puissant prince d'Allemagne, Frédéric le Sage, électeur de Saxe, le seul adversaire que l'on aurait pu opposer à Charles-Quint.

Une partie des princes allemands, pour faire pièce à l'Empereur, adopta la nouvelle religion issue de la Réforme et contraignit ses sujets à s'y rallier. Ce bouleversement religieux de l'Europe se présentait en même temps comme un boule-

Martin Luther prêchant. (Autel de l'église de Wittenberg.)

versement politique car un jeu d'alliances devait assez naturellement résulter des divergences confessionnelles.

Comme, de surcroît, pour des raisons d'ordre privé, Henry VIII séparait l'Église d'Angleterre et refusait toute allégeance à Rome, le XVIe siècle se plaçait sous un aspect dangereux qui allait provoquer un ensemble de luttes qui ont conservé le nom général de guerres de religion.

Mais cette influence ne joua pas dans la guerre qui, à partir de 1521, allait opposer la France à l'Europe coalisée.

Une médiation avec l'Angleterre n'ayant pu aboutir, on passa aux opérations militaires ; en dépit de succès locaux sur le front du nord à Hesdin, et de la prise de Fontarabie, le désastre de Lautrec à la bataille de La Bicoque fit perdre le Milanais.

La défaite française eut pour effet de rallier aux ennemis de François Ier la Papauté, puis la république de Venise, et enfin Henry VIII qui avait observé une politique d'attente.

L'idée de François Ier était de reprendre le Milanais ; au moment où il allait se mettre en route, lui parvint une nouvelle terrible : son cousin, le connétable de Bourbon, chef suprême des armées françaises, passait à l'ennemi à la suite d'un différend d'héritage, où il n'avait d'ailleurs pas tous les torts. Sa défection ouvrait aux ennemis les territoires qu'il possédait en France c'est-à-dire les Dombes, le Beaujolais, le Bourbonnais, la Marche, l'Auvergne. Cette terrible trahison mettait la France en grand péril. Ayant vainement tenté une conciliation, François Ier donna ordre de se saisir du connétable qui, avisé à temps, passa chez l'ennemi.

La France fut envahie sur trois frontières : Anglais et Impériaux s'avancèrent à moins de cinquante kilomètres de Paris. Bayard parvint à contenir l'invasion dans le Nord, puis il alla assister Bonnivet qui perdit l'Italie du Nord à la bataille de la Sesia ; là se déroula la scène fameuse où Bayard, blessé à mort, répondit au connétable de Bourbon venu le réconforter : « N'ayez point pitié de moi, Monseigneur ; moi j'ai pitié de vous qui servez contre votre prince, votre patrie et votre serment » (1524).

La défaite de la Sesia ouvrit la route de Provence, où le connétable de Bourbon se précipita, mais il assiégea en vain Marseille et se replia vers la Ligurie. A ce moment, François Ier qui, avec une forte armée, redescendait vers l'Italie par les cols du Mont-Genèvre, de Larche et de Tende, n'avait qu'à se rabattre sur Gênes et Bourbon était pris. Au lieu de procéder à cette manœuvre salvatrice, le roi reprit Milan et vint mettre le siège devant Pavie.

Le connétable et ses troupes bien rétablies vinrent l'attaquer sous les murs de la ville. Un combat assez mal mené s'engagea. Blessé, son cheval tué sous lui, François Ier fut fait prisonnier. Il refusa de remettre son épée à Bourbon et écrivit à sa mère, Louise de Savoie, la phrase fameuse : « Tout est perdu fors l'honneur » (1525).

Après des débuts éclatants, le roi de France se trouvait dans la déplorable situation de Jean le Bon à Poitiers, mais la France, énergiquement menée par Louise de Savoie, régente, et par le chancelier Duprat, évitera les troubles intérieurs.

Charles-Quint interna François Ier à Madrid et la captivité fut rude. Se souvenant qu'il était l'héritier de Charles le Téméraire, l'Empereur réclamait la Bourgogne et prétendait faire restituer au roi d'Angleterre l'ouest de la France, de la Normandie à la Guyenne ; de surcroît, il fallait rendre au connétable de Bourbon ses fiefs et y ajouter le Dauphiné.

François Ier refusa tout net. A Paris, sur l'avis de Duprat, la régente acheta le roi d'Angleterre pour deux millions d'écus. Se sentant abandonné par Henry VIII, Charles-Quint baissa ses prétentions ; il libéra François Ier contre l'abandon de la Bourgogne et la remise en otages du dauphin François et de son frère le futur Henri II (1526).

Le roi de France, qui n'avait nullement l'intention d'exécuter le traité, avait fort habilement pris ses garanties en faisant passer sa bague au sultan Soliman le Magnifique, en gage d'alliance. Les Turcs marchèrent sur la Hongrie et remportèrent un succès à Mohacs (1526), ce qui acheva de décider Charles-Quint qui ne pouvait combattre sur deux fronts.

Dès sa rentrée en France, François Ier se fit délier des clauses du traité de Madrid par une assemblée de notables réunie à Cognac ; les délégués des États de Bourgogne s'opposèrent à toute aliénation du territoire français. L'Europe trouva que Charles-Quint avait abusé de ses droits et Henry VIII offrit son alliance, à laquelle se joignirent la république de Venise et les Suisses, dans le dessein de délivrer l'Italie de l'emprise impériale.

Cette nouvelle guerre, marquée par le sac de Rome où le connétable de Bourbon trouva la mort (1527), par la reconquête du royaume de Naples par Lautrec, par le siège de Vienne par les Turcs, contraignit Charles-Quint à demander la paix. Cette paix, dite paix des Dames (1529), prévoyait l'abandon du Milanais par François Ier, les princes otages étaient restitués contre une rançon de deux millions d'écus d'or, et François Ier epousait Eléonore, sœur de Charles-Quint.

Dès qu'il eut regagné Paris, François Ier régla les problèmes intérieurs : les biens du connétable de Bourbon furent rattachés à la Couronne, puis le roi fit pendre son contrôleur général des Finances, Jacques de Beaune, baron de Semblançay, sous l'accusation de concussion. C'était la fin des féodalités tant territoriales que financières.

Les princes otages étaient rentrés en France, mais le dauphin François mourut, peut-être empoisonné par son écuyer Montecucculi. Le cadet, Henri, devenait dauphin ; on venait de le marier, pour des mobiles diplomatiques, avec la nièce du pape Clément VII, Catherine de Médicis. Cette reine, la plus intéressante de l'Histoire de France, fut appelée à dominer près d'un demi-siècle de son passé.

Préoccupé du problème de l'équilibre européen, François Ier, à qui son entente avec les Turcs avait réussi, établit une ambassade à Constantinople et signa avec le sultan le traité dit des Capitulations qui est une véritable alliance (1536). Désormais, les flottes turques, aidées par celles de Barbaresques d'Afrique du Nord, feront pour le compte de la France la police en Méditerranée.

De surcroît, pour balancer la puissance de Charles-Quint, François Ier se vit forcé de s'allier à la ligue de Smalkalde formée par tous les princes protestants d'Allemagne (1531).

Cette alliance ne donnait pas cependant de liberté au protestantisme français qui commençait lentement à s'installer et pour lequel la sœur du roi, Marguerite, montrait de la sympathie. Quelques hérétiques furent envoyés au bûcher mais la répression fut, dans son ensemble, assez bénigne au cours du règne.

La politique de François Ier, si hardie au point de vue confessionnel par ses alliances avec les infidèles et les protestants, risquait de faire de Charles-Quint le défenseur de la foi catholique et le chef moral de toute l'Europe.

Aussi les dernières années du règne furent-elles marquées par une longue guerre avec des rémissions car, si les princes allemands étaient décidés à recourir à l'aide du roi de France contre l'Empereur, ils n'en désiraient pas moins bénéficier de l'appui de l'Empereur pour défendre l'Europe centrale de l'invasion ottomane.

Avant de parler de cette guerre il convient de montrer combien François Ier, prince épris de l'art de la Renaissance, fut aussi un homme de son époque. Il fut frappé, lors de sa captivité en Espagne, par l'intérêt des possessions en Amérique, et il désira y faire participer la France. En 1517, il fonda le port du Havre et engagea des explorateurs. Verrazano, en 1523, découvrira le site de New York, Ango de Dieppe établira des courants commerciaux avec les Indes, puis, de 1534 à 1541, Jacques Cartier, de Saint-Malo, explorera le Canada, remontera le Saint-Laurent et fondera Montréal.

L'œuvre intérieure fut également très importante : la justice fut centralisée par l'ordonnance de Villers-Cotterêts (1539) : l'emploi du français fut rendu obligatoire dans les actes ; le Collège de France fut fondé en 1535.

Une révolution sociale résulte de la fin de la féodalité ; il reste seulement une noblesse qui connaît de plus en plus les difficultés matérielles en raison de la dépréciation de la rente foncière et se rapproche de la Couronne pour en obtenir les faveurs. L'argent commence à appartenir à une bourgeoisie avide de s'agréger à la noblesse.

La situation financière est constamment malaisée ; il faut sans cesse augmenter les impôts et, ceux-ci ne suffisant pas, on en vient au système des emprunts : la création des rentes sur l'Hôtel de Ville est à l'origine du principe d'une dette publique qui ne cessera de s'alourdir.

Les guerres ont coûté très cher. Les hostilités reprirent dès 1536 avec des effectifs militaires accrus qui permirent la conquête de la Savoie, de la Bresse, du Bugey et enfin du Piémont.

Montmorency, successeur de Duprat, conseilla une trêve qui fut conclue à Nice. A la suite de celle-ci, François Ier rencontra son beau-frère Charles-Quint à Aigues-Mortes (1538).

L'entente fut de brève durée. Charles-Quint ayant voulu désigner son frère comme roi des Romains, les hostilités reprirent à la suite de l'assassinat par les Impériaux de l'ambassadeur de France Rincon.

Charles-Quint remit Henry VIII dans son jeu. La France fut attaquée en Roussillon, l'Italie perdue de nouveau en dépit d'un succès à Cérisoles (1543). François Ier lança de nouveau les troupes de Soliman contre l'empire et, devant tant de dangers, Charles-Quint préféra traiter. La paix signée à Crépy-en-Laonnois en 1544 confirmait la renonciation de la France à l'Italie, mais Charles-Quint abandonnait ses prétentions sur la Bourgogne. Henry VIII, inquiet d'une tentative de débarquement, vendit Boulogne à la France à la paix d'Ardres (1546).

Nous approchons de la fin du règne. François Ier avait eu une vie très dissolue, les noms de ses maîtresses, Anne de Pisseleu, duchesse d'Étampes, et Madame de Chateaubriant ont passé à la postérité. On a aussi beaucoup parlé de la Belle Ferronnière, par laquelle un mari jaloux aurait fait contaminer le roi, ce qui aurait hâté sa fin.

Ce règne brillant se termina en 1547 dans un crépuscule menacé d'orages confessionnels et également d'orages politiques car Charles-Quint, plus puissant que jamais, n'avait pas renoncé à l'agressivité.

HENRI II (1547-1559) ET CATHERINE DE MÉDICIS

HENRY II ÉTAIT LE DEUXIÈME FILS DE FRANÇOIS Ier et il avait été marié à Catherine de Médicis, sans être dauphin ; ce fut la mort de son frère, en 1536, qui fit de lui l'héritier de la Couronne et de la petite Florentine qu'il avait épousée une future reine de France.

Cette reine si intéressante domine de loin la personnalité d'un roi assez effacé : celui-ci était de taille élancée, avec des épaules fort larges, un visage triste à la bouche amère ; on attribuait sa quasi-hypocondrie au souvenir de ses années de captivité à Madrid ; il était peu intelligent, dépourvu de curiosité intellectuelle, médiocrement cultivé, n'ayant de goût que pour les exercices physiques.

Sa vie sentimentale fut fort curieuse : il aima son épouse Catherine de Médicis, mais l'union fut stérile pendant neuf années au cours desquelles Henri II, après avoir fait quelques bâtards à des demoiselles d'honneur, tomba amoureux fou de la veuve du sénéchal de Brézé, Diane de Poitiers ; elle avait trente-huit ans, il n'en avait que dix-neuf. Cette femme déjà mûre allait exercer sur le roi une domination morale et sensuelle et il allait avoir envers elle une sorte de fidélité. Diane de Poitiers, animatrice des châteaux d'Anet, de Chenonceaux, de Chaumont a laissé un souvenir dans les arts et dans l'armorial puisqu'elle fut créée duchesse de Valentinois.

Cette liaison étonnante n'empêcha pas Henri II d'être un époux attentionné, attaché à sa femme, qui après ses années stériles lui donna dix enfants, dont trois furent rois de France, comme cela s'était déjà produit lors de l'extinction des Capétiens directs.

Catherine de Médicis est une figure de premier plan ; amenée en France à quatorze ans, mariée en présence du roi François Ier et du pape Clément VII, elle adora son mari en dépit de son infidélité.

Elle n'était pas vraiment jolie et fut déformée par les maternités. Elle avait un port robuste, la tête et le front larges, des cheveux châtains ondulés sur les tempes, le visage charnu, les yeux clairs et fort ouverts, le nez gros et busqué, les lèvres sensuelles, le menton court et empâté,

Henri II. (Portrait attribué au Primatice.)

Ce livre present fut fait & ordonne
principalment a linstance dung aultre
fait en rime na guieres & de noivel
venu a congnoissance q̄ est intitule
des eschez amoureux et des eschez da
mo̾s aussi cōe po̾ declairer aucunes
choses q̄ la rime cōtient q̄ semblent
estre obscures et estrāges de premiere
face. Et po̾ ce fut il fait en prose po̾
ce q̄ prose est plus clere a entendre
par raison q̄ nest rime lacte̾ donc
q̄ le fist cōmence ainsi son livre &
met ung tel prologue.

Pour ce que la matiere da
mours est delitable en soy
et ioyeuse et plaisāt a plus̾
escoutans Et par especial aux ieunes
gens du monde ausquelz le fait da
mours aussi est plus appartenant.
Pource voult cilz qui fist le livre
des eschez amoureux monstrer com
ment il fut amoureux en sa ieunesse
espris et esmeus de lamō dune ieune
damoiselle. Et ce voult il signifier
couvertement par le ieu des eschez
plus q̄ par aultre voye par aventure

Ci-contre : François de Valois (François Ier) et sa sœur Marguerite jouant aux échecs.

A droite : Portrait de François Ier (école française de la première moitié du XVIe siècle.)

Ci-dessous : Claude de France, première femme de François Ier.

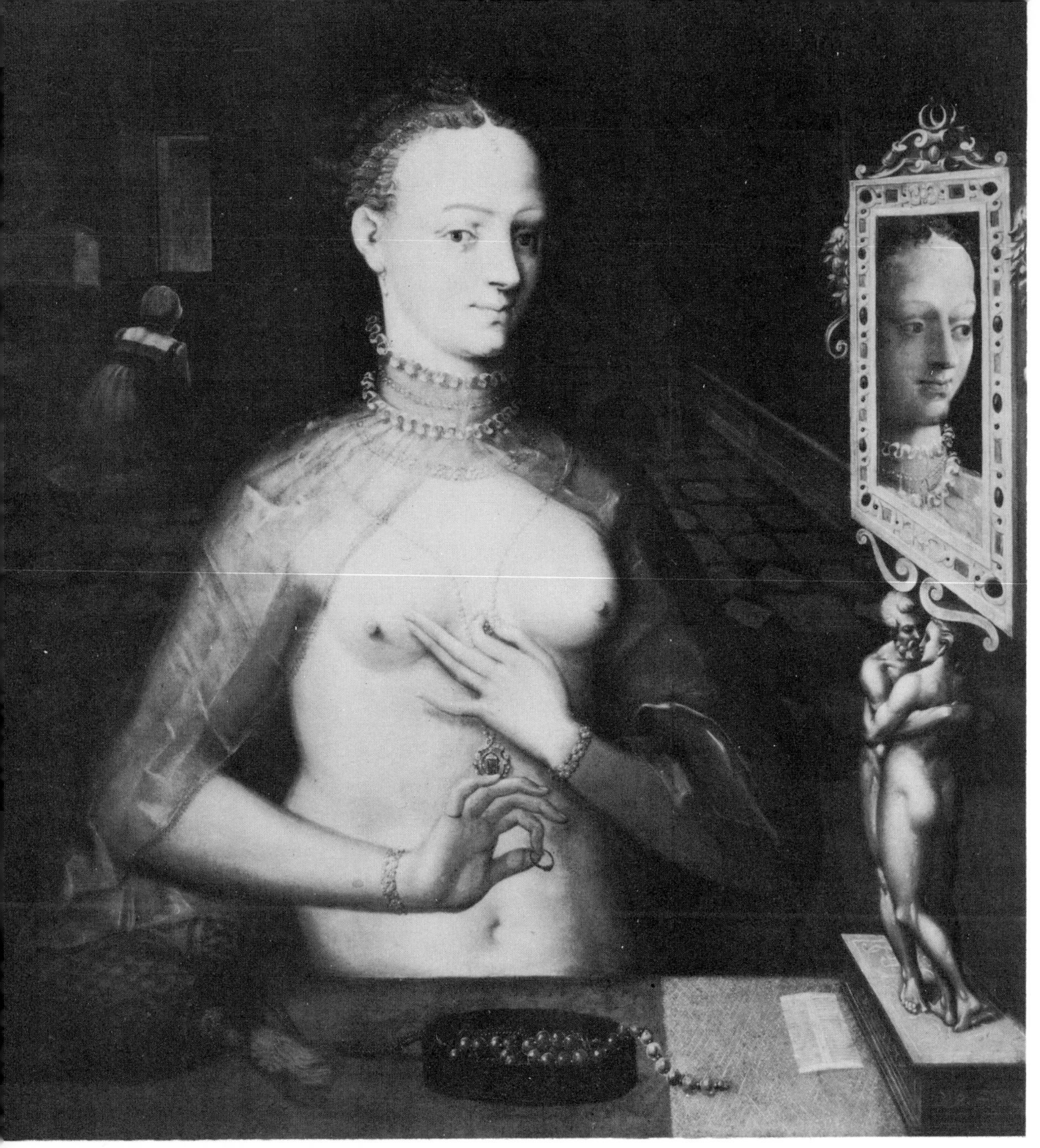

Diane de Poitiers. (École de Fontainebleau.)

la gorge puissante, le tempérament sanguin, une extrême capacité de résistance, un fort appétit.

Cette femme qui ne fut jamais heureuse montra des qualités d'homme d'État, mais commit des fautes par crainte, par violence, peut être aussi par cruauté. Elle fut de celles qui ont changé le cours de l'Histoire, mais pas toujours d'une manière heureuse, et la postérité a ordinairement été sévère pour sa mémoire.

Reine appelée à jouer les premiers rôles après son veuvage, elle n'en joua pratiquement aucun du vivant de son époux dominé par sa maîtresse, Diane de Poitiers, et par son premier ministre, le connétable de Montmorency.

Celui-ci, créature de François Ier, avait connu une semi-disgrâce à partir de 1540. Dès qu'il fut monté sur le trône, Henri II l'appela et lui fit une entière confiance car il l'admirait sans réserve. Il n'en reste pas moins que Montmorency paraît avoir été un personnage des plus ordinaires, médiocre stratège, et politique de second plan. La faveur du roi, qui fit de lui le premier duc et pair de France, lui accorda une importance et un rôle fort au-dessus de ses capacités.

La situation financière au début du règne était malaisée parce que, dans ses derniers mois, François Ier avait laissé flotter les rênes. Les impôts rentraient mal et des émeutes antifiscales éclatèrent. Ce qu'Henri II n'aurait osé faire, Montmorency le mena à bien avec dureté ; il employa la force, allant jusqu'à bombarder la ville de Bordeaux.

Les Français firent la différence entre ses méthodes brutales et l'habileté d'un autre pacificateur en Saintonge, le duc de Guise, qui fera bientôt parler de lui. Frère de la reine d'Écosse, il négociera contre la volonté de l'Angleterre le mariage de sa nièce Marie Stuart avec le dauphin et cette union sera lourde de conséquences en politique intérieure.

La situation extérieure n'était guère meilleure que l'intérieure. Charles-Quint était arrivé, par la victoire de Mühlberg, à vaincre les résistances de la ligue protestante de Smalkalde et il était en passe de devenir le fédérateur de l'Allemagne, ce qui menaçait de nouveau l'équilibre européen.

Se souvenant des mauvais traitements subis à Madrid, Henri II haïssait Charles-Quint et professait à son endroit une doctrine simple qui sera poursuivie par ses successeurs : « Tenir sous mains les affaires d'Allemagne en aussi grande difficulté qu'il se pourra. »

Restaient les moyens à trouver pour mener à bien ce programme et Henri II hésitait entre plusieurs méthodes ; il imagina d'inviter Charles-Quint à son sacre en qualité de vassal de Flandre. L'Empereur, considérant qu'il s'agissait d'une insolence, répondit que s'il se dérangeait ce serait à la tête d'une bonne armée.

Montmorency et ses neveux d'Andelot, dont le plus marquant était le futur amiral de Coligny, suggérèrent une négociation. En revanche, le clan Guise se montrait belliqueux et conseillait de reconquérir le royaume de Naples. Il était appuyé par l'entourage italien de Catherine de Médicis, groupe qui a gardé le nom de *fuorusciti.*

Pour se mettre à l'abri, on renforça l'alliance avec les Turcs ; on fit des démarches auprès des princes protestants d'Allemagne ; on apporta une aide militaire à l'Écosse en lutte contre l'Angleterre.

L'intervention en Écosse eut un aboutissement romanesque : le duc de Somerset, premier ministre d'Édouard VI, voulut enlever Marie Suart pour la fiancer au futur roi d'Angleterre, ce qui eût consacré l'union de l'Écosse avec l'Angleterre. Le succès des troupes françaises en Écosse produisit le résultat contraire : l'héritière d'Écosse fut amenée en France pour y poursuivre son éducation et, selon le souhait de ses oncles Guise, fiancée au dauphin ; l'indemnité prévue pour le rachat de Boulogne fut diminuée de moitié.

Pour fortifier les défenses à l'Est, on renforça l'alliance avec les cantons suisses ; les dangers restaient limités aux frontières du Nord-Est et ce sera l'honneur d'Henri II d'y avoir pourvu.

Pour y parvenir il employa une méthode singulière : il fit mener par Maurice de Saxe des négociations avec les princes d'Allemagne pour que ceux-ci lui reconnaissent le titre de vicaire de l'Empire. Le résultat, qui fut obtenu au traité de Chambord (1552), mettait sous la protection du roi de France les trois évêchés de Toul, Metz et Verdun. Sous le prétexte d'aller visiter les villes qu'il devait protéger, il confia la régence à Catherine de Médicis et, à la tête d'une armée, prit la direction du Rhin.

Il fut bien accueilli en Lorraine où Charles-Quint était peu aimé et il organisa une régence à Nancy, prévoyant le mariage de l'une de ses filles avec le duc de Lorraine encore mineur, puis, après une promenade dans la vallée du Rhin, il regagna la France sans avoir combattu.

Le centre des opérations se situait ailleurs : Maurice de Saxe, à la tête des troupes protestantes, franchit les Alpes bavaroises et marcha sur Innsbruck où Charles-Quint résidait. L'Empereur prit la fuite pour ne pas être fait prisonnier par son vassal et confirma les libertés germaniques par le traité de Passau.

Henri II crut avoir triomphé à bon compte. Il se faisait des illusions. Résolu à venger son humiliation d'Innsbruck, Charles-Quint marcha sur Metz, où François de Guise s'enferma... Montmorency s'établit en seconde ligne de défense à la fois en Champagne et en Picardie.

Charles-Quint conduisit personnellement le siège de Metz, mais une héroïque défense de François de Guise sauva la place ce qui lui conféra une autorité qu'il fera bientôt sentir.

L'échec de Metz n'avait nullement découragé. l'Empereur qui fit passer ses troupes à l'offensive et battit les Français à Thérouanne.

Un autre front s'était ouvert en Italie et les *Commentaires* de Montluc ont immortalisé la défense de Sienne.

Aidé par les Barbaresques, le maréchal de Termes occupait la Corse, cependant que le maréchal de Brissac s'emparait du Piémont.

A gauche : François II et Marie Stuart (livre d'Heures de Catherine de Médicis).

Ci-contre : Portrait de Charles IX (atelier de François Clouet.)

Catherine de Médicis, par Clouet.

Cet ensemble de déboires ancra Charles Quint dans sa résolution de se retirer du monde et de partager ses États.

Sous la pression d'une médiation anglaise, on offrit à Henri II une trêve. Signée à Vaucelles en 1555, elle conservait à la France le Piémont, les places conquises dans le Montferrat et en Toscane et surtout l'essentiel, à savoir les trois évêchés.

Avant de décider sa retraite au monastère de Yuste, Charles Quint prit ses précautions : il remit l'Autriche à son frère Ferdinand avec la Bohême et la Hongrie ; son fils Philippe II, avec l'Espagne, la Flandre, les Pays-Bas, la Franche-Comté menaçait d'autant plus la France qu'il avait épousé la reine d'Angleterre Marie Tudor, ce qui recréait, peut-être en pire, les dangers de la guerre de Cent Ans.

De surcroît, l'élection à la tiare du cardinal Caraffa, qui prit le nom de Paul IV, laissa prévoir que l'Italie demanderait sa libération, ce rôle devant d'ailleurs revenir à la France qui se verrait contrainte à batailler sur un front de plus.

Comme il existait en France un parti de la guerre, un traité secret fut signé avec le Saint-Siège sur l'inspiration de François de Guise, qui souhaitait toujours obtenir le royaume de Naples et désirait y joindre la tiare pour son frère, le cardinal de Lorraine (1556).

L'Espagne passa à l'attaque sur le front d'Italie : partant de Naples, le duc d'Albe occupa Anagni, puis Tivoli aux portes de Rome.

Henri II avait envoyé le duc de Guise en Italie avec douze mille hommes ; pourvu d'aussi faibles effectifs, il dut retraiter, mais ses troupes firent cependant défaut dans le secteur où Philippe II comptait porter son principal effort.

Avec cinquante mille hommes, grossis par un contingent anglais fourni par Marie Tudor, il fit mettre par le duc de Savoie le siège devant Saint-Quentin. Coligny put entrer dans la place pour organiser la défense tandis que Montmorency tentait de débloquer la ville par le sud.

Le 10 août 1557, Montmorency se heurta aux Espagnols, fut fait prisonnier et ses troupes se débandèrent, laissant ouverte la route de Paris. On sait que, pour commémorer le souvenir de cette victoire, Philippe II devait construire le palais-monastère de l'Escurial, en forme de gril pour rappeler le supplice de saint Laurent.

L'armée de Philippe II ne sut pas profiter de son succès. Henri II mit Paris en état de défense et, tandis que les Espagnols s'attardaient à des succès locaux enlevant Noyon et Ham, le roi chargea le duc de Guise d'aller reprendre Calais.

La mission fut menée à bien et, le 8 janvier 1558, la ville de Calais, perdue depuis deux cent onze ans, fit retour à la France. Pour marquer la victoire détruisant la dernière enclave anglaise, Henri II fit célébrer solennellement le mariage du dauphin François avec Marie Stuart.

Tandis que la guerre continuait, Charles Quint et Marie Tudor moururent à quelques jours d'intervalle ce qui hâta une paix qui fut signée le 2 avril 1559 à Cateau-Cambrésis. La France, pour garder les Trois-Évêchés, renonçait à toutes ses conquêtes en Italie ; Élisabeth de France, fille d'Henri II, épousait Philippe II devenu veuf.

Pour célébrer la paix, Henri II organisa une série de fêtes et, en participant à un tournoi, il eut l'œil crevé par la lance de Montgomery. Il mourut après dix jours de souffrances atroces, âgé de quarante et un ans, et laissant la France à la veille d'une crise où elle manquera de périr.

FRANÇOIS II (1559-1560) ET MARIE STUART

LE RÈGNE DE FRANÇOIS II est l'un des plus brefs et des plus déplorables de l'histoire de France.

La mort d'Henri II n'ouvrait pas une régence puisque le dauphin François avait accompli ses quinze ans. Le nouveau roi semblait pourtant incapable de régner. C'était un esprit faible, n'ayant jamais manifesté le moindre goût pour l'étude par absence d'attention. Il souffrait constamment de maux de tête atroces et il semble qu'il était atteint de tuberculose.

Une maladie de cet ordre exaspère les appétits charnels et il est hors de doute que la nouvelle reine, la charmante Marie Stuart, se montrait fort portée au chapitre des sens. Une frénésie sexuelle attacha ces deux êtres l'un à l'autre, achevant d'hébéter le jeune roi.

Le sacre de François II en 1559.

Catherine de Médicis eût bien aimé jouer un rôle dans le gouvernement mais la domination que Marie Stuart exerçait sur son époux ne le lui permit pas.

Sous l'influence de la reine, Montmorency fut éliminé du pouvoir et elle mit en place ses oncles François de Guise et son frère le cardinal de Lorraine. Ceux-ci, qui prétendaient descendre de Charlemagne, se considéraient comme les plus dignes d'exercer l'autorité royale.

La situation intérieure était devenue très difficile par la naissance des luttes confessionnelles.

Aux derniers jours du règne d'Henri II, le conseiller au Parlement Anne du Bourg avait osé stigmatiser les violences exercées contre les protestants. Le roi le fit déclarer hérétique et il fut condamné au bûcher.

La cruauté du traitement infligé à un homme dont la probité ne faisait pas de doute fut imputée, peut-être à tort, à l'influence des Guise qui s'étaient opposés à une grâce qui eût été de bonne politique.

Il y eut une levée de boucliers et les mécontents demandèrent une convocation des Etats-généraux dans l'espoir que ceux-ci écarteraient les Guise et confieraient le pouvoir aux princes du sang, ce qui convenait fort à Catherine de Médicis. Le candidat rêvé par les opposants était le prince de Condé, frère cadet d'Antoine, chef des Bourbons devenu roi de Navarre par son mariage avec Jeanne d'Albret.

Les Etats-généraux n'ayant pas été convoqués, une conspiration s'organisa. Elle fut menée par un aventurier périgourdin, le protestant La Renaudie. Ayant réuni un assez fort contingent d'hommes d'armes, La Renaudie devait, le 15 mars 1560, se rendre maître de Blois et imposer au roi les volontés des conjurés.

Des dénonciations se produisirent et, un mois avant la date fixée, les Guise eurent vent de l'entreprise. Bien que se refusant à y croire, les Guise firent partir le roi de Blois et l'installèrent au château d'Amboise que ses défenses rendaient imprenable. Un coup de main habile permit d'arrêter préventivement les lieutenants de La Renaudie. Cela n'empêcha pas la tentative contre le château d'Amboise les 16 et 17 mars 1560. Les Guise firent donner l'artillerie et les troupes des conjurés se débandèrent. La Renaudie fut tué le 19 mars et une grande partie des conjurés fut égorgée sur place ; les autres, tait prisonniers et sommairement jugés, furent pendus aux créneaux du château.

On assure que François II et Marie Stuart, accompagnés de la Cour, prenaient plaisir à venir contempler les pendus aux lueurs des flambeaux.

Aux yeux du roi le principal coupable était le prince de Condé en qui l'on voyait l'instigateur de la conspiration. Celui-ci n'avait pas craint, cependant, de venir à Amboise pour affirmer qu'il n'y avait été mêlé en rien. Puis, sentant qu'il n'était pas cru, il prit le large. Sentant l'impopularité des Guise, Catherine de Médicis, désireuse d'une conciliation, fit nommer chancelier un homme à l'esprit rassis, Michel de L'Hospital, ce qui se révéla un bon choix.

Le chancelier et la reine furent d'avis de convoquer les Etats-généraux qui ne s'étaient pas réunis depuis Louis XII, en 1506 ; le roi donna l'ordre de convocation pour la ville d'Orléans. Navarre et Condé y furent invités et, malgré le risque, ils acceptèrent ; l'accueil de François II fut glacial.

Comme roi de Navarre, Antoine de Bourbon était inviolable. Il n'en était pas de même de son frère et, sous la pression des Guise qui haïssaient les Bourbons, Condé fut arrêté en pleine session des Etats.

Sur l'ordre du roi, il fut jugé et condamné à mort. Estimant que c'était un grand risque d'exécuter un prince du sang, Michel de L'Hospital profita de la maladie du roi pour faire surseoir à l'exécution.

L'état du roi s'aggrava subitement ; le 16 novembre 1560, il eut une syncope et ses maux de tête devinrent tellement intolérables qu'il se mit à pousser des cris ininterrompus.

Les médecins se montrèrent impuissants et, le 5 décembre, à Orléans, François II mourut d'une méningite encéphalique, consécutive à une inflammation suppurée de l'oreille gauche, liée à des végétations adénoïdiennes.

Sa mort paraissait appelée à renverser les Guise et ouvrait la régence de Catherine de Médicis puisque l'héritier de la Couronne, le duc d'Anjou, qui sera Charles IX, n'avait pas atteint sa majorité.

Condé échappa à la mort et fut libéré tandis que Marie Stuart était reconduite au-delà des mers où l'attendait un tragique destin.

CHARLES IX (1560-1574)

QUAND CHARLES IX accéda à la Couronne il n'était âgé que de dix ans. « C'était, écrit Michiele, ambassadeur de Venise, un admirable enfant. Il a de l'ardeur, de la générosité, de la bonté. Sa physionomie est belle et ses yeux particulièrement beaux, mais il est faible de tempérament. Il mange et boit fort peu. Il aime passionnément les exercices du corps, le jeu de paume et le dressage du cheval qui sont, certes, des exercices de prince, mais bien trop violents pour lui. La moindre fatigue le condamne à un long repos. L'étude ne lui plaît guère ; cependant il s'y met pour faire plaisir à sa mère. »

Hélas ! le bel adolescent que peint l'ambassadeur était appelé à être un des rois les plus tragiques de l'histoire et l'attachement à sa mère, conjugué à sa propre faiblesse, devait l'entraîner aux pires extrémités.

Le problème de la régence nécessaire fit l'objet d'un compromis ; on pouvait soutenir qu'elle revenait au premier prince du sang, Antoine de Bourbon, roi de Navarre, mais il existait le précédent de Blanche de Castille. Catherine de Médicis exigea la régence, mais dut nommer Antoine de Bourbon lieutenant-général du royaume. Dès l'abord, les factions catholique et protestante se trouvaient affrontées et cet affrontement allait dominer le règne où débutèrent ces luttes sanglantes qui ont conservé le nom de « guerres de religion ».

Au départ, Catherine de Médicis était portée à la conciliation entre les deux confessions. Aux Etats-généraux qui continuaient à siéger, un certain nombre de représentants des deux confessions envisagèrent des réunions d'information. L'ordonnance d'Orléans (31 janvier 1561) eut pour effet

Charles IX. (École française du XVIe siècle.)

de suspendre les persécutions confessionnelles édictées par Henri II et matérialisées par le supplice d'Anne du Bourg ; pour rendre patente la tendance, tous les prisonniers réformés furent libérés.

Catherine de Médicis et Michel de L'Hospital voulurent aller plus loin et ils organisèrent la rencontre entre théologiens catholiques et théologiens protestants. Cette réunion célèbre a gardé dans l'histoire le nom de « colloque de Poissy » (septembre-octobre 1561). Les docteurs des deux religions, mis en présence, ne purent que constater avec regret la différence de leurs conceptions confessionnelles. On se sépara sans avoir pu se mettre d'accord, mais les protestants tirèrent des avantages de la rencontre.

Ils furent matérialisés par l'édit de Saint-Germain (17 janvier 1562), qui confirmait la grâce de Condé et conférait aux réformés le droit de célébrer leur culte à certaines conditions. Ces concessions avaient été recommandées par L'Hospital, qui pensait désarmer ainsi les protestants. Il accentua son attitude bienveillante en réduisant le budget militaire, ce qui allait le priver des forces nécessaires quand les désordres éclateraient.

Les catholiques pensèrent que l'on avait trop concédé aux protestants et le duc de Guise fit des préparatifs dans l'éventualité d'une guerre civile. Le prétexte de celle-ci fut un massacre de protestants célébrant leur culte à Wassy, massacre dû aux gens du duc de Guise qui traversaient la ville (1er mars 1562).

Les protestants considérèrent le massacre comme une déclaration de guerre : ils firent appel à la reine Elisabeth Tudor, qui signa avec Condé et Coligny un traité à Hampton Court, le 20 septembre 1562, leur promettant subsides et troupes contre la remise du Havre et de Calais. Pour leur faire pièce, les Guise réclamèrent l'aide de Philippe II.

La guerre civile flamba de toutes parts. Le choc entre les troupes commandées par les chefs eut lieu à Dreux (19 décembre 1562). Condé et Coligny y furent complètement battus par François de Guise ; celui-ci vint mettre le siège devant Orléans où il fut assassiné par un fanatique protestant, Poltrot de Méré.

Bien que lieutenant-général du royaume, Antoine de Bourbon avait pris la tête des troupes protestantes qui assiégeaient Rouen ; il fut tué d'un coup d'arquebuse, ce qui achevait de décapiter les deux partis puisque le duc de Guise était mort. Catherine de Médicis offrit la paix à Condé en accordant la liberté du culte protestant, mais seulement en célébration privée. Puis, par le traité de Troyes (12 avril 1564), on fit la paix avec Elisabeth d'Angleterre.

Charles IX, qui avait été sacré dès 1561, atteignit sa majorité légale. Il entreprit, aux côtés de sa mère, un voyage pour visiter son royaume, emmenant avec lui le jeune Henri de Navarre, fils d'Antoine de Bourbon. Ce voyage fut marqué par l'édit de Roussillon, fixant le début de l'année au 1er janvier, et par une entrevue à Bayonne avec la reine d'Espagne, sœur du jeune roi.

Cette entrevue fit reflamber les hostilités confessionnelles. La guerre civile reprit à la suite d'un complot protestant, dit le « tumulte de Meaux », où les protestants tentèrent d'enlever le roi Charles IX. Celui-ci, prévenu à temps, put s'échapper mais les armées protestantes tentèrent d'assiéger Paris. La ville fut débloquée par la bataille de Saint-Denis où Montmorency trouva la mort. Une paix fut signée à Longjumeau (23 mars 1568). Michel de L'Hospital, conscient trop tard du danger protestant, donna sa démission.

Peu après, une troisième guerre éclata qui se prolongea pendant deux ans et eut pour théâtre l'ouest de la France.

Le duc d'Anjou, futur Henri III, frère cadet de Charles IX, y montra de réelles qualités militaires et remporta deux succès importants au cours de l'année 1569, à Jarnac et à Moncontour. Condé, fait prisonnier à Jarnac, fut abattu sauvagement par un capitaine des gardes du duc d'Anjou.

Coligny, ayant pris le commandement, s'était retranché dans La Rochelle où lui parvenaient renforts et subsides anglais. Sa résistance pouvant durer longtemps, Catherine de Médicis offrit la paix, dite de la Reine, signée à Saint-Germain en 1570.

Cette paix très libérale marquait une tentative de réconciliation générale. Charles IX, qui n'avait pas d'animosité contre les protestants, leur accorda avec la liberté de conscience et de culte quatre places de sûreté. On a considéré depuis que c'était un précédent grave d'avoir traité avec des rebelles. Le roi alla beaucoup plus loin : il appela à la Cour son cousin, le jeune Henri de Navarre, dans le dessein de le marier à sa sœur Marguerite, la future reine Margot.

Charles IX venait d'épouser la charmante Élisabeth d'Autriche et il envisageait le mariage de son dernier frère, le duc d'Alençon, avec la reine Élisabeth Tudor. La reine ne devait avoir qu'une fille, mais Charles IX eut une favorite officielle, Marie Touchet, qui devait lui donner un bâtard, le futur comte d'Auvergne.

Le rapprochement avec les protestants alla si loin que Coligny revint à la Cour. Il y devint rapidement le conseiller du souverain auquel il tenta d'imposer sa politique.

Celle-ci présentait de graves complications. La victoire navale de Lépante (1571), où l'archiduc Juan d'Autriche avait écrasé la flotte turque, était une atteinte directe au prestige français, allié traditionnel de la Sublime Porte.

A défaut de l'Autriche, Coligny envisagea d'attaquer l'Espagne aux Pays-Bas, mis à feu et à sang par la répression confessionnelle atroce conduite par le duc d'Albe. Charles IX, de caractère faible, se laissa persuader par l'amiral : celui-ci soutenait que cette opération militaire serait de nature à apaiser ses coreligionnaires qu'il sentait tout près de déclencher une quatrième guerre civile. L'amiral exprima son point de vue au Conseil des ministres en des termes qui irritèrent fort Catherine de Médicis.

Cet événement se situait dans la première

Élisabeth d'Autriche, femme de Charles IX, par Clouet.

quinzaine du mois d'août 1572, à la veille du mariage d'Henri de Navarre et de Marguerite de Valois.

Le 18 août, le mariage fut célébré sur le parvis de Notre-Dame en raison de la différence des confessions.

Puis se tint un Conseil des ministres où Catherine de Médicis déclara tout net à l'amiral de Coligny qu'elle préférait le risque de la guerre civile à celui de la guerre étrangère. Les Guise, mis au courant, intervinrent à titre personnel ; sous prétexte de venger la mort de leur père, ils chargèrent un tueur à gages, Maurevert, d'abattre Coligny.

Le 20 août 1572, Maurevert tirait sur Coligny un coup d'arquebuse qui lui coupa un doigt et le blessa au bras. Coligny se mit au lit, et Charles IX, prévenu de l'attentat, vint lui rendre visite ;

Le massacre de la Saint-Barthélemy à Paris (24 août 1572), où périrent plusieurs milliers de protestants. (Peinture de François Dubois d'Amiens.)

l'amiral le mit au courant de la situation.

Catherine de Médicis, fort inquiète de cette entrevue, questionna son fils avec âpreté. Celui-ci, poussé dans ses retranchements, avoua à sa mère que Coligny lui avait conseillé de gouverner lui-même.

Aimant follement le pouvoir, la reine se vit perdue. Elle usa de son influence maternelle et de son ascendant sur son faible fils pour le convaincre que les huguenots voulaient renverser la royauté et qu'un complot était prêt à éclater.

Le raisonnement de la reine se comprenait ; pour se débarrasser de Coligny il fallait choisir le parti catholique. La méthode envisagée paraît avoir été particulièrement blâmable puisque, pour faire aboutir son dessein, la reine conseilla à son fils de faire massacrer tous les protestants.

Il fallut plusieurs heures pour décider le roi qui finit par céder à l'atmosphère de panique créée par l'insistance de Catherine de Médicis. Quand il s'agit de donner l'ordre du massacre, le roi hésita. « Avez-vous peur ? », demanda Catherine.

Et Charles IX répondit ce mot qui pèse si lourdement sur sa mémoire : « Tuez les tous pour qu'il n'en reste pas un pour me le reprocher. »

La tuerie commença tout de suite sous les ordres d'Henri de Guise, fils de François. L'amiral de Coligny fut attaqué chez lui, lardé de coups d'épée et jeté par la fenêtre.

On discute encore du nombre des victimes de cette affreuse tuerie qui a gardé le nom du jour où elle fut accomplie, la Saint-Barthélemy (24 août 1572).

On admet généralement que le massacre, étendu à toute la France, fit au moins quinze mille morts. Il ne choqua pas les nations catholiques ; le pape Grégoire XIII envoya ses félicitations au roi de France et fit frapper une médaille commémorative.

La Saint-Barthélemy eut pour conséquence le déclenchement d'une quatrième guerre de religion qui se circonscrivit au siège de La Rochelle et à celui de Sancerre. Le duc d'Anjou, qui menait les opérations, fut alors élu roi de Pologne, contre Ivan le Terrible, et se vit contraint de rejoindre son nouveau royaume.

Depuis le massacre, le roi de Navarre était pratiquement prisonnier à la Cour ; il tenta de s'évader avec l'aide de La Môle et de Coconnas, mais le complot fut découvert et ses auteurs décapités, épisode qui a passé dans la légende.

Charles IX montra dans cette affaire une grande cruauté ; on aurait dit que, depuis la Saint-Barthélemy, il avait pris le goût du sang. Sa santé se dégrada rapidement. On assure qu'une mystérieuse maladie « faisait sourdre de tout son corps une incessante et rouge sueur ».

Il répétait à sa vieille nourrice huguenote veillant à son chevet : « Nourrice, nourrice, que de sang autour de moi ! N'est-ce-pas celui que j'ai répandu ? », ce qui fait dire que le roi mourut de remords. Il semble plutôt que ce fut la tuberculose qui mit fin à sa vie le 31 mai 1574.

HENRI III
(1574-1589)

LE ROI HENRI III est un des plus singuliers souverains français. Ses mœurs ont fait jaser et, parce qu'il parut parfois dans des cérémonies officielles travesti en femme, on le surnomma « le roi de Sodome ». On lui connaît pourtant de nombreuses aventures féminines et il fut un excellent époux pour Louise de Vaudémont. Mais son aspect extérieur trop pomponné, ses boucles d'oreilles, son entourage de beaux hommes appelés « mignons » ont fait grand tort à sa mémoire.

C'était un homme fin, courageux, bon politique, d'une grande culture qu'il devait à son précepteur, le célèbre Jacques Amyot ; son goût des lettres se manifesta par la fondation d'une Académie, son amour des honneurs par la création, en 1578, de l'Ordre du Saint-Esprit.

Très imbu de la grandeur de ses fonctions, il édicta une étiquette rigoureuse interdisant de l'approcher de près et la seule fois où il fit exception à cette règle lui fut fatale.

Très jeune, il avait manifesté des goûts militaires et il n'avait pas vingt ans lors de ses succès à Jarnac et à Moncontour.

Élu roi de Pologne en 1573 contre Ivan le Terrible, il gagna son nouveau royaume où il fit une brève mais utile expérience politique.

Il fut prévenu de la mort de son frère par un message de Catherine de Médicis qui lui arriva le 15 juin 1574. Gardant le secret sur la nouvelle, il s'enfuit clandestinement dans la nuit du 15 au 16 juin et prit la route de Vienne où l'Empereur lui réserva un magnifique accueil.

Fête donnée par Henri III et Louise de Lorraine. (Tapisserie flamande.)

Plus splendide encore fut la réception à Venise où Henri III passa une semaine à travers des fêtes étourdissantes ; puis, traversant le Piémont, il céda au duc de Savoie Pignerol et Savigliano, forteresses sauvées à Cateau-Cambrésis. Cette cession, dictée par des considérations de politique extérieure, lui valut, dès l'abord, une impopularité qu'aggravera encore une modification des préséances comprise dans sa réforme de l'étiquette.

Les 13 et 14 février 1575, se déroulèrent les cérémonies du sacre et du mariage du roi. Quand on posa la couronne sur sa tête, Henri III dit qu'elle lui faisait mal, ce qui lui parut de mauvais augure.

La situation du royaume n'était pas de tout repos, bien que Catherine de Médicis, virant une fois de plus, eût remis en vigueur une politique confessionnelle plus conciliante.

Une cinquième guerre n'en éclata pas moins sous la direction du prince de Condé, fils de l'assassiné de Jarnac. Celui-ci, ayant promis les Trois-Évêchés aux princes allemands, en obtint vingt-mille reîtres qu'Henri de Guise dispersa à Dormans, et où il reçut une blessure qui lui valut, comme à son père, le surnom de Balafré.

Le duc d'Alençon se posa en médiateur, d'où le nom de paix de Monsieur donné au traité qui fut complété par l'édit de Beaulieu (5 mai 1576). Cet édit marquait un échec du parti catholique puisque les protestants retrouvaient la liberté du culte, des places de sûreté, des chambres de justice mi-parties. Il semblait que l'on était en train de désavouer la politique de la Saint-Barthélemy.

Henri III avait dû céder beaucoup parce qu'il était sans argent pour payer ses troupes. Sur le conseil des Guise, il assembla les États-généraux à Blois. Ceux-ci furent marqués par la constitution d'une faction catholique, la Sainte-Ligue. Pour que cette faction ne mît pas en danger l'autorité royale, Henri III en prit la tête le jour de l'ouverture des États le 6 décembre 1576.

Les États furent orageux et ils aboutirent à l'édit de Poitiers, décision financière fixant à trois livres le cours de l'écu d'or et à une livre le cours du franc d'argent, stabilisation qui restera valable jusqu'à la fin du XVIe siècle.

Mais comme aucune décision confessionnelle n'avait été prise, une sixième guerre se déchaîna ; limitée au Languedoc elle fut apaisée par Damville, un Montmorency, et terminée par la paix de Bergerac (27 septembre 1577) qui limita les concessions de l'édit de Beaulieu.

En sa qualité de chef de la Ligue, le roi Henri III recouvra une plus grande autorité.

Mais il avait à faire face à de nouvelles difficultés en raison de l'évasion d'Henri de Navarre ; celui-ci était arrivé à quitter la Cour en 1576, et, soutenu par Agrippa d'Aubigné et Rosny, futur duc de Sully il avait gagné Saumur, puis Niort, citadelle protestante. Il y abjura le catholicisme, qu'il avait été contraint d'embrasser au lendemain de la Saint-Barthélemy, et devint le véritable chef de la faction protestante.

Il s'établit à Nérac et une trêve parut s'établir, mais, pour consolider sa situation de chef des protestants, Henri de Navarre passa à l'action et mena les opérations de la septième guerre de religion qui a gardé le surnom de guerre des Amoureux ; elle se borna au siège de Cahors et au soulèvement de quelques places protestantes : Sommières, Lunel et Aigues-Mortes. Condé, qui avait tenté de soulever le Nord de la France, dut s'enfuir en Allemagne.

Une fois de plus, Monsieur, l'ex-duc d'Alençon devenu duc d'Anjou, s'offrit comme médiateur et la paix signée à Fleix (26 novembre 1580) établissait une trêve de six ans, au cours de laquelle il n'y eut pas de nouvelle guerre.

Le duc d'Anjou, qui avait combattu maintes fois son frère Henri III, finit par le servir et mena pour le compte du roi une opération aux Pays-Bas ; il y tomba malade et mourut le 19 juin 1584.

Ce décès ouvrait une crise dynastique aiguë ; Henri III n'avait pas d'enfants de Louise de Vaudémont et il paraissait probable qu'il n'en aurait jamais ; en ce cas la Couronne revenait à son cousin au vingtième degré, qui était aussi son beau-frère, Henri de Navarre. Comme il ne paraissait pas possible que la France, nation catholique, fût gouvernée par un roi protestant, le duc de Guise se posa en véritable prétendant.

Pour le calmer, Henri III dut faire des concessions aux catholiques et il ordonna la dissolution de toutes les ligues protestantes par le traité de Nemours.

De son côté, le pape Sixte-Quint proclama par une bulle virulente la négation des droits d'Henri de Navarre au trône en raison de son appartenance au protestantisme.

Fort de cet appui, Henri de Guise négociait avec l'Espagne afin de s'assurer son appui en vue d'obtenir le trône de France pour lui en cas de décès d'Henri III.

L'exécution de Marie Stuart par Élisabeth d'Angleterre fut le prétexte d'une nouvelle guerre de religion, la huitième, celle qui a gardé le nom de guerre des trois Henri : Henri III, Henri de Guise et Henri de Navarre.

Cette guerre, qui n'est pas sans ressembler à la lutte entre Armagnacs et Bourguignons, fut à la fois celle de la Ligue contre les protestants et de l'Espagne contre l'Angleterre, États aidant respectivement les deux partis.

La Ligue, qui avait obtenu du roi des places de sûreté et se comportait comme un État dans l'État, reçut un échec sanglant à Coutras (15 octobre 1587), où Henri de Navarre défit le duc de Joyeuse, l'un des chefs de la Ligue. En revanche, Henri de Guise, opposé aux armées de l'Est, remporta deux fois des succès importants, à Vimory et à Auneau.

Alors qu'Henri III comprenait clairement qu'il fallait imposer Henri de Navarre pour son successeur, la Ligue devenait maîtresse de Paris, ce qui mettait le roi de France dans une situation tragique.

Le duc de Guise, fort de ses victoires, invita le souverain à se joindre plus activement à la Ligue et à confisquer tous les biens des protestants. Le roi ne donna pas suite à la proposition, ce qui ancra la Ligue dans l'idée qu'Henri III était d'accord avec Henri de Navarre.

Désormais la Ligue n'eut plus qu'une idée, celle de déposer Henri III. Celui-ci, pour atténuer les risques, interdit au duc de Guise de venir à Paris.

Henri de Guise brava l'interdiction et, le 9 mai 1588, il fit son entrée à Paris où il fut accueilli avec enthousiasme ; il se présenta au Louvre où Henri III l'accabla de reproches ; pour se mettre à l'abri, le roi fit entrer dans Paris un régiment suisse et des gardes-françaises.

La Ligue cria à l'abus de pouvoir ; Paris se couvrit de barricades encerclant le Louvre (12 mai 1588). Fort habilement, Henri III s'enfuit clandestinement et se mit à l'abri à Chartres.

D'autre part la guerre prenait un tour nouveau à l'extérieur : la présence de la flotte de Philippe II, l'*Invincible Armada,* sur les côtes de France représentait un tel appoint pour la Ligue que le roi jugea des concessions nécessaires ; il les fit par l'édit d'Alençon (19 juillet 1588) où il exigeait que son successeur pratiquât la religion catholique et où il nommait le duc de Guise lieutenant-général du royaume.

La défaite de l'*Invincible Armada,* neutralisant les dangers venant de l'extérieur, ne rétablit pas le calme en France ; le roi se résigna à convoquer les Etats-généraux.

Ceux-ci s'ouvrirent au château de Blois et les députés, menés par le président de la noblesse, Cossé-Brissac, firent clairement sentir au roi son impopularité et réclamèrent du sang de huguenot.

Il étaient surexcités par le duc de Guise, à qui sa situation de lieutenant-général conférait une

Henri de Guise, dit le Balafré.

redoutable autorité... Henri III ne vit d'autre solution que de supprimer un rival aussi dangereux et, ne pouvant utiliser les voies juridiques, il recourut à l'assassinat.

Le 23 décembre 1588, Henri de Guise, convoqué au Conseil, fut abattu dans une salle du château de Blois par la garde personnelle d'Henri III. La légende a retenu le mot du roi toisant le cadavre de son adversaire : « Il est encore plus grand mort que vivant », et celui de Catherine de Médicis : « Bien taillé, mon fils, maintenant il faut recoudre. »

Ce fut le dernier mot de cette reine terrible qui mourut peu après, le 5 janvier 1589.

Henri de Guise avait été remplacé par son frère, le duc de Mayenne. Celui-ci forma avec la Ligue des armées qui soulevèrent une partie de la France. Le cardinal de Bourbon fut proclamé roi sous le nom de Charles X tandis que le Pape excommuniait Henri III pour le meurtre du cardinal de Lorraine, frère d'Henri de Guise.

Il ne restait au souverain, comme jadis à Charles VII, que les territoires du Centre et du Sud. Henri III fit alors appel à Henri de Navarre ; une conférence eut lieu au Plessis-lez-Tours, le 26 avril 1589 ; les deux beaux-frères s'embrassèrent et amalgamèrent leurs troupes pour reprendre Paris et soumettre le nord du pays.

Le siège de Paris fut établi et les deux Henri s'installèrent à Saint-Cloud comme quartier général. Les Ligueurs se virent perdus. Ils déléguèrent un moine fanatique, Jacques Clément, qui, absous d'avance, demanda audience à Henri III. Oubliant les rigueurs de sa propre étiquette, le roi fit entrer Jacques Clément dans son cabinet de toilette et le moine le frappa d'un coup de couteau dans le ventre (1er août 1589).

Jacques Clément fut jeté par la fenêtre, ce qui laisse subsister du mystère sur son action.

Le 2 août, le roi mourant fit appeler Henri de Navarre, le supplia de se faire catholique et lui dit :

— Mon frère, je le sens bien, c'est à vous de posséder le droit auquel j'ai travaillé pour vous conserver ce que Dieu vous a donné.

Puis, épuisé par ce dernier effort, Henri III expira. Avec lui s'éteignait la race des Valois qui régnait en France depuis deux cent soixante et un ans.

Non sans difficultés, la Couronne allait passer à Henri de Navarre qui placera sur le trône la dynastie des Bourbons.

La rencontre des armées d'Henri III et d'Henri de Navarre en 1589.

Henri IV. (École française.)

Cinquième partie

LES BOURBONS

1589-1792

Apogée de la Nation

LES BOURBONS

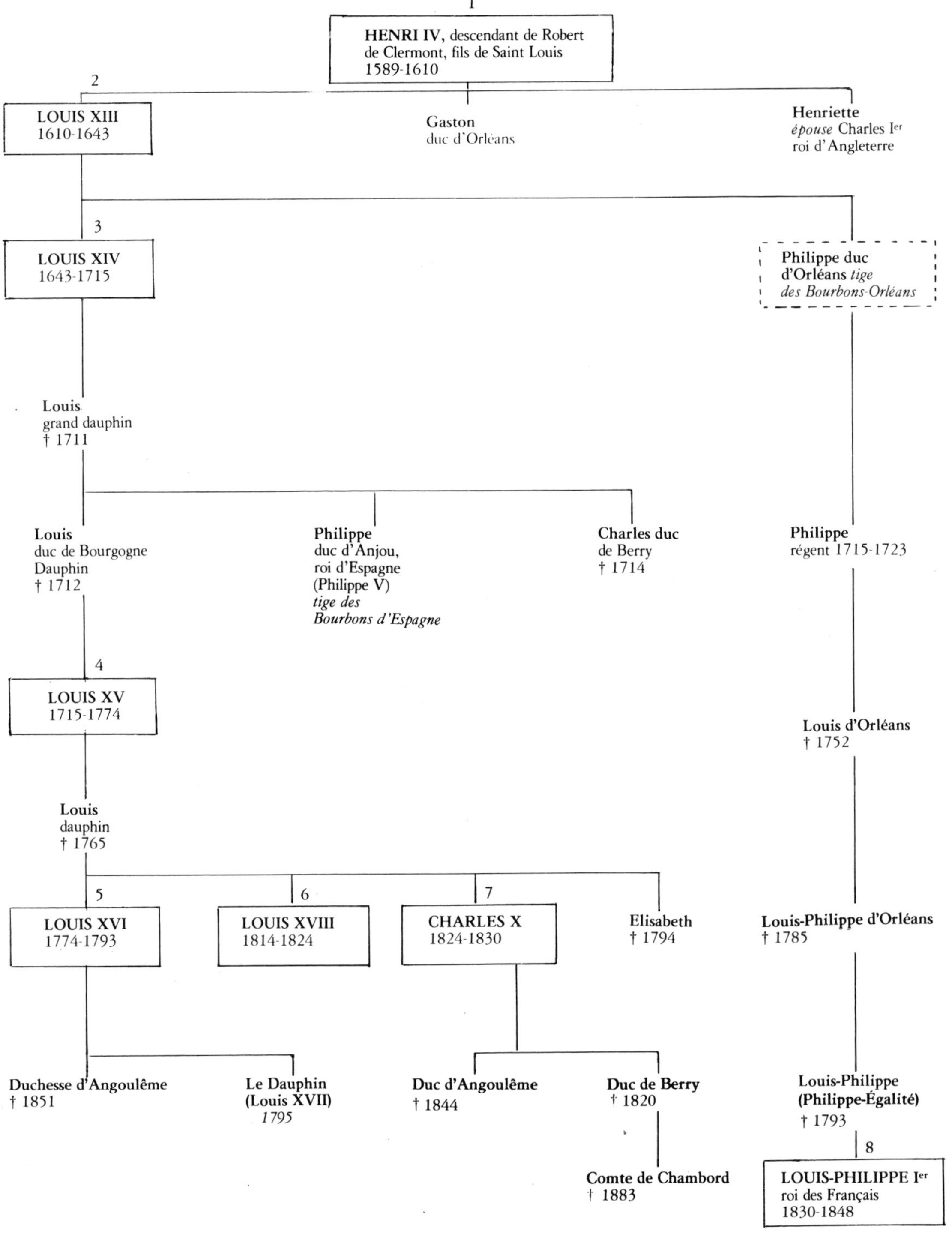

HENRI IV
(1589-1610)
MARGUERITE DE VALOIS ET MARIE DE MÉDICIS

HENRI IV, « LE SEUL ROI dont le pauvre ait gardé la mémoire », est le personnage le plus populaire de l'histoire de France. Il le doit autant à un destin sortant du commun qui fit de lui le restaurateur de l'unité française, brisée par les guerres de religion, que par une vie privée tellement orageuse qu'elle lui a valu le surnom de « Vert-Galant».

Rien ne prédisposait le futur roi au trône quand il naquit à Pau, le 12 décembre 1553, d'Antoine de Bourbon, chef de la maison de Bourbon, et de Jeanne d'Albret, fille d'Henri II d'Albret (1517-1555) et de Marguerite de Valois, sœur de François Ier, et héritière du trône de Navarre. En effet, Catherine de Médicis avait donné quatre fils à Henri II et il semblait que la Couronne de France fut réservée pour longtemps.

Il y a lieu, cependant, de noter une particularité dynastique fort curieuse ; si la loi salique n'avait pas été appliquée à la mort de Jean Ier, le jeune Henri de Navarre descendant de Jeanne d'Evreux eût été, par primogéniture, plus certainement héritier du trône de France que par sa lointaine ascendance Bourbon qui le faisait cousin d'Henri III par les mâles au vingtième degré seulement. Mais le fait qu'ils étaient également cousins proches par la première Marguerite de Valois, beaux-frères par le mariage d'Henri avec la seconde Marguerite de Valois, fille de Catherine de Médicis, contribua certainement à le rapprocher des rois en exercice et de la vie à la Cour.

La jeunesse d'Henri IV a pris, avec le recul, un caractère légendaire ; on montre encore au château de Pau la grande écaille de tortue qui lui servit de berceau ; on conte souvent son enfance paysanne au château de Coaraze. On oublie, en revanche, que, son père Antoine de Bourbon ayant été lieutenant-général du royaume à la mort de François II, il vint assez précocement à Paris et que la reine Catherine de Médicis, peut-être par pressentiment, le prit avec elle au cours de son périple à travers la France en 1564 et le montra au célèbre voyant Nostradamus qui lui prédit qu'il deviendrait roi et que les fils de la reine-mère ne se perpétueraient pas.

Les rivalités confessionnelles ont marqué l'adolescence du futur Henri IV parce que sa mère, Jeanne d'Albret, après avoir été bonne catholique, vira de bord et devint une prosélyte de la Réforme et y fit adhérer son mari et son fils.

Pour rapprocher le roi de Navarre de ses fils et pour apaiser les luttes confessionnelles, Catherine de Médicis organisa le mariage du roi de Navarre avec sa fille Marguerite de Valois, qui passera dans la petite histoire sous le surnom de « reine Margot ». Le mariage, nous l'avons vu en parlant de Charles IX, fut célébré sur le parvis de Notre-Dame, la veille de la Saint-Barthélemy. Henri de Navarre échappa de peu au massacre, fut contraint d'abjurer le protestantisme et fut retenu prisonnier à la Cour auprès de son épouse.

Le mariage ne fut pas heureux. Le futur Henri IV était assez bel homme, carré d'épaules, musclé, avec une barbe qui ne cessera de s'étaler. Mais il était mal tenu de sa personne, se lavait peu et se signalait par une forte senteur de bouc. Au contraire, Margot, folle de son corps, était raffinée sur la toilette, sensible aux parfums, aimant la vie de Cour. De surcroît, elle était amoureuse d'Henri de Guise et probablement sa maîtresse. Aussi le ménage marcha-t-il vite assez mal, chacun des époux courant de son côté, avec des aventures salaces et piquantes, dont les plus connues sont les amours de Margot avec La Môle, et le partage de Madame de Sauves entre Henri de Navarre et Henri de Guise.

Margot, dévouée à son mari bien qu'elle le trompât abondamment et que celui-ci lui rendît la pareille, organisa la fuite d'Henri qui s'évada en février 1576, arriva à Saumur le 26 ; puis, le 13 juin 1576, à Niort, il se rendit au prêche et abjura solennellement le catholicisme, geste qui devait avoir une grande importance non seulement pour la suite de sa vie, mais pour l'histoire de France.

A la fois roi de Navarre et gouverneur de Guyenne, Henri de Navarre établit sa Cour à Nérac, où la reine Margot vint le rejoindre ; cette cohabitation n'arrêta pas les infidélités et l'on parle encore des amours d'Henri avec La Fosseuse et avec Corisande d'Andouins, comtesse de Gramont.

Ces aventures furent entremêlées de guerre

civile dont l'une, dite des Amoureux, fut menée par Henri de Navarre en personne qui mit le siège devant Cahors le 29 mai 1580 et y révéla de grandes qualités d'homme de guerre. Une paix, négociée par le duc d'Alençon à Fleix le 26 novembre 1580, mit fin aux hostilités et établit une trêve de six ans, au cours de laquelle il n'y eut pas de nouvelle guerre.

Mais il se passa un événement autrement important pour le destin du roi de Navarre, la mort du duc d'Anjou, le 19 juin 1584. Si Henri III n'avait pas de postérité, ce qui paraissait à peu près certain, Henri de Navarre devenait obligatoirement le successeur de la Couronne.

Ce droit lui fut contesté par une bulle de Sixte-Quint, le Pape soutenant qu'un protestant ne pouvait prétendre au trône de France.

C'était aussi l'avis d'Henri de Guise qui travaillait pour lui et pensait se porter prétendant comme descendant des Carolingiens. Il surexcita le parti catholique et la Ligue promit le trône au cardinal de Bourbon en cas de décès d'Henri III.

La guerre, qui était devenue inévitable, allait tourner à l'avantage d'Henri de Navarre qui battit les armées de la Ligue commandées par le duc de Joyeuse, à Coutras (15 octobre 1587). C'était la première grande victoire des protestants sur les troupes de la Ligue.

Nous avons raconté dans le règne d'Henri III la suite des événements, la journée des Barricades, la fuite du roi, l'assassinat du duc de Guise, la réconciliation avec Henri III au Plessis-lez-Tours, la mort tragique d'Henri III à Saint-Cloud.

Le jour de la mort d'Henri III commence le règne d'Henri IV au milieu de difficultés inouïes puisque la France ne veut pas d'un roi protestant.

Le problème de la succession résolu sur le plan dynastique, s'ouvrait sur un domaine nouveau, celui de la religion, ce qui allait faire reflamber la guerre.

Cette guerre était nécessaire car Henri IV était le seul fédérateur possible et, s'il avait abandonné la partie, la France risquait d'être déchirée à la mort du roi-fantoche qu'était le cardinal de Bourbon, éphémère Charles X : Philippe II réclamait le trône de France pour sa fille Isabelle d'Espagne, propre petite-fille d'Henri II ; le duc de Savoie, petit-fils de François Ier, posait sa candidature ; la Maison de Lorraine, en la personne du duc de Mayenne, frère d'Henri de Guise se plaçait sur les rangs.

Une solution était possible, c'était qu'Henri IV abjurât tout de suite le protestantisme ; il jugea contraire à son honneur et à sa religion de le faire immédiatement mais, dès le 4 août 1589, il proclama la liberté de conscience, proclamation qui ne lui rallia que trois provinces, la Champagne, la Picardie, l'Ile-de-France, Paris excepté.

La reconquête du royaume devait se faire sur deux plans, le militaire sur le territoire national, le diplomatique par les ententes internationales.

Partisan absolu de l'unité, Henri IV tenait absolument à devenir maître de la totalité du territoire.

En raison de ses attaches protestantes avec la reine d'Angleterre Elisabeth, la logique com-

Henri IV à la bataille d'Ivry, 1590.

Henri IV couronné de lauriers.

Le sacre d'Henri IV, premier roi Bourbon, à Chartres en 1594. (Dessin à la plume de Desmarestz.)

mandait de faire la liaison avec celle-ci, ce qui impliquait de conquérir la maîtrise d'un port dans le Nord.

Cette considération explique pourquoi la première bataille se livra près de Dieppe, où le duc de Mayenne fut battu, à Arques, le 21 septembre 1589.

Fort de son avantage et ayant reçu des renforts anglais, Henri IV marche sur Paris et s'empare des faubourgs de la rive gauche, puis, devant un retour offensif de Mayenne, il se retire et va s'assurer des provinces de la Loire qui lui font allégeance.

De nouveau fortifié, il livre bataille à Mayenne et à ses troupes espagnoles à Ivry, près d'Evreux, les 13 et 14 février 1590. A ce combat légendaire Henri IV prononce les paroles fameuses : « Ralliez-vous à mon panache blanc, vous le trouverez toujours au chemin de l'honneur. » Il s'y ajoute l'apostrophe fameuse à son ami fidèle, le brave Crillon : « Pendez-vous, nous nous sommes battus et vous n'y étiez pas. »

La victoire d'Ivry ayant ouvert la route de Paris, Henri IV vint assiéger la capitale pour la seconde fois. La famine allait venir à bout de la résistance, quand les troupes du duc de Parme, Alexandre Farnèse, parvinrent à débloquer la ville Henri IV se vit forcé de lever le siège, sans perdre de vue que si l'on ne possède pas Paris, on n'a pas la France.

En 1591, le roi proclama l'édit de Mantes qui abrogeait toutes les mesures d'intolérance. La mort du cardinal de Bourbon, le risque d'un démembrement du territoire, commençaient à faire réfléchir de nombreux catholiques qui ne voulaient point du duc de Mayenne comme roi, et étaient prêts à se rallier à l'héritier légitime si celui-ci revenait à la religion catholique.

Le régime dont s'était doté Paris, le Comité des Seize, sorte d'oligarchie partisane, régnait par la terreur et se livrait à de tels excès que Mayenne fit une espèce de coup d'État et pendit les principaux membres. Mais la capitale conservait toujours une garnison espagnole, ce qui heurtait tout de même un patriotisme latent.

Pour sortir de l'impasse, la Ligue convoqua les Etats-généraux avec mission d'élire un roi. A ce moment là, Farnèse mourut et Henri IV s'empara de Rouen.

En position de force, il saisit l'occasion qui lui était offerte par la réunion des Etats-généraux. A la conférence de Suresnes, tenue le 16 mai 1593, le roi affirma ses droits et se déclara prêt à se convertir, déclaration qui suscita en profondeur un mouvement d'opinion très favorable.

Le Parlement se réveilla et, montrant du courage, signifia à Mayenne que le royaume ne pouvait être plus longtemps occupé par des étrangers.

En vue de gagner du temps, Henri IV entama des négociations avec l'épiscopat : pour la forme, il désirait se faire instruire de la religion catholique avant de l'adopter officiellement. On hâta les leçons de catéchisme et, le 25 juillet 1593, Henri IV, à la basilique de Saint-Denis, abjura officiellement le protestantisme. La petite histoire assure qu'il dit alors à sa maîtresse du moment, la belle Gabrielle d'Estrées, qu'il fit duchesse de Beaufort : « Paris vaut bien une messe.»

La Ligue ne se soumit pas immédiatement mais Henri IV fut ensuite sacré à Chartres, le 15 février 1594, et se montra ferme puisqu'il était maintenant roi à part entière.

Des négociations très dures furent entamées avec la Ligue ; celle-ci se scinda : les intransigeants se retirèrent avec Mayenne, les ralliés, sous la pression du gouverneur Brissac, ouvrirent les portes de la capitale où le roi fit son entrée solennelle le 22 mars 1594, tandis que la garnison espagnole se retirait en bon ordre.

L'immense succès que représentait la soumission de Paris ne termina pas immédiatement la guerre. Une rencontre militaire avec les Espagnols eut lieu à Fontaine-Française le 5 juin 1595. Bien que la victoire d'Henri IV ait été incontestable, il fallut encore trois ans d'hostilités avec des fortunes diverses pour que la paix avec l'Espagne fût enfin signée à Vervins le 2 mai 1598. Les clauses du traité se rapprochaient de celles édictées à Cateau-Cambrésis, mais la Hollande était séparée des Pays-Bas, ce qui paraissait diminuer les dangers de la frontière du Nord.

On pouvait constater avec regret que les quarante années de guerre civile avaient fait stagner la politique extérieure de la France et interrompu ses agrandissements.

L'apaisement intérieur, conséquence de la conversion d'Henri IV, devenait possible et ce serait la tâche du roi et la grandeur du règne.

La première tâche à prévoir était un statut permettant de mettre définitivement fin aux affrontements confessionnels.

Il fallait, pour y parvenir, une double réconciliation avec les catholiques et avec les protestants car, bien que converti, Henri IV, par ses nombreuses abjurations, restait un peu suspect aux deux partis.

La réconciliation avec les catholiques fut la plus aisée des deux : la Papauté, qui voyait dans la France un excellent allié, fit presque les premiers pas : le 17 septembre 1595, le pape Clément VIII, à la demande des cardinaux d'Ossat et du Perron, leva l'excommunication d'Henri IV.

Les chefs de la Ligue, ne pouvant plus soutenir de prétexte valable pour ne pas se rallier, firent leur soumission, suivant l'exemple donné par Mayenne à qui le roi ouvrit les bras, se souvenant que ce dernier des Guise avait, lui aussi, lutté pour l'unité du territoire.

A l'exemple de leur chef, les derniers ligueurs vinrent peu à peu à composition ; le dernier récalcitrant fut le duc de Mercœur, qui, en gage de fidélité, accepta de marier sa fille à César de Vendôme, bâtard d'Henri IV et de Gabrielle d'Estrées.

L'accord avec les protestants fut beaucoup plus malaisé à obtenir car les catholiques restaient sur la défensive.

L'histoire a retenu le discours qu'Henri IV prononça en 1595 devant l'assemblée des Notables de Rouen où, avec une grande habileté, le roi, se proclamant libérateur et restaurateur de la France, demandait à ses fidèles sujets de l'aider à accomplir sa tâche immense et allait jusqu'à solliciter des conseils pour la mener à bien.

L'apaisement confessionnel n'en fut pas moins fort long à obtenir. Des luttes locales sporadiques ne simplifièrent pas le règlement. On organisa des conférences entre les représentants des deux confessions ; les réunions les plus importantes eurent lieu à Loudun en 1596 et à Chatellerault en 1597.

Il résulta de ces contacts la conclusion qu'il n'y avait d'autre solution que la reconnaissance d'un Etat protestant à l'intérieur d'une France officiellement catholique ; mais, pour admettre cette pénible reconnaissance, il demeurait indispensable que la faction protestante demeurât l'associée de la faction catholique.

Or, si Henri IV fut parfaitement conscient de ces nécessités, il eut la prudence de ne pas les expliciter par crainte de faire renaître la guerre civile. L'Edit de Nantes (13 avril 1598), qui accordait aux protestants un règlement en apparence assez sévère, comporta des clauses secrètes qui leur concédaient beaucoup d'avantages : liberté de leur culte, octroi de places de sûreté, chambres mi-parties.

Conscients de ces dissimulations, les Parlements se firent fortement prier pour enregistrer l'Edit de Nantes, mais Henri IV ne céda pas d'un pouce et exigea d'être obéi.

Le problème confessionnel résolu, un autre se posa, le problème dynastique. Si Henri IV était déjà fortement pourvu de bâtards, il n'avait pas d'héritier légitime.

Son mariage avec la reine Margot n'avait pas été dissous ; celle-ci vivait au château d'Usson en Auvergne, consolée de son abandon par des aventures multiples.

Henri IV, qui vivait maritalement avec sa belle maîtresse Gabrielle d'Estrées, envisagea de légitimer le bâtard qu'il avait d'elle, César, duc de Vendôme. Il imagina de demander l'annulation de son mariage au Pape pour épouser Gabrielle. Le pape Clément VIII qui eût cédé pour raison d'Etat, s'y refusa pour une fantaisie sensuelle. Henri IV s'insurgea d'autant plus vivement que Gabrielle était enceinte pour la quatrième fois.

On prépara les mariages ; le roi passa au doigt de Gabrielle un énorme diamant et la belle intrigante osa dire publiquement : « Il n'y a que Dieu ou la mort du roy qui puissent arrêter ma fortune. »

Peu de jours après cet audacieux défi au destin, Gabrielle eut une crise d'éclampsie et accoucha d'un enfant mort ; le jour suivant, 10 avril 1599, elle expira après une affreuse agonie.

Sur le moment, Henri IV fut profondément

La proclamation de l'Edit de Nantes, le 13 avril 1598. (Gravure de Jan Luiken.)

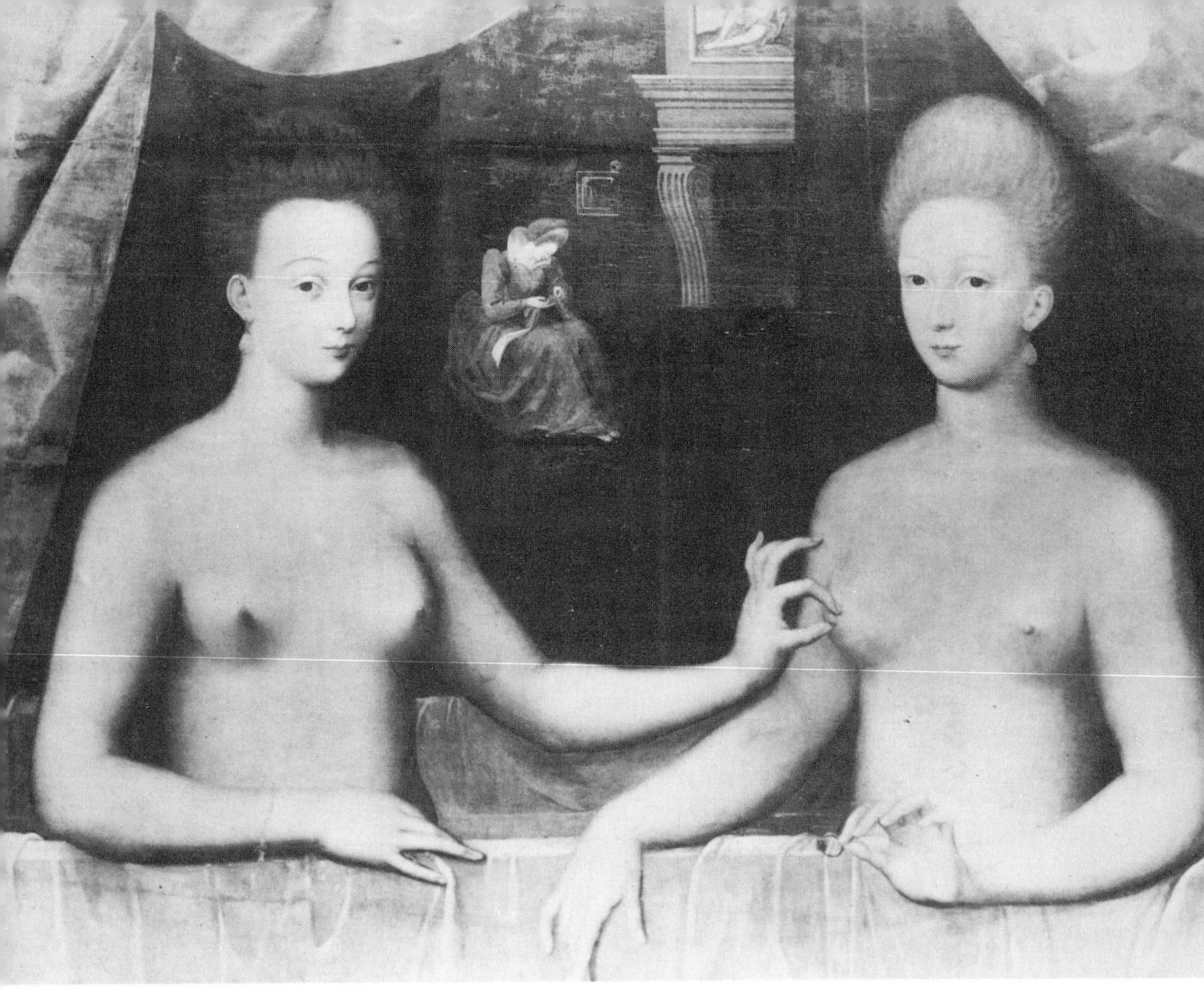

Gabrielle d'Estrées et sa sœur, la marquise de Villars. (École de Fontainebleau, vers 1594.)

affecté, d'autant plus que courut le bruit, non invraisemblable, que Gabrielle avait été empoisonnée. Le sage ministre Sully pensa qu'il fallait profiter de l'occasion pour marier le roi ; il avait en vue une princesse florentine, Marie de Médicis.

Bien qu'Henri IV eût trouvé de nouvelles maîtresses, il ne montra pas d'hostilité au projet et l'on demanda au Pape de prononcer l'annulation du mariage avec la reine Margot.

Avant que l'annulation eût été prononcée, Henri IV était tombé sous la coupe d'une femme très dangereuse, Henriette de Balzac d'Entragues, fille de Marie Touchet, l'ex-maîtresse de Charles IX. Henriette était une brune de vingt ans, « belle à damner les hommes ».

Henriette céda contre un don de cent mille écus et, envoûtant le roi, elle se fit faire une promesse écrite de mariage. Sully déchira le contrat que le roi récrivit dans le dos de son ministre.

Pendant que se déroulait cette honteuse comédie, une ambassade, menée à Rome par Sillery, obtenait l'annulation du mariage avec la reine Margot, pour raison d'Etat (17 décembre 1599).

Sully tint bon pour le mariage florentin, solution à laquelle le roi se résolut, mais il n'abandonna pas pour autant sa maîtresse, à laquelle il fit des enfants en même temps qu'à la reine, sans se priver de tromper l'une et l'autre, inondant la Cour de petits bâtards de lits divers, qu'il élevait avec ses propres enfants.

Par la suite, Henriette, femme jalouse et retorse, fut mêlée à des complots menaçant la vie du roi et il fallut l'exiler de la Cour après un règne occulte qui dura une dizaine d'années.

Le mariage par procuration avec Marie de Médicis fut fixé au 15 juillet 1600. Un conflit latent avec la Savoie permettait au roi d'aller au devant de sa future épouse. Avant le départ du roi pour Lyon, Henriette d'Entragues accoucha d'un garçon qui ne vécut que quelques heures. Se considé-

Le mariage d'Henri IV et de Marie de Médicis.

rant comme dégagé de sa promesse de mariage avec sa maîtresse, le roi se prépara à rencontrer sa future femme.

Marie de Médicis débarqua à Marseille le 3 novembre 1600. Henriette d'Entragues, qui avait suivi le roi, refusa de le quitter quand la reine arriva à Lyon le 9 décembre. Sous prétexte qu'il était déjà marié par procuration, le roi mit aussitôt la nouvelle reine dans son lit à la grande fureur d'Henriette. Le mariage fut célébré à la primatiale Saint-Jean de Lyon, le 17 décembre 1600 ; bien que Marie de Médicis, « la grosse banquière », ne fût pas une beauté, le roi lui fit de nombreux enfants et, dès 1601, la naissance d'un fils, Louis, le futur Louis XIII, résolut le problème dynastique en France.

Pendant le séjour à Lyon, les difficultés avec la Savoie avaient été résolues par Sully ; contre la cession du marquisat de Saluces, le duc de Savoie concédait à la France les Dombes, le Bugey et le Valromey ; le Rhône devenait frontière, des environs de Lyon jusqu'à Genève.

Les dix dernières années de la vie d'Henri IV, si elles furent parsemées d'aventures sensuelles assez scandaleuses, furent bénéfiques pour la nation et pour l'Etat.

La monarchie va recevoir les institutions qu'elle conservera jusqu'à la Révolution.

Le gouvernement prend une forme plus absolue, le recours aux Etats-généraux est considéré comme facultatif, et le roi fait volontiers appel à de simples assemblées de notables, beaucoup plus aisées à manier.

Henri IV se montra dans l'ensemble hostile aux administrations municipales dans lesquelles il voyait un danger pour l'Etat. Il eut donc tendance à centraliser de plus en plus l'autorité.

Au sommet, les problèmes sont examinés en Conseil des Affaires, soumis au Conseil d'Etat, mis en train par le Conseil des Finances. Les ministres deviennent pratiquement les chefs de l'administration royale ; comme ils ne sont qu'au nombre de quatre, il est très facile au roi de contrôler leurs activités.

Pour faire exercer l'autorité royale dans les provinces, on y nomme des gouverneurs, assistés par le corps des Intendants qui, de temporaire, devient permanent. La Couronne possède désormais un moyen de contrôle et de surveillance des privilèges locaux, ce qui permet, du moins en théorie, de neutraliser les révoltes aux échelons inférieurs.

La politique financière, destinée à relever un pays ruiné par les guerres civiles, demeure un des aspects les plus intéressants du règne d'Henri IV. Pour obtenir des ressources, le roi organise la vénalité des offices et remplace les anciens droits de transmission par un impôt annuel, « la Paulette », évalué au soixantième de la valeur de la charge. Cette mesure, qui fait de la magistrature une caste indépendante, sera lourde de conséquences au XVIIIe siècle et l'Etat en périra.

Pourvu de qualités de gouvernement et ayant le sens de l'autorité, Henri IV était, en revanche, d'une ignorance totale sur le plan de l'administration financière et il avait tendance à juger bonne toute gestion lui permettant de satisfaire ses dispendieuses fantaisies.

Il se reposa entièrement dans le chapitre des Finances sur son fidèle ministre Sully. Celui-ci avait trouvé le Trésor asséché par la guerre civile, et, pis encore, les revenus du domaine royal lourdement engagés à l'avance. En gros, les recettes étaient de vingt-cinq millions par an, le passif de trois cent quarante millions. Sully s'ingénia à redresser cette situation désastreuse. Pour amortir la dette publique, il n'hésita pas à dévaluer fallacieusement la monnaie, à faire une faillite d'un tiers, à augmenter les impôts indirects, à taxer le clergé.

Ces mesures conjointes portèrent des fruits ; les ressources de l'Etat passèrent de vingt-cinq à trente-quatre millions de livres et la dette fut réduite de trente pour cent entre 1600 et 1610.

Ce qui fit la gloire de Sully, ce ne fut pas cette probe gestion mais son idée d'exalter l'agriculture. On connaît son mot célèbre : « Labourage et pastourage sont les deux mamelles dont la France est alimentée et ses vrais mines et trésors du Pérou. » Si l'on y ajoute le mot apocryphe d'Henri IV sur « la poule au pot tous les dimanches », on s'explique qu'une période économiquement difficile, où il fallut rebâtir la France en ruine, ait laissé le souvenir d'un temps de facilité et de bonheur, tant la paix reconquise paraissait le premier des biens.

A côté de l'agriculture, Sully, conseillé par Laffemas, fut le promoteur des manufactures de glaces, de verre, de tapis ; c'est à lui qu'est due la fameuse fabrique de la Savonnerie.

Si Henri IV n'a pas été un grand bâtisseur, bien qu'on lui doive la place des Vosges, le Pont-Neuf et le palais du Luxembourg, il a été, en revanche, un colonialiste éprouvé et l'envoi au Canada de Samuel Champlain est à l'origine de la fondation de Québec.

Une œuvre aussi considérable aurait dû imposer le respect et faire cesser les intrigues et les complots. Il n'en fut rien et le climat resta orageux. Henri IV a subi une douzaine d'attentats, dont le dernier lui fut fatal, et il n'a pu échapper aux conspirations.

La plus célèbre est assurément celle de son ami le duc de Biron, qui, gouverneur de la Bourgogne, s'unit à Henriette d'Entragues pour négocier avec le duc de Savoie, alors en difficulté avec la France. Henri IV était prêt à pardonner à son vieux compagnon, mais le rebelle ayant fait des réserves, Sully exigea sa tête. Biron, jugé par le Parlement, fut condamné à mort ; il refusa de demander sa grâce et Henri IV le laissa décapiter.

La vie privée d'Henri IV se montra tellement dissolue quand il occupait le trône que sa popularité dans les masses en fut souvent altérée. Une dernière fantaisie sensuelle devait hâter sa fin.

Lors d'une représentation à la Cour, il était tombé follement amoureux d'une fille d'honneur de la reine, la jeune Charlotte de Montmorency, qui avait tout juste quinze ans. Le roi en avait plus de cinquante-cinq, mais il se conduisit comme un amoureux de vingt ans.

Il imagina de marier Charlotte au prince de Condé qui était réputé avoir des mœurs italiennes, et de profiter de cette situation pour faire de Charlotte sa maîtresse. Il fut déçu car le prince de Condé, se révélant jaloux en dépit de ses mœurs, enleva sa jeune femme à la barbe du roi et l'emmena en Belgique.

L'opinion publique a insinué, ce qui n'est qu'en partie vrai, qu'Henri IV était prêt à faire une guerre pour récupérer Charlotte. La vérité est plus compliquée.

Il convient de la chercher dans des desseins généraux de politique étrangère. Tout en se conciliant l'Espagne, Henri IV s'inquiétait de l'Autriche en qui il voyait l'adversaire des guerres à venir.

Sully a assuré que le roi consacrait ses méditations à un projet que l'on a appelé « le grand dessein », qui visait à constituer une sorte de Société des Nations qui aurait établi des conciliations en cas de danger de guerre et aurait veillé à ce que la Couronne impériale ne demeurât pas l'apanage d'une seule Maison.

Il s'agit peut-être de rêveries quant à l'ensemble du projet mais la crainte de l'Autriche était réelle et le roi était décidé à limiter tous les empiètements impériaux.

Un événement de cet ordre se présenta au début de 1610. Le souverain de Clèves et de Juliers étant mort sans héritier, l'empereur Rodolphe II fit main basse sur ces territoires avancés en face de nos marches de l'Est.

Henri IV n'hésita pas à entreprendre une expédition militaire pour reprendre les deux duchés. Il équipa trois armées, l'une confiée à Lesdiguières pour attaquer en Italie, la deuxième confiée à La Force pour envahir l'Espagne. Le roi se réservait le commandement de la troisième, qui irait aux Pays-Bas, ce qui accrédita le bruit qu'il faisait la guerre pour retrouver Charlotte de Montmorency.

Prévoyant une longue absence, le roi décida de confier la régence à Marie de Médicis ; le sacre de la reine fut fixé au 13 mai 1610.

Il ressort des chroniques et des témoignages que la nouvelle de la guerre prochaine agitait fortement l'Europe et la France.

Certains prédicateurs attaquèrent fortement Henri IV, l'accusant d'être un fauteur de troubles et un protecteur des réformés. Ces diatribes paraissent avoir influencé fortement certains esprits faibles ou fanatiques.

Le lendemain du jour où la reine avait été couronnée à Saint-Denis, le roi voulut aller rendre visite à Sully, malade en son logis de l'Arsenal. Le carrosse royal était découvert et l'on assure que le roi y monta avec appréhension entouré de La Force, de Montbazon et d'Epernon.

Un encombrement, peut-être voulu, arrêta le carrosse dans l'étroite rue de la Ferronnerie. Un homme qui suivait la voiture depuis un moment sauta sur un moyeu et frappa Henri IV de deux coups de poignard. Le roi, vidé de sang, mourut presque aussitôt (14 mai 1610).

Le meurtrier se nommait François Ravaillac ; c'était un maître d'école de la région d'Angoulême, qui avait été fanatisé par les sermons de prêtres exaltés et voulut, en tuant le roi, éviter la guerre et défendre la religion catholique. Il mourut le même mois, écartelé, après un procès rapide, qui fut loin de faire toute la lumière. On

L'assassinat d'Henri IV par Ravaillac en 1610.

a pensé depuis que le roi fut victime d'un complot fomenté par d'anciens membres de la Ligue.

On avait ramené le corps du souverain au Louvre.

— Le roi est mort, dit Marie de Médicis au chancelier Sillery.

Et celui-ci, désignant le dauphin, répondit vertement :

— Madame les rois ne meurent point en France.

Critiqué souvent de son vivant, Henri IV fut unanimement pleuré par toute la nation. Il avait dit peu avant son assassinat :

— On verra ce que je valais quand je n'y serai plus.

Sa prophétie se réalisa et à un règne de reconstruction et de bonne administration va succéder une incroyable période de désordres sous la régence de la reine Marie de Médicis.

LOUIS XIII (1610-1643) ET ANNE D'AUTRICHE

Le roi Louis XIII est un curieux personnage. Il avait été un enfant boudeur, grognon, renfermé, timide. Le feu couvait sous la cendre, et, à l'âge de seize ans, il révéla une personnalité très violente qui le fit roi absolu. Un mot le peint assez bien : « Un roi, dit-il, quand on lui demanda la grâce de Montmorency, ne doit pas avoir les sentiments d'un particulier.» Le côté bizarre de Louis XIII est son comportement amoureux. Certains historiens lui ont prêté des tendances homosexuelles. Il semble plutôt qu'il ait été peu porté sur le domaine de la chair ; on ne lui connaît que des favorites platoniques ; il resta quatre ans sans consommer son mariage avec Anne d'Autriche et n'eut d'enfant d'elle qu'après vingt ans d'union. Ce personnage étrange aurait peu marqué dans l'histoire s'il n'avait été assisté pendant une vingtaine d'années par un des plus grands politiques de l'histoire mondiale, le cardinal de Richelieu.

La jeunesse de Louis XIII pendant la régence de sa mère, Marie de Médicis, fut particulièrement triste ; le petit roi vécut presque à l'abandon. Sa mère avait accordé la totalité du pouvoir au mari de sa sœur de lait, Léonora Galigaï. C'était un aventurier italien, bien de sa personne, habile et roué, qui se nommait Concini ; la faveur de la reine le fit maréchal d'Ancre bien qu'il n'eût jamais porté les armes.

Il convient de dire que la situation politique fut rendue très difficile par la mort d'Henri IV. Ne renonçant pas complètement à la guerre prévue, la reine et Concini firent brusquement occuper Juliers et la ville fut remise aux princes allemands, ce qui était une leçon pour l'empereur Rodolphe. Pour se concilier l'Espagne, on négocia le mariage de l'infante Anne d'Autriche avec le jeune roi Louis XIII.

Anne d'Autriche est une des plus intéressantes reines de France ; quasi dédaignée par son mari, elle adopta une attitude réservée et digne ; on prétend que le duc de Buckingham fut amoureux d'elle, mais la liaison, si elle exista, fut platonique. Au hasard d'une nuit d'orage, en 1637, Anne d'Autriche eut l'occasion de recevoir son époux dans son lit ; il en résulta la naissance, en 1638, du futur Louis XIV, naissance suivie deux ans plus tard de celle du duc d'Orléans. Des bruits étranges ont circulé sur ces maternités. Veuve à la quarantaine, Anne d'Autriche exerça fort habilement la régence, secondée par le cardinal Mazarin, dont on a assuré, sans preuves, qu'elle l'épousa secrètement. Ce fut, on le voit, une existence peu ordinaire.

Mais la reine ne joue aucun rôle pendant la minorité de Louis XIII, pas plus que le roi d'ailleurs.

Sully, ayant combattu le projet de mariage du roi, ne fut pas écouté et il démissionna dès le début de l'année 1611. Concini fut désormais le maître de la politique française.

Cette politique était difficile à mener parce que la faction protestante, qui possédait en France cent places de sûreté, constituait une armée plus forte que l'armée royale. Un autre danger était représenté par les princes et les grands qui formèrent une ligue conduite par Mayenne et Vendôme, ligue prête à engager la guerre contre la Couronne.

Italien fort souple, Concini négocia ; les princes reçurent des pensions qui mirent le Trésor en difficulté. Pour trouver de l'argent et fortifier leur autorité les princes réclamèrent la convo-

Louis XIII par Couston.

cation des Etats-généraux. La reine et Concini furent obligés de céder.

Ces Etats-généraux, réunis en 1614, furent les derniers avant ceux de 1789. Ils révélèrent un conflit entre les trois ordres et les prétentions égalitaires du Tiers-Etat offensèrent les privilégiés. Toutefois, le principe monarchique ne fut pas mis en cause et, comme les députés ne surent pas proposer de réformes, la Couronne triompha.

Le trait saillant des Etats de 1614 est la révélation d'une personnalité ecclésiastique de premier plan, Armand du Plessis de Richelieu, le futur cardinal. La reine le fit entrer au Conseil et lui et Concini renvoyèrent les anciens ministres d'Henri IV, jetèrent Condé en prison, calmèrent les protestants.

Dans l'ombre, Louis XIII observait et, poussé vraisemblablement par son grand-fauconnier Charles d'Albert de Luynes, il donna ordre au capitaine des Gardes, Vitry, d'arrêter Concini. Comme celui-ci fit mine de résister il fut abattu (24 avril 1617). Sa femme fut condamnée à mort comme sorcière et la régente fut évincée du pouvoir.

— Je suis roi maintenant avait dit Louis XIII.

Il renvoya Richelieu, rappela les anciens ministres de son père et confia la réalité du pouvoir à Luynes qu'il fit duc et connétable. Luynes, politique médiocre, envenima la situation, se mit à dos Richelieu et Marie de Médicis. Il en résulta une prise d'armes entre la mère et le fils que Richelieu apaisa au traité des Ponts-de-Cé (août 1620).

Des difficultés extérieures se dessinèrent : Ferdinand de Styrie, ayant été élu Empereur, déclara ne pas renoncer au trône de Bohême et il fit appel à la solidarité de la France catholique (1619). C'était poser à Louis XIII un cas de conscience puisqu'il était contraint de choisir entre l'aide à l'Autriche et le triomphe protestant en Allemagne. Luynes conseilla une médiation. L'Empereur triompha de ses adversaires à la bataille de la Montagne Blanche (8 novembre 1620) et la Maison d'Autriche devint un grave danger pour la France.

Louis XIII devenait, de fait, un défenseur de la cause catholique, ce qui le conduisit a attaquer la faction protestante à l'intérieur ; c'était une nouvelle guerre de religion qui, mal menée par Luynes, aboutit à un échec devant Montauban. Les protestants, conduits par le duc de Rohan, gendre de Sully, ravagèrent le Languedoc et le roi se vit obligé de faire le siège de Montpellier. Luynes avait été emporté par une fièvre pourpre quand le roi signa le traité de Montpellier (18 octobre 1622) où il fut interdit aux protestants de tenir des assemblées politiques.

Les difficultés extérieures ne cédaient pas pour autant car l'Empereur, pour assurer des liaisons avec ses possessions d'Italie, fit occuper la Valteline, haute vallée de l'Adda qui dépendait du canton suisse des Grisons, fief protestant. Ce fut la source d'un conflit riche en complications.

Privé de Luynes, ayant à faire face à une situation aussi pénible à l'intérieur qu'à l'extérieur, Louis XIII se vit réduit à appeler au ministère le favori de Marie de Médicis, Richelieu, que la reine-mère, grâce à ses attaches italiennes, venait de faire nommer cardinal.

L'entrée de Richelieu au ministère le 29 avril 1624 est une date capitale dans l'histoire de France et elle a fait du règne de Louis XIII une période de haute politique et de grandeur.

Nous assistons à un cas presque unique dans notre histoire, celui d'une dictature exercée par un premier ministre avec l'agrément forcé d'un roi qui sut s'effacer devant les desseins et les volontés de son ministre toutes les fois où l'intérêt de la nation lui parut l'exiger.

Richelieu, né en 1585, d'une famille noble du Poitou, fut contraint par sa famille d'entrer dans les ordres ; à vingt et un ans, en 1606, il fut nommé par Henri IV évêque de Luçon et, certain qu'il était digne d'un grand destin, il fit tous ses efforts pour quitter son misérable évêché. Les Etats de 1614 révélèrent une personnalité qui ne cessa de grandir.

Chrétien convaincu, prêtre sans douceur, Richelieu, qui avait ébloui la Sorbonne par ses thèses de théologie, allait aussi éblouir la France par sa maîtrise en politique. Si tous les moyens, même les plus discutables, lui furent bons pour s'emparer du pouvoir, il exerça celui-ci avec un sens extraordinaire de l'Etat.

On cite volontiers son programme, qu'il n'a cependant formulé que dans son testament politique ; ce programme tient en trois points : ruiner le partit huguenot, rabaisser les prétentions des grands, abaisser la Maison d'Autriche. Ce programme sera exécuté point par point.

La mise à la raison des grands fut entreprise par priorité car elle facilitait l'action gouvernementale. Richelieu commença par évincer du Conseil tous les ministres qui le gênaient ; il fit arrêter La Vieuville en l'accusant de péculat et chassa Sillery, ce qui lui valut des haines solides.

Contre Richelieu se dressa tout de suite le médiocre frère de Louis XIII, Gaston d'Orléans, cadet jaloux, qui sera l'âme des conspirations visant à faire disgracier le Cardinal.

En 1626, Gaston d'Orléans, poussé par César

Anne d'Autriche, femme de Louis XIII, par Rubens.

de Vendôme, qui voulait faire de la Bretagne un fief indépendant, fomenta une conjuration, à laquelle Anne d'Autriche fut peut-être mêlée. La conspiration fut éventée et Richelieu se montra impitoyable : le maréchal d'Ornano fut enfermé à la Bastille. Le comte de Chalais, un Talleyrand, fortement engagé dans l'affaire, fut arrêté et torturé, ce qui le fit passer aux aveux. Il fut condamné à mort et exécuté dans des conditions particulièrement atroces.

Une autre exécution fit plus de bruit encore, celle du comte de Montmorency-Bouteville qui fut décapité le 22 juin 1627 pour avoir enfreint l'édit interdisant les duels. Louis XIII refusa la grâce en optant ostensiblement pour le respect de la loi.

Les grands commencèrent à trembler ; pour les mettre à composition, Richelieu ordonna le démantèlement de toutes les forteresses privées susceptibles de former des îlots de résistance. Cette décision, sage sur le plan gouvernemental, le fut moins sur celui de l'environnement car elle a privé la France de constructions admirables.

Les grands ayant senti le joug et restant momentanément matés, Richelieu en vint au second point du programme, qui était de réduire la puissance des protestants ; son idée était de leur laisser leurs libertés confessionnelles, mais de les priver de leurs possibilités militaires.

C'était un dessein profond qui ne fut pas jugé à sa valeur par la majorité des Français ; on était en pleine Contre-Réforme et l'opinion publique attachait plus de prix à la lutte contre le schisme qu'à la neutralisation d'une faction dans l'Etat.

La suite prouvera cependant que Richelieu avait vu juste et que sa politique était sage. Les protestants continuaient à être appuyés par l'Angleterre, bien que le roi Charles Ier eût épousé Henriette de France, sœur de Louis XIII.

Le premier ministre anglais, le duc de Buckingham, avait fait débarquer des troupes anglaises dans l'île de Ré et organisé la liaison avec la citadelle protestante de La Rochelle dont les autorités envisageaient certainement de constituer une république protestante dans les anciens territoires anglais. Cette république, composée au moins de l'Aunis et de la Saintonge, eût été confiée au duc de Rohan.

Le danger parut si grand que Richelieu se résolut à la guerre civile. Le siège de La Rochelle (octobre 1627-octobre 1628) a passé dans la légende. Après avoir pris la ville et l'avoir démantelée, Richelieu s'attaqua au bastion protestant des Cévennes.

Une grâce — et non une paix — fut signée à Alais (Alès), le 28 juin 1629. Elle rétablissait l'Edit de Nantes sur le plan de la liberté confessionnelle mais supprimait les places de sûreté, ce qui mettait fin à la puissance politique intérieure des réformés.

Au retour de l'expédition, Richelieu s'empara lui-même de Montauban, la dernière citadelle protestante (20 août 1629).

Comme il l'avait promis au roi, Richelieu était arrivé « à ôter la faction du milieu de ses sujets, le reste étant un ouvrage qu'il faut attendre du Ciel, sans y apporter aucune violence que celle de la bonne vie et du bon exemple ».

Le point le plus remarquable de la politique de Louis XIII et de Richelieu paraît être la manière si judicieuse dont fut menée la lutte contre l'Autriche. La guerre de Trente Ans mettait l'Europe en feu, mais Richelieu s'en tenait prudemment à l'écart, se réservant d'intervenir au moment opportun quand la fatigue des combattants serait de nature à lui conférer l'avantage.

Il fut cependant nécessaire de prendre quelques garanties avant d'entrer dans la mêlée. Il faut ranger parmi celles-ci l'expédition menée au pas de Suse contre le Piémont : elle aboutit à l'occupation de Pignerol et de Saluces qui tomba aisément après la victoire de Montmorency à Veillane (10 juillet 1630). On mit ensuite le siège devant Casal : alors, on vit un cavalier italien s'élancer entre les lignes et demander l'arrêt des hostilités, car une paix avait été signée à Ratisbonne : ce cavalier n'était autre que Jules Mazarin, le futur premier ministre.

Louis XIII avait mal supporté les fatigues de la campagne. Au retour il dut s'aliter à Lyon et on le jugea perdu. Marie de Médicis et Anne d'Autriche vinrent l'assiéger, se plaignirent de l'autorité de Richelieu et obtinrent son éloignement. Le cardinal fut mis au courant et apprit, non sans inquiétude, que, si le Roi mourait, il serait embastillé par Marie de Médicis. Son caractère l'obligea à faire front mais son crédit fut fortement ébranlé, et les grands, conduits par Gaston d'Orléans, se liguèrent contre lui.

Marie de Médicis jugea le climat favorable pour triompher. Le 10 novembre 1630, elle invita chez elle son fils et exigea de lui le renvoi du Cardinal. Celui-ci, prévenu par son éminence grise, le fameux Père Joseph, se rendit au Petit-Luxembourg, résidence de la reine-mère et se permit d'entrer dans le cabinet où sa disgrâce se perpétrait. Quand la reine Marie de Médicis le vit entrer, elle le couvrit d'injures et s'imagina avoir gagné la partie.

Richelieu ne se démonta pas ; il revint chez le

Le siège de La Rochelle (1627-1628). La ville a été assiégée sur terre et par une ligne de fortifications. De plus, une digue a été construite afin d'empêcher les navires anglais de secourir La Rochelle.

Ci-dessus : Henri IV devant Paris, 1594 (école flamande du XVIe siècle).

Ci-contre : Louis XIII couronné par la Gloire, par Philippe de Champaigne.

O SOCIOS, QVI FORTIBVS ARMIS
T, LÆSAQVE IVRA DEI.

roi et parla avec assez d'habileté pour recouvrer toute sa confiance et il reconquit sa place et son autorité. Ce fut la célèbre *Journée des Dupes* qui se traduisit par l'exil de la reine-mère et par des décisions sévères à l'égard des grands : Gaston d'Orléans fut accusé de lèse-majesté et dut se mettre à l'abri à Blois, le duc de Guise fut exilé, Bassompierre embastillé avec le maréchal de Marillac, qui finira par être décapité.

Par ces rigueurs le cardinal pensait en avoir fini avec les grands ; il se trompait : Gaston d'Orléans, ulcéré, fit appel à Henri de Montmorency pour venger l'offense faite en sa personne au sang de France. Montmorency, gouverneur du Languedoc qui, pour des raisons fiscales, était en lutte ouverte contre Richelieu, rallia une partie de la noblesse méridionale et occupa le territoire du Rhône à la Garonne. Mais il avait trop présumé de ses forces ; les troupes royales le battirent à Castelnaudary (1er septembre 1632).

Montmorency, fait prisonnier, fut condamné à mort et exécuté dans la cour du Capitole à Toulouse. Louis XIII refusa de le gracier en disant sévèrement : « L'on ne doit pas plaindre un homme qui va subir son châtiment, on doit seulement le plaindre de l'avoir mérité. »

Ce ne fut pas d'ailleurs la dernière tentative des grands, qui ne furent définitivement vaincus que lors de la révolte du comte de Soissons ; celui-ci remporta un avantage militaire à La Marfée en 1636 mais fut tué pendant le combat, ce qui régla ces problèmes malaisés.

On peut d'ailleurs se demander, en constatant toutes ces multiples révoltes nobiliaires, si tous les torts étaient d'un seul côté et si Richelieu n'avait pas été trop dur en abaissant une classe qui représentait l'armature de la nation. Certains historiens assurent que la lutte de Richelieu contre la grande noblesse est une des causes lointaines de la Révolution française.

On peut répondre que les dangers extérieurs exigeaient une unité absolue à l'intérieur.

Richelieu ne se montrait pas seulement observateur des désordres de la guerre de Trente Ans. Dès qu'il eut reconquis son autorité, en 1630, il s'y mêla sur le plan diplomatique.

Les opérations de l'Empereur avaient été confiées par celui-ci à un illustre condottiere, Wallenstein, et il s'en fallut de peu que ses talents militaires ne fissent l'unité allemande au profit des Habsbourgs. L'Empereur se jugea assez fort pour demander à la Diète de Ratisbonne de proclamer son fils roi des Romains (1630).

Richelieu envoya le Père Joseph en mission : celui-ci réclama le renvoi de Wallenstein et le sursis à la désignation du roi des Romains. De surcroît, Richelieu alla jusqu'à signer une alliance avec le champion de la cause protestante, le roi de Suède Gustave-Adolphe ; celui-ci entra dans la guerre mais fut tué à la bataille de Lutzen (16 novembre 1632). Wallenstein, qui guerroyait pour son propre compte, fut assassiné ; les Suédois furent écrasés à Nordlingen (1634) et les princes allemands se résignèrent à la paix.

Si elle était signée, la France se trouvait devant le plus grand danger autrichien. Pour l'éviter, Richelieu fit déclarer par Louis XIII la guerre au roi d'Espagne, soutien de l'Empire. Les catholiques français se trouvaient contraints de lutter pour le succès des princes protestants.

Cette politique hardie tourna d'abord assez mal. En 1636, les Espagnols franchirent la frontière du Nord, s'emparèrent de la citadelle de Corbie et poussèrent leurs éclaireurs en vue de Paris. L'opinion publique se déchaîna contre le Cardinal qui fit front une fois de plus. Il constitua une puissante armée, la confia au maréchal de La Force et celui-ci, accompagné par Louis XIII, arriva à reprendre Corbie.

Mais ce succès ne termina pas les hostilités qui devaient durer plus de dix ans. Le siège d'Arras (juin-août 1640) et la prise de Brisach permirent à la France de se maintenir sur la ligne du Rhin.

Une campagne fut également menée en Piémont. Mais l'action la plus importante de la fin du règne de Louis XIII se situe sur le plan diplomatique. Par de secrètes manœuvres la France, alliée des Bragance, aida leur rétablissement sur le trône du Portugal, ce qui coïncida avec la chute du premier ministre espagnol, le tout-puissant Olivarès.

Ayant accepté le titre de comte de Barcelone, Louis XIII se vit obligé d'intervenir militairement dans le secteur du Roussillon.

Avant de prendre la route, un lit de justice enleva le droit de remontrances au Parlement, ce qui favorisait l'absolutisme.

Le voyage en Roussillon fut marqué par une grave conspiration, comme toujours œuvre occulte de Gaston d'Orléans. Par l'intermédiaire d'un favori de Louis XIII, d'Effiat, marquis de Cinq-Mars, Gaston d'Orléans avait fait sonder Olivarès pour renverser le Cardinal avec l'appui de l'Espagne, à qui l'on promit des territoires.

Louis XIII et Richelieu arrivèrent à Narbonne, dans le dessein d'assiéger Perpignan. Ils découvrirent la conspiration : Cinq-Mars arrêté passa aux aveux, et il alla jusqu'à compromettre son intime ami, de Thou, qui n'avait pas participé au complot mais avait omis de le dénoncer.

Richelieu malade voulut regagner Paris. Il

Richelieu, par Philippe de Champaigne.

Ci-dessus : Louis XIV, avec le Grand Dauphin, le duc de Bourgogne, par Nicolas de Largillière.

Ci-contre : Allégorie à la gloire de Louis XIV, par Coypel.

Rifletteran al mondo i lumi tui.
Segnan con l'ombra tua i fatti tui
P. Sevin Fecit

emmena sur une barque du Rhône les deux coupables enchaînés ; condamnés à mort à Lyon, Cinq-Mars et de Thou y furent décapités le 12 septembre 1642.

Puis, porté dans une énorme litière, Richelieu revint au Palais-Cardinal où il mourut deux mois plus tard. Son dernier mot a passé dans la légende : au prêtre qui le confessait et lui demandait s'il pardonnait à ses ennemis, il répondit superbement :

— Je n'en ai pas eu d'autres que ceux de l'Etat.

Ce mot grandiose terminait une des carrières les plus importantes de l'Histoire. Il ne reste hélas ! rien de l'œuvre politique de Richelieu dont les conséquences à terme l'eussent vraisemblablement surpris.

En revanche on lui doit l'une des plus anciennes institutions intellectuelles de la France, l'Académie française, qu'il fonda en 1635 et qui fut dotée de lettres patentes par Louis XIII. Cette compagnie a conservé tout l'éclat qu'elle doit à son illustre fondateur.

Après la mort de Richelieu, l'opinion publique s'attendait à de grands changements. Les ennemis du Cardinal respiraient et le cardinal de Retz a même affirmé que Louis XIII se montrait joyeux et comme délivré.

En fait, hors la libération de quelques prisonniers d'Etat, rien ne fut changé et les ministres restèrent en place.

Le souverain était lui-même aussi malade que le Cardinal ; il pensait à sa succession et à la minorité de ses fils. Par la déclaration du 20 avril 1643, il restreignit au maximum les pouvoirs de régence de la reine Anne d'Autriche, puis il mourut pieusement le 14 mai 1643.

Cinq jours après sa mort, le 19 mai, le duc d'Enghien, le futur Grand Condé, remportait sur les Espagnols, à Rocroi, une éclatante victoire qui faisait bien augurer de la fin des hostilités.

Il est malaisé de juger l'action personnelle de Louis XIII, constamment éclipsée par la personnalité de Richelieu, mais il est équitable de dire qu'il soutint toujours son ministre et prit les décisions avec lui, ce qui est à porter à son actif.

Il y a lieu, après avoir exposé la politique intérieure et extérieure du roi, de parler de son action coloniale. Celle-ci fut féconde et, grâce à une renaissance de la marine, des conquêtes lointaines furent discrètement réalisées.

Champlain avait consolidé le Canada qui avait reçu de nombreux émigrants français. La France s'installa au Sénégal, établit une base à Madagascar, Fort-Dauphin, conquit plusieurs îles aux Caraïbes, dont Sainte-Lucie et Saint-Christophe. Des échanges commerciaux furent établis avec les nouvelles colonies et l'on amorça la création des grandes Compagnies.

La politique coloniale fut complétée par le pieux Louis XIII par un développement des missions, principalement au Canada.

En France, les fondations pieuses se multiplièrent : saint François de Sales fonda avec sainte Jeanne de Chantal l'ordre de la Visitation, le cardinal de Bérulle anima l'Oratoire, M. Olier est à l'origine du séminaire de Saint-Sulpice. La haute figure de Monsieur Vincent, aumônier des Galères, canonisé sous le nom de saint Vincent de Paul, reste la plus haute figure spirituelle de ce temps.

Un autre mouvement, lui aussi d'essence spirituelle, joue un grand rôle ; il s'agit de l'abbaye de Port-Royal où s'assemble une élite de penseurs et d'écrivains, mal vus du pouvoir car on les accuse de favoriser le jansénisme, sorte de schisme non hostile au catholicisme qui tient son nom de l'évêque d'Ypres Jansénius. Ses doctrines sur la grâce furent propagées en France par Duvergier de Hauranne, abbé de Saint-Cyran, que Louis XIII fit embastiller.

Enfin, pour achever le tableau du règne, il faut noter que le roi, non seulement autorisa l'Académie française, mais s'intéressa de près aux lettres et aux écrivains.

De son règne datent deux chefs-d'œuvre dans des genres différents, *le Cid*, de Corneille (1636) et le *Discours de la Méthode,* de Descartes (1637).

Ce début de floraison intellectuelle annonce le classicisme qui placera la France au premier rang international sur le plan de l'esprit.

On peut donc, à bon droit, considérer Louis XIII comme un très grand roi auquel on n'a pas assez rendu justice ; il prépara, assisté par son ministre, une hégémonie qui placera la France à la tête de l'Europe pendant plus d'un siècle.

En haut : Le réfectoire de l'abbaye de Port-Royal-des-Champs, réformée sous Louis XIII.

En bas : Assemblée de l'Académie française, fondée en 1635 par Richelieu avec des lettres patentes de Louis XIII.

LOUIS XIV (1643-1715) ET MARIE-THÉRÈSE

LE RÈGNE DE LOUIS XIV, le plus long de l'Histoire de France puisqu'il dura soixante-douze ans, peut se diviser commodément en trois parties : la première, relative à ses années de jeunesse jusqu'à son mariage ; la deuxième, correspondant sensiblement à la vie de la reine Marie-Thérèse ; la troisième à celle de madame de Maintenon.

Les Années de Jeunesse (1643-1661)

A LA MORT DE LOUIS XIII, le jeune roi Louis XIV n'avait que cinq ans. Dès le 18 mai 1643, Anne d'Autriche se rendit au Palais de justice portant son fils dans ses bras et se fit conférer par le Parlement « l'administration libre, absolue et entière des affaires de son royaume pendant la minorité » ; en contrepartie il fallut nommer Gaston d'Orléans lieutenant-général du royaume.

Le pouvoir fut exercé en fait par le cardinal Mazarin, second de Richelieu, ancien nonce en France. Mazarin, qui allait être premier ministre pendant une vingtaine d'années, était un politique fin, habile, rusé et il a travaillé fort utilement à la grandeur de la France. Nous avons déjà dit que, n'étant pas prêtre, il n'est pas impossible qu'il ait épousé morganatiquement la reine Anne d'Autriche qui lui fut visiblement très attachée et lui accorda pleine confiance.

En politique extérieure, la victoire de Rocroi avait fait entamer des pourparlers de paix à Munster et à Osnabrück. Les conférences se prolongeront pendant quatre ans et aboutiront à un triomphe pour la France, les traités de Westphalie qui émietteront l'Allemagne et assureront l'hégémonie française en Europe.

Dans le domaine de la politique intérieure c'est un temps de grandes difficultés qui aboutiront à une guerre civile, la Fronde.

Parce qu'il avait fallu augmenter les impôts, le Parlement renâcla, appuyé par les grands ; Mazarin vint à bout de cette cabale dite des Importants en internant à Vincennes le duc de Beaufort.

Le Parlement refusa de s'incliner et pendant trois années les difficultés se multiplièrent. Cependant la situation extérieure devenait excellente puisque la victoire de Lens (août 1648), remportée par Condé, permit la signature de la paix (octobre 1648).

Cette paix de Westphalie, immense succès diplomatique, le plus grand de l'histoire de France, aurait dû ramener le calme intérieur : par un curieux paradoxe il marque au contraire le début de la Fronde.

A la suite de l'édit du 13 mai 1648 sur le renouvellement de l'impôt dit la Paulette, le Parlement se dressa contre Mazarin ; celui-ci se croyant le plus fort lors de l'annonce de la victoire de Lens, fit arrêter l'un des principaux meneurs du Parlement, le conseiller Broussel.

Cette mesure énergique provoqua la révolte de Paris qui se couvrit de barricades (août 1648). Mazarin fit sortir clandestinement Anne d'Autriche et Louis XIV de Paris et les installa à Rueil sous la protection de Condé, puis, le 7 janvier 1649, la reine et ses fils se transportèrent au château de Saint-Germain-en-Laye.

La reine et Mazarin promulguèrent une ordonnance exilant en province les grands corps de l'Etat. Ceux-ci répliquèrent en déclarant Mazarin ennemi public. C'était la guerre civile. Le Parlement leva une armée commandée par le prince de Conti. Au nom de la reine, Condé vint assiéger Paris. Les rebelles entrèrent en négociations avec l'Espagne. Le Parlement, ne voulant pas d'une collusion avec l'étranger, se soumit, bien que les Parisiens eussent tenté de débaucher Turenne pour le décider à soulever l'armée contre le roi. Cette révolte, qui échoua, a gardé dans l'histoire le nom de Fronde parlementaire.

Le roi revint à Paris le 18 août 1649. Les troubles étaient pourtant loin d'être terminés. Les princes se révoltèrent, demandèrent l'arrestation de Mazarin. Dans la nuit du 9 au 10 février 1650, Gaston d'Orléans fit donner l'assaut au Palais-Royal sous prétexte que le roi avait été « enlevé ». Anne d'Autriche tint tête et montra aux assaillants son fils endormi. On réveilla le petit roi qui fut à jamais marqué par cette scène. Elle inspira à Louis XIV la haine de Paris, l'horreur du désordre, et elle expliquera à la fois sa rigueur et son désir de transporter la capitale à Versailles.

Mazarin dut s'expatrier. Le désordre s'installa. La reine fit couronner Louis XIV et confia les sceaux à Molé. Une convocation des Etats-généraux fut prudemment annulée. Alors Condé trahit

Portrait de Louis XIV enfant. (Peinture de Mignard.)

et, passant aux Espagnols, il souleva Bordeaux.

Pour mettre fin au désordre, Mazarin revint en France à la tête d'une armée. Condé mit dans son jeu Gaston d'Orléans tandis que Turenne, revenu au service de la Couronne, tentait de reprendre Paris mais en était empêché à la porte Saint-Antoine, par la fille de Gaston d'Orléans, la Grande Mademoiselle qui, des tours de la Bastille, fit tirer le canon sur les troupes royales.

Le 4 juillet 1652, le Parlement fut assiégé par les troupes de la Fronde, l'Hôtel de Ville, incendié, Broussel nommé prévôt. Condé crut avoir triomphé et Mazarin dut s'écarter encore.

Louis XIV sauva la situation en promettant une amnistie générale, puis en tenant à une délégation de la Ville de Paris un langage très ferme, en rappelant que toute autorité appartient au roi seul.

Paris était reconquis mais la guerre civile se poursuivit par le siège de Bordeaux en 1653. Condé passa au service des Espagnols, le cardinal de Retz, qui avait soutenu les meneurs, fut écarté de l'archevêché de Paris et l'on put considérer la Fronde comme terminée.

Mazarin triomphait et le roi redevenait maître de son royaume, mais après cinq années de troubles sanglants qui causèrent au pays plus de maux qu'une guerre étrangère ou qu'une révolution. Cependant l'autorité royale en sortit

Le cardinal Mazarin, premier ministre de Louis XIV pendant presque vingt ans.

affermie et, de 1653 à 1661, Louis XIV, confirmant Mazarin dans ses pouvoirs, lui fera exercer une quasi-dictature qui rappellera celle de Richelieu.

La guerre avec les Espagnols n'arrivant pas à se terminer, Mazarin prit une décision hardie, celle de s'allier au dictateur anglais Cromwell. bien qu'il fût protestant et eût fait décapiter Charles Ier, beau-frère de Louis XIII. Le *protecteur* anglais mit ses flottes à la disposition de la France, ce qui donna la supériorité maritime.

La guerre se termina près de Dunkerque par la bataille des Dunes, en 1658. Condé, chef des armées espagnoles, y fut battu par Turenne, chef des armées françaises.

La paix des Pyrénées, l'année suivante, mit fin au conflit. On avait promis Dunkerque à Cromwell mais il mourut opportunément, la promesse ne fut pas tenue et Louis XIV appuya l'action du général Monk pour la restauration des Stuarts. Au traité des Pyrénées, la France recevait le Roussillon, l'Artois, des places isolées jalonnant la frontière du Nord.

La principale clause du traité était d'ordre matrimonial : la signature de la paix devait être surbordonnée au mariage de Louis XIV avec la fille de Philippe IV, l'infante Marie-Thérèse.

Cette clause bouleversa Louis XIV passionnément amoureux de Marie Mancini, propre nièce de Mazarin. Ce drame d'amour qui a inspiré la *Bérénice* de Racine, déchira le cœur du jeune roi, qui, conscient de ses devoirs, céda à la raison d'Etat.

Le mariage de Louis XIV fut célébré à Saint-Jean-de-Luz après que le traité eût été signé dans l'île des Faisans, sur la Bidassoa.

Tant que Mazarin resta en vie, le roi lui abandonna les rênes de l'Etat ; en 1661, le cardinal tomba malade et mourut.

Alors Louis XIV, le 10 mars 1661, réunit son Conseil, annonça qu'il allait régner par lui-même, ne prendrait pas de premier ministre et entendait régler toutes les affaires en personne, fût-ce une simple délivrance de passeport. Ainsi s'ouvrit ce règne personnel qui va éblouir le monde pendant cinquante-quatre ans et porter la France au sommet de sa puissance.

Louis XIV et Marie-Thérèse (1661-1683)

LA REINE MARIE-THÉRÈSE était une créature physiquement disgraciée, petite, noiraude, d'une personnalité effacée. Elle donnera au roi plusieurs enfants qui mourront en bas-âge et un fils fort médiocre que l'Histoire appelle le Grand Dauphin. Mais l'on peut dire que, hors ses maternités, Marie-Thérèse ne joua pas de rôle important dans la vie du roi et l'on cite le mot de Louis XIV apprenant la mort de sa femme : « C'est le premier chagrin qu'elle m'ait causé. »

En revanche, la vie dissolue de Louis XIV fit beaucoup souffrir la reine qui supporta les infidélités de son époux avec une grande dignité.

Ces infidélités appartenant à l'Histoire et y jouant un grand rôle, il est impossible de les passer sous silence.

Louis XIV a passé pour un séducteur, probablement parce qu'il était un roi tout-puissant. En fait il avait un physique ordinaire ; d'une taille légèrement au-dessous de la moyenne, il portait de hauts talons et d'énormes perruques pour se grandir ; comme on ne le voit dans les portraits qu'ainsi accoutré, on ne connaît pas exactement son apparence naturelle. On constate, même sur ses images officielles, qu'il avait un regard très dur, un nez crochu et un menton fuyant, type que l'on a appelé depuis lui bourbonien. Il semble que le roi était d'intelligence moyenne, avec du bons sens, d'une grande dureté de cœur avec un égoïsme certain. A côté de ces qualités médiocres il avait un sens profond de ses devoirs royaux, professant que le métier de roi est délicieux, et un si grand sens de l'Etat que l'Histoire lui a prêté le mort apocryphe : « L'Etat c'est moi. » D'une grande vanité, ayant pris pour devise « *Nec pluribus impar* » accompagnant l'image du soleil, il a gardé dans la tradition le nom de Roi-soleil, bien que la seconde partie de son règne ait en partie terni l'éclat de la première.

Cette période est dominée par une vie privée semées d'aventures amoureuses. Le roi, peu après son mariage, était tombé amoureux d'une fille d'honneur de la reine, Louise de La Baume-Leblanc, qu'il fit duchesse de La Vallière. Elle lui donna des bâtards et l'aima sincèrement. Délaissée, elle s'enferma au couvent. Elle avait été rapidement évincée par une intrigante, la belle Athénaïs de Rochechouart-Mortemart marquise de Montespan, qui régna sur ses sens de 1667 à 1679 et lui donna plusieurs enfants dont une fille, Melle de Blois, que Louis XIV maria à son neveu le duc d'Orléans, le futur Régent. Mme de Montespan dut céder le pas à Angélique de Scoraille, duchesse de Fontanges qui mourut rapidement, peut-être empoisonnée. Car une affaire scandaleuse, dite Affaire des Poisons, troubla le règne et d'importants personnages tels Mme de Montespan elle-même et le poète Racine y furent compromis. A côté de ces trois grandes favorites, on compte de multiples passades.

Louis XIV et Marie-Thérèse entrent à Arras ; la scène illustre bien le faste qui entourait la personne du roi. (Peinture de Van der Meulen.)

Madame de Montespan et ses enfants. (École française du XVIIe siècle.)

Cette vie privée scandaleuse choqua le clergé mais fut admise par les contemporains : ils n'osèrent presque jamais contrarier le roi qui n'admettait guère les observations, si fondées qu'elles pussent être.

Les débuts du règne personnel de Louis XIV sont marqués par des actes d'autoritarisme très violents et pas toujours heureux.

Il voulut d'abord prendre barre sur ses ministres, gens remarquables dont les plus célèbres se nomment Colbert et Louvois. Mais celui qui en imposait le plus, au début, était le surintendant Fouquet, somptueux et imprudent personnage qui avait acquis une immense fortune, en partie au détriment de l'Etat. Ayant commis l'imprudence de donner pour le roi une fête trop fastueuse dans son admirable château de Vaux-le-Vicomte, Fouquet, accusé de concussion, fut arrêté et jugé sans indulgence. Le procès fut mené d'une manière inique et Fouquet ne sauva sa tête que grâce au courage du conseiller d'Ormesson. Seulement condamné au bannissement, Fouquet vit sa peine aggravée par Louis XIV qui l'enferma au donjon de Pignerol où il mourut après plus de quinze ans d'une rigoureuse captivité.

Il faut reconnaître que la rigueur du traitement de Fouquet assura l'ordre intérieur pendant un demi-siècle. En même temps que Fouquet, Colbert fit rendre gorge à certains financiers ce qui pallia un peu la misère du Trésor.

A côté des puissances d'argent, Louis XIV se heurta tout de suite aux puissances spirituelles en faisant durement condamner Port-Royal avec l'appui du pape Alexandre VII, ceci pour punir l'indépendance d'esprit des religieuses et plus encore celle des « solitaires ».

Avec les Etats européens, Louis XIV, dans le dessein de prendre barre, multiplia inutilement les provocations. Pour de médiocres questions de préséances il se mit en moins de quatre ans à dos la Turquie, l'Angleterre, l'Empire, la Papauté.

Avec un maître aussi hautain et intransigeant, la noblesse dut s'incliner jusqu'à l'abaissement : une partie qui voulait obtenir se maintint servilement à la Cour ; les esprits indépendants s'isolèrent dans leurs terres où ils furent consciencieusement oubliés.

Ces duretés étaient compensées par la manière dont le roi accomplissait ses devoirs d'Etat. A l'intérieur il tenta de rétablir les finances et laissa Colbert faire une faillite des deux tiers qui ruina les rentiers mais rétablit momentanément l'équilibre budgétaire définitivement rompu à partir de 1672 par les dépenses militaires.

Louis XIV a été, en effet, un roi guerrier, payant de sa personne aux armées et suivant une politique inflexible.

Le premier prétexte de guerre découla du mariage même du roi. Philippe IV était mort laissant sa couronne à un dégénéré, Charles II (le roi peint par Victor Hugo dans *Ruy Blas).* Par testament il avait exclu Marie-Thérèse du trône espagnol et en avait réservé l'héritage éventuel à son autre fille, une cadette, épouse de l'empereur Léopold.

La dot de sa femme, qui montait à cinq cent mille écus d'or, n'ayant pas été versée, Louis XIV se servit de ce prétexte pour demander d'être payé en territoires et il exigea de l'empereur Léopold que les Pays-Bas fussent remis immédiatement à Marie-Thérèse, sans préjudice de la remise de territoires espagnols à la mort de Charles II, qu'on estimait prochaine, ce en quoi on se trompait, car il vécut plus de trente ans.

Pensant que les Pays-Bas ne lui seraient pas remis sans faire une démonstration de force, Louis XIV, à la tête d'une armée de soixante-douze mille hommes, entreprit une campagne de sièges qui lui livra la Belgique.

Il semblait que cette guerre, dite de *« Dévolution »,* était facilement gagnée. C'était faire peu de cas des appétits des souverains.

Contre le succès du roi de France catholique, se liguèrent les nations protestantes, Suède, Hollande et même Angleterre, bien que Louis XIV eût facilité la restauration des Stuarts.

Un traité fut signé au début de 1668 à La Haye entre les trois puissances et la guerre reprit dans un autre bastion espagnol que Louis XIV envisageait d'attaquer, la Franche-Comté. Celle-ci fut conquise en quinze jours par Condé ce qui permit au roi de posséder un second gage au cas où l'Espagne accepterait de traiter.

L'expulsion des religieuses de Port-Royal et la destruction de l'abbaye, en 1709.

Il lui offrit le choix entre Flandre et Franche-Comté. L'Espagne préféra céder la Flandre et, au traité d'Aix-la-Chapelle, la France obtint Lille, Douai, Furnes, et Armentières (2 mai 1669). De surcroît, les droits de la reine sur l'héritage espagnol furent reconnus ce qui devait, par la suite, être lourd de conséquences.

Louis XIV, fort rancunier de nature, en voulut à la Hollande d'avoir pris parti contre lui et il prépara longuement une expédition destinée à le venger.

En même temps qu'on armait des troupes, une offensive diplomatique de grand style menée par le ministre des Affaires étrangères, Hugues de Lionne, neutralisait l'Angleterre (traité de Douvres, 1670), puis la Suède. Une négociation secrète avec certains princes allemands permit d'obtenir des bases le long du Rhin.

A la tête d'une armée considérable, comptant près de cent vingt mille hommes, le roi commença une opération de guerre-éclair. En neuf jours de marches forcées, on atteignit le gué de Tolhuis sur le Rhin, aux portes de la Hollande. Le passage du Rhin, immortalisé par les peintres et les poètes, a passé dans la légende.

Il semblait que la Hollande allait tomber comme un fruit mûr. Hélas ! Louis XIV s'éternisa dans une guerre de sièges, puis, persuadé qu'il était le plus fort, il refusa les offres de paix qui lui furent faites.

Alors la Hollande se raidit ; elle confia ses intérêts à Guillaume d'Orange et elle ouvrit les digues qui la protégeaient de la mer, vouant le pays à l'inondation. Devant cette héroïque résistance, l'Europe, sentant que l'affaire tournait mal pour la France, se coalisa contre elle.

L'Empire, moins le Hanovre et la Bavière, s'unit à la Hollande et Charles II Stuart, violant les clauses du traité de Douvres, rejoignit la coaliton car il redoutait de voir la France s'établir à Anvers.

L'armée française était tellement forte qu'elle parvint à résister : Condé battit le prince d'Orange à Seneffe en 1674. Sur mer, Duquesne tint tête victorieusement à l'amiral Ruyter.

Les Impériaux avaient envahi l'Alsace jusqu'aux Vosges ; ils en furent chassés par Turenne qui les battit à Turckheim (janvier 1675), les refoula sur la rive droite du Rhin où il fut malheureusement tué d'un boulet à Sasbach (juillet 1675).

N'étant pas envahie la Hollande conservait cependant l'avantage mais le traité qui mit fin à la guerre, signé à Nimègue en 1678, apportait à la France des gains énormes dont l'Espagne fit les frais : Louis XIV conservait la Franche-Comté, Valenciennes, Maubeuge et Cambrai.

La Hollande obtenait certaines compensations dont la moindre n'était pas la création de la « barrière », droit de tenir garnison dans un certain nombre de villes des Pays-Bas espagnols. Ce glacis défensif compliquera pour la France les guerres ultérieures.

La paix de Nimègue est ordinairement considérée comme le sommet du règne, mais on peut aussi, avec raison, le déplacer un peu, le situer en 1681, date, où Louis XIV se permet d'annexer la ville libre de Strasbourg, en 1682, date de l'installation au château de Versailles en partie terminé, ou même en 1684, date de la trêve de Ratisbonne qui garantissait les traités de Westphalie.

Au milieu de ces jours glorieux, se place un deuil, la mort de la reine Marie-Thérèse en 1683. Cette reine n'a pas joué de rôle mais il semble qu'elle ait porté chance au roi, puisque, après son décès, les difficultés et les malheurs vont s'accumuler pendant les trente dernières années du règne.

Les débuts, on le voit, ont été brillants ; ils ont consolidé la position de la France, devenue de loin le premier État de l'Europe, mais il convient de dire que cette grandeur n'est pas seulement le fait de la force et de la bonne administration ; si la France brille d'un éclat sans égal à cette période, elle le doit surtout à sa primauté intellectuelle et artistique...

A aucune époque de son histoire la France n'avait connu une telle abondance d'hommes de talent ; il suffit d'aligner les noms de Corneille, de Descartes, de Pascal, de Racine, de Molière, de La Rochefoucauld, du cardinal de Retz, de La Bruyère, de La Fontaine, de Bossuet, de Boileau, de Fénelon pour le prouver.

La primauté artistique ne le cède en rien à la primauté intellectuelle et, pour la première fois, la France l'emporte sur l'Italie considérée pendant la Renaissance comme la mère de tous les arts.

Cette vérité était tellement établie que, pour achever le Louvre et commencer Versailles, le roi fit d'abord appel au cavalier Bernin.

Puis il s'aperçut qu'il pouvait trouver aussi bien en France et il s'adjoignit la prodigieuse équipe qui avait construit et décoré Vaux-le-Vicomte.

Au premier rang des artistes brille un architecte paysagiste, le grand Le Nôtre, père du jardin français. Autour de lui on dénombre une pléiade d'architectes dont les constructions donnent à la France la première place : il suffit de nommer Mansart, Le Vau, Libéral Bruant, d'Orbay, Hardouin-Mansart, Claude Perrault et de rappeler des créations aussi remarquables que la place Vendôme, le château de Maisons, la colonnade du Louvre, le collège des Quatre-Nations (actuel siège de l'Institut de France), les Invalides, la terrasse de Saint-Germain et aussi des centaines de châteaux qui contribuent à faire de la France un musée d'architecture.

Au premier plan figure la plus étonnante réalisation architecturale du monde, le château de Versailles et son parc aux eaux vives, ensemble qui fut copié avec plus ou moins de bonheur par tous les princes et rois d'Europe.

Il a fallu trente mille ouvriers pendant quarante ans pour élever les murs de Versailles ; dans le parc, Le Nôtre a donné la plus sublime expression de son génie. Les peintres Le Brun, Mignard,

Louis XIV à cheval, probablement en 1668, année de l'entrée triomphale du roi à Douai, lors de l'invasion française aux Pays-Bas. (Atelier de Lebrun.)

Aux pages suivantes : Le premier Versailles sous Louis XIV. (Peinture de Patel.)

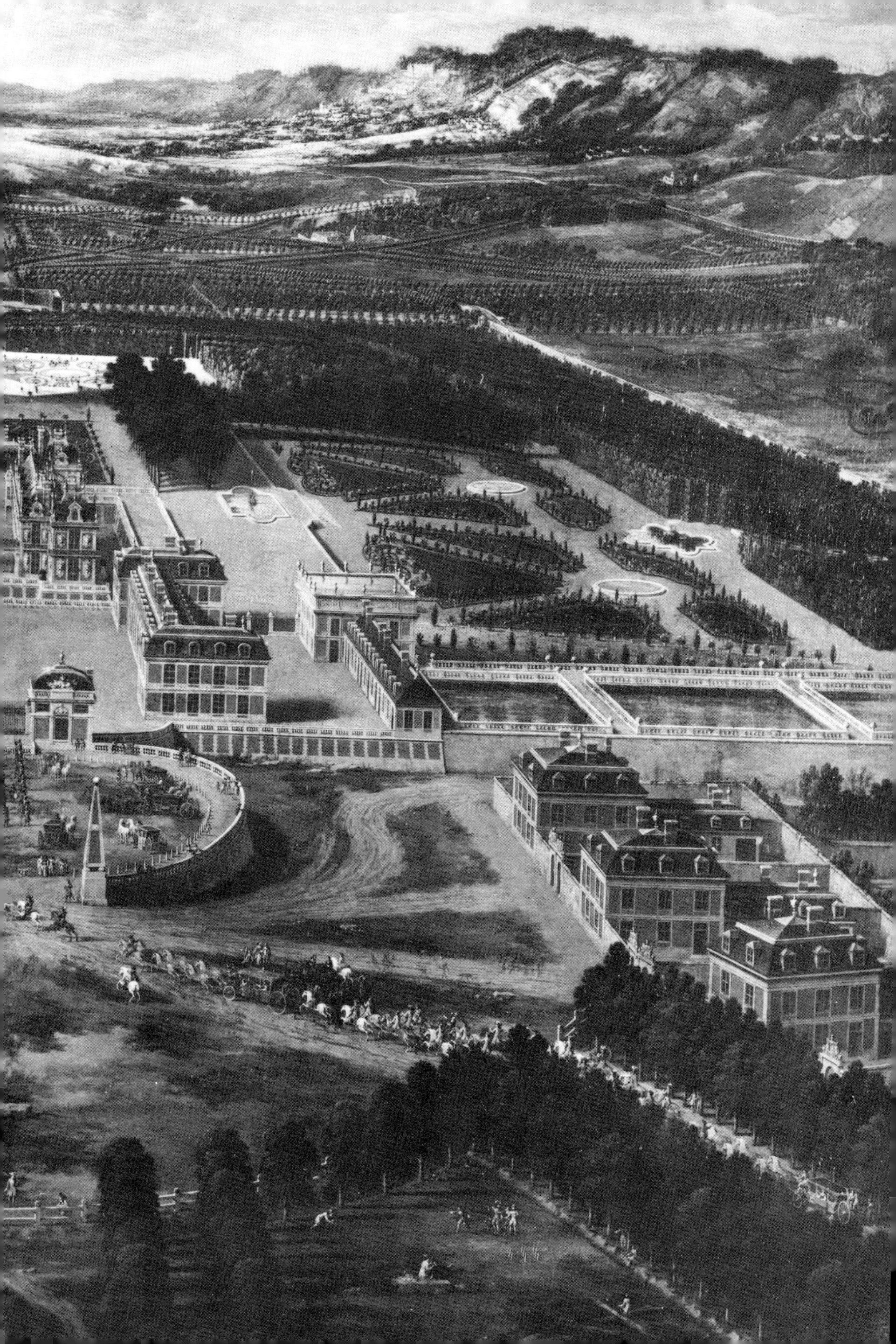

Van der Meulen ont exécuté les peintures ; les sculpteurs Girardon, Tuby, Coysevox, les sculptures. Lulli en a ordonné les divertissements musicaux.

Pendant plus d'un siècle, Versailles donnera le ton à l'Europe et la Couronne en fera un instrument de domination sur une noblesse asservie sans voir à temps que le plus beau palais du monde sera un jour le tombeau de la monarchie.

Louis XIV et Madame de Maintenon (1683-1715)

LES TRENTE DERNIÈRES ANNÉES de la vie de Louis XIV sont dominées par l'influence d'une femme qu'il épousa morganatiquement et qui, au contraire de la reine Marie-Thérèse, joua un rôle politique important. Françoise d'Aubigné, petite-fille du poète Agrippa d'Aubigné, était née dans une prison où ses parents étaient enfermés pour des motifs confessionnels. Fort belle, mais sans aucune fortune, elle s'était résignée à épouser le poète Scarron, un infirme, avec lequel elle tint avec succès un salon littéraire.

Lorsqu'elle devint veuve, Louis XIV lui demanda d'élever les bâtards qu'il avait de Mme de Montespan. On s'étonne qu'une femme si pieuse ait accepté une mission aussi équivoque. Elle s'en acquitta d'une manière si parfaite qu'après la légitimation des bâtards la veuve Scarron fut admise à la Cour et pourvue d'une dotation avec laquelle elle acheta le château de Maintenon.

Après la disgrâce de Mme de Montespan et la mort de la duchesse de Fontanges, Louis XIV qui estimait beaucoup Mme de Maintenon s'intéressa à elle sur le plan sensuel bien qu'elle eût largement dépassé la quarantaine. Elle devint vraisemblablement sa maîtresse et il l'épousa après la mort de la reine, à une date restée inconnue mais que les historiens situent entre 1685 et 1693.

Quand Mme de Maintenon entra dans la vie du roi, la situation politique extérieure était pleine d'intérêt : les Turcs, alliés traditionnels de la France, avaient mis le siège devant Vienne et la ville avait été débloquée par Jean Sobieski ; les Turcs avaient dû reculer et leur autorité s'était amoindrie. Privée momentanément de son contrepoids politique à l'est, la France pouvait être menacée par l'Autriche. Louis XIV y pourvut en signant en 1684 la trêve de Rastisbonne qui assurait la paix avec l'Autriche.

Il ne restait de difficultés extérieures qu'avec la Papauté, ce qui ne représentait pas un risque militaire, mais une possibilité de schisme.

La lutte avec la Papauté avait commencé avec la condamnation des jansénistes, qui suscita des résistances de l'épiscopat.

Le conflit devint plus aigu lors de l'affaire dite de la *Régale*. C'était le droit royal de percevoir les fruits du temporel ecclésiastique et de nommer aux bénéfices selon le Concordat de 1516. Les évêques jansénistes pour répondre aux rigueurs dont ils étaient l'objet firent appel de ce droit à Rome. Le pape Innocent XI voulut trancher seul un différend que le roi regardait comme de son ressort. Une assemblée générale du clergé fit rédiger par Bossuet la déclaration de 1682 affirmant que la Papauté n'avait pas qualité pour intervenir dans le temporel. Le Pape déclara nulle cette déclaration, il excommunia Louis XIV *in petto* et laissa les évêchés vacants sans titulaires.

Ce conflit dura une dizaine d'années et ne put se régler qu'après la mort du Pape. Son successeur, Innocent XII, accepta un arrangement, ce qui obligea à annuler la déclaration de 1682. C'était pour la Couronne une humiliation qui ressemblait à l'affaire de Canossa et le roi la cacha autant que possible.

Il estimait, en effet, avoir dès le début de la querelle, fait un grand geste en faveur du catholicisme, puisque, sous l'influence de madame de Maintenon, née protestante, il avait décidé d'expulser les réformés de son royaume.

Dès le début de son règne, le roi avait restreint les libertés concédées aux protestants par l'édit de Nantes, vexations d'autant plus injustes que les protestants, privés de leur puissance politique par Richelieu, ne représentaient plus un danger pour l'unité.

En effet ils étaient peu nombreux (moins de six pour cent de la population) et vivaient sous le régime d'une coexistence pacifique avec les catholiques même dans les régions à prédominance réformée : Poitou, Saintonge, Cévennes.

Cependant, une partie des catholiques en était restée à considérer l'édit de Nantes comme un expédient provisoire et, estimant que le roi était en même temps un chef religieux, les protestants continuaient à leurs yeux à représenter une faction politique hostile au pouvoir.

Louis XIV, voyant les choses d'un peu haut, ne se préoccupa pas d'abord de ces velléités catholiques. Ce ne fut qu'après la paix de Nimègue qu'il mena contre les protestants une guerre larvée dont il ne mesura pas les déplorables conséquences : conversions forcées parfois stipendiées, dragonnades, vexations fiscales, fermeture des écoles confessionnelles.

Les ministres, pour cacher ces persécutions, en

Madame de Maintenon et sa nièce d'Aubigné, par F. Elle.

vinrent à persuader le roi que les protestants se convertissaient massivement et que, par conséquent, l'édit de Nantes avait perdu sa raison d'exister.

Le roi ne demandait qu'à se laisser convaincre, et, assez légèrement, il signa à Fontainebleau, le 18 octobre 1685, l'édit de Révocation, dont le texte avait été préparé par le chancelier Le Tellier, père du ministre Louvois.

Cet acte d'intolérance, reniement inique de la parole d'Henri IV, provoqua un exode massif dans des conditions pénibles. On a évalué à plus d'un demi-million le nombre des protestants qui s'exilèrent, privant la France d'une partie de ses élites.

Comme tous les protestants ne purent émigrer bien que les souverains réformés eussent largement ouvert leurs frontières, une résistance intérieure s'organisa ; le culte protestant fut célébré clandestinement au *désert,* mais le statut des réformés, privés d'état civil, conduisit à des situations aberrantes dans les cas de mariage ou de succession.

L'attitude du pouvoir fut, dans l'ensemble, assez impitoyable et elle provoqua des révoltes sanglantes dont la plus célèbre fut la guerre des Camisards qui incendia le Languedoc au début du XVIIIe siècle et apporta de sérieuses difficultés à la France engagée dans la guerre de Succession d'Espagne. Le protestantisme clandestin redevint une faction politique.

Dans l'immédiat, la révocation de l'édit de Nantes provoqua l'indignation des princes protestants d'Allemagne et ceux-ci s'unirent en 1686 par la célèbre Ligue d'Augsbourg, qui réunit l'électeur de Brandebourg, l'Empereur, Venise, la Russie, la Pologne, l'Espagne, la Suède, la Bavière et la Hollande. Par son imprudente politique confessionnelle, Louis XIV était menacé d'encerclement.

Il tenta de négocier car le prétexte de la Ligue était de contester les droits de la duchesse d'Orléans, belle-sœur du roi, sur l'héritage de son père, l'Electeur Palatin. L'arbitrage serait soumis au Pape si les Allemands n'y parvenaient pas. Voyant les pourparlers traîner entre l'Empereur et Philippe de Neubourg, héritier du Palatinat, Louvois conseilla à Louis XIV de prendre les devants.

Le roi offrit la renonciation de la duchesse d'Orléans contre le renouvellement de la trêve de Ratisbonne, ultimatum valable pour trois mois. Par précaution, Louis XIV fit prendre des gages : pour faire capituler le Pape et les médiateurs germaniques, le Comtat-Venaissin fut occupé, ainsi que l'électorat de Cologne, Liège, Spire, Kaiserlautern, et le Dauphin vint mettre le siège devant Philippsbourg et établir des têtes de pont à Mannheim et à Heidelberg.

Il semblait que ces opérations préventives mettaient la France dans une excellente position pour mener une négociation, mais la situation allait subitement se retourner.

Une révolution éclata en Angleterre et le roi Stuart Jacques II fut chassé et remplacé par son gendre, Guillaume d'Orange ; celui-ci faisant partie de la Ligue d'Augsbourg, l'Angleterre y adhéra également, ce qui rendit le rapport des forces déplorable pour la France.

Devant le danger de guerre, Louvois fit opérer une des dévastations les plus critiquables de l'histoire. Cet *incendie du Palatinat,* qui mit à feu et à sang tout un territoire, pèse lourdement sur la mémoire de Louis XIV et de son ministre et il suscita des rancunes qui ont traversé le temps.

Les hostilités allaient être menées sur des fronts multiples : Piémont, Irlande, Pays-Bas, Wurtemberg, Belgique, Provence et elles allaient durer dix ans, affaiblissant considérablement les finances françaises.

La guerre de la Ligue d'Augsbourg révéla quelques grands chefs militaires, Catinat, le vainqueur de La Marsaille (4 octobre 1693), et surtout le fils de Montmorency-Bouteville, décapité par Richelieu, ce maréchal de Luxembourg que ses victoires, notamment celle de Neerwinden (29 juillet 1693), firent glorieusement surnommer le *tapissier de Notre-Dame.*

Plus encore que sur terre, la guerre se déroula sur mer, anéantissant en partie la marine constituée par Colbert. Le grand homme en fut l'amiral de Tourville, vainqueur à Bévéziers (Beachy-Head, 29 juin 1690), mais aussi victime du désastre de La Hougue (29 mai 1693).

Contrairement aux pronostics, le bilan de la guerre ne fut pas un désastre ; certes, au traité de Ryswick (1697), Louis XIV se vit contraint de reconnaître Guillaume d'Orange et d'abandonner les Stuarts, mais il conserva Strasbourg. Presque en même temps, l'Empire traita avec les Turcs à Carlowitz (1699), ce qui renforçait le risque autrichien.

Une nouvelle source de conflits allait s'ouvrir peu après en raison de la succession d'Espagne, cause à laquelle Louis XIV s'intéressait depuis la guerre de Dévolution. Le roi d'Espagne Charles II rédigea, après beaucoup d'hésitations, un testament léguant toutes ses couronnes à un petit-fils de Louis XIV, le duc d'Anjou, parce que la France lui paraissait le seul Etat assez puissant pour sauver l'unité ; si la France refusait l'héritage, il passerait aux Habsbourg et l'on se retrouverait dans la situation du temps de Charles Quint.

Charles II mourut le 1er novembre 1700. Louis XIV, informé de la teneur du testament, accepta l'héritage. Il fut nécessaire de prévoir des concessions pour obtenir l'adhésion des Etats européens : l'Empereur, intraitable, déclara aussitôt la guerre, mais, en revanche, l'Angleterre et la Hollande reconnurent le duc d'Anjou devenu le roi Philippe V. Fort de ce succès relatif, Louis XIV fit occuper les places de la *Barrière* et maintint, contre ses propres engagements, les droits de son petit-fils à la Couronne de France.

Cette précaution dressa l'Europe contre le Roi-soleil qui se trouva réduit à de rares alliés, la Bavière, le duc de Mantoue, le duc de Savoie et le Portugal, alliés qui allaient vite se montrer inconstants. La guerre se prolongea pendant une douzaine d'années et acheva de ruiner les finances qui se trouvaient dans une situation catastrophique : Louis XIV en fut réduit à faire fondre son argenterie, à établir de nouveaux impôts dont l'un, la capitation, frappait également la noblesse ; de surcroît, on multiplia les créations de places et de charges, sans parvenir, hélas ! à rétablir le moins du monde l'équilibre budgétaire.

Les trois premières années de la guerre de Succession d'Espagne furent marquées par des succès français dûs aux maréchaux de Berwick et de Villars ; mais ceux-ci avaient affaire à forte partie car les coalisés possédaient le plus grand homme de guerre du temps, un Français, le prince Eugène, fils du comte de Soissons et d'une nièce de Mazarin.

L'offensive en Piémont, menée par Catinat, fut stoppée par le prince Eugène. En revanche Villars poussa une offensive jusqu'à Ulm en 1702 et l'année suivante il remportait un éclatant succès à Höchstaldt (alias Blenheim, septembre 1703). Onze mois plus tard, au même endroit, le 13 août 1704, le prince Eugène et le général anglais Marlborough détruisaient l'armée française, enlevant toute possibilité d'offensive sur Vienne et faisant tourner la fortune des armes.

Un front de guerre navale s'était ouvert en Espagne ; après avoir battu le comte de Toulouse à Velez-Malaga, les Anglais occupèrent le rocher de Gibraltar qu'ils possèdent encore. Après quoi, les Anglais vinrent bloquer dans le port de Toulon ce qui restait de la flotte française qui dut sacrifier quelques navires pour pouvoir mieux résister.

A partir de 1706, la guerre devint seulement défensive. Villeroy fut écrasé par Marlborough à Ramillies (23 mai 1706), défaite qui marqua la perte des Pays-Bas, la Provence fut menacée, Lille fut prise par le prince Eugène.

A Malplaquet (11 septembre 1709), Villars, dans un combat indécis et sanglant, parvint tout juste à préserver la frontière du Nord, où la situation se dégrada au cours des trois années suivantes : le prince Eugène, maître de la *Barrière,* investit Landrecies, dernière forteresse couvrant la route de Paris.

Louis XIV donna ordre à Villars de tenter une bataille pour dégager Landrecies, assurant qu'en cas d'échec il oublierait son âge et « irait se mettre à la tête des troupes pour périr ensemble ou sauver l'Etat ».

Galvanisées par l'attitude héroïque du roi, les troupes conduites par Villars percèrent le front des Impériaux à Denain (18 juillet 1712). Le prince Eugène, pour n'être pas pris à revers, se replia et, l'année suivante, Villars occupa le Palatinat et une partie du pays de Bade.

Ces avantages finaux permirent de traiter à Utrecht et à Rastadt (1713-1714). Si l'on conservait l'Espagne à Philippe V, ce qui était le principal objectif de la guerre, on dut faire dans les autres secteurs de pénibles concessions.

En particulier, il avait fallu reconnaître la séparation à perpétuité des Couronnes de France et d'Espagne, admettre à Dunkerque la présence d'un commissaire anglais, rendre Pignerol qui fut compensé par la remise de Barcelonnette. Les Anglais étaient les gros gagnants grâce à des bases en Méditerranée, Gibraltar et Minorque, ainsi que des territoires au Canada. La Belgique était enlevée à l'Espagne et attribuée à l'Autriche. Le règlement de 1713 fut le seul du règne à n'apporter aucun avantage.

Il est vrai que la fin du règne était lugubre. L'hiver de 1709, l'un des plus froids de l'Histoire, avait gelé les blés, les oliviers, les vignes. On enregistra des températures de —30° dans la région parisienne et les hommes moururent comme des mouches. Ces misères coïncidèrent avec de cruelles difficultés financières qui obligèrent le roi à fondre ses dernières argenteries.

Dans le risque de mort où se trouvait l'Etat, les deuils vinrent frapper la famille royale. Le 14 avril 1711, le Grand Dauphin mourut de la petite vérole. C'était un prince médiocre qui, depuis son veuvage, vivait maritalement avec une dame d'honneur, mademoiselle Choin, sorte de réplique de madame de Maintenon.

Le Dauphin ayant plusieurs fils, le malheur ne parut pas irréparable. Le duc de Bourgogne, mari d'Adélaïde de Savoie, devenait dauphin à son tour.

Louis XIV remet le cordon bleu au duc de Bourgogne enfant, qui sera le père de Louis XV.

C'était un excellent prince, peut-être imprudemment formé par Fénelon. On n'eut pas le loisir de découvrir ses mérites ; la petite vérole frappa de nouveau : la duchesse de Bourgogne mourut le 12 février 1712, suivie par son mari le 19 février et par leur fils aîné le duc de Bretagne, le 8 mars.

Pour recueillir la Couronne il restait un enfant de deux ans, le futur Louis XV et le dernier frère du duc de Bourgogne et de Philippe V, le duc de Berry, qui était dynaste. Il mourut à son tour en 1714 et Louis XIV, sentant le désespoir dynastique le gagner, fit alors le geste inouï de déclarer ses bâtards aptes à succéder au trône.

Obsédé par les risques qu'il envisageait après lui, Louis XIV rédigea son testament le 2 août 1714, puis il tomba malade et, torturé par la gangrène il mourut pieusement le 1er septembre 1715.

De ce règne interminable et de ce roi si grand malgré ses défauts on peut dire avec Voltaire « qu'on ne prononcera point son nom sans respect et sans concevoir à ce nom l'idée d'un siècle éternellement mémorable ».

Certes, il avait fait la France grande et forte, et par son prestige, son art, sa culture, elle était devenue la première nation du monde ; mais l'édifice était fragile et le XVIIIe siècle le verra s'écrouler.

LOUIS XV
(1715-1774)
ET MARIE LECZINSKA

La Régence (1715-1723)

A LA MORT DE LOUIS XIV, le jeune Louis XV, arrière-petit-fils du Roi-soleil, n'avait que cinq ans ; quelques heures avant son décès, Louis XIV avait fait venir l'enfant et lui avait fait ses recommandations. Mais, vu la jeunesse du nouveau roi, une régence était indispensable jusqu'à sa majorité légale qui aurait lieu seulement en 1723.

L'exercice de la régence revenait au duc d'Orléans, neveu du roi et aussi son gendre par son mariage avec une fille de madame de Montespan.

Le Régent est un des personnages les plus étonnants de l'histoire de France. C'était un homme d'une grande intelligence, au charme indéniable, et d'une grande finesse d'esprit. Mais ces dons étaient ternis aux yeux de l'opinion par une réputation méritée de débauche, et également par l'idée, probablement injuste, qu'il était pour quelque chose dans les nombreux deuils qui avaient attristé la Cour et dont le résultat était de faire de lui le maître momentané du royaume.

Louis XIV pensait si peu de bien de son gendre qu'il avait, par testament, restreint ses pouvoirs au profit de ses bâtards. Fort habilement, Philippe d'Orléans fit valoir que le testament de Louis XIV était en contradiction avec les lois fondamentales du royaume : il obtint l'annulation de ce testament, payant la décision de la reconnaissance au Parlement du droit de remontrances, acte dangereux qui entraînera au cours du siècle des conflits de pouvoir et est à ranger parmi les causes de la Révolution.

Le Régent renvoya les ministres de Louis XIV et remplaça chacun d'eux par de petits Conseils qui lui permirent de donner de nombreuses places à ses amis. Ce système, dénommé *polysynodie,* fonctionna assez mal, mais il plut à la noblesse qui eut le sentiment de retrouver dans l'État le rôle dont l'avait privée Louis XIV.

Fort intelligent, le Régent constata que le système instauré était déplorable ; il le corrigea en 1718 en nommant de véritables ministres, mais pendant les trois années perdues la crise financière s'était aggravée au point de paraître insoluble. Quelques expédients décidés par le duc de Noailles, chef du Conseil des Finances, firent gagner quelques mois après lesquels on se trouva devant un gouffre.

Le Régent crut avoir sous la main l'homme qui redresserait la situation ; c'était un banquier écossais, nommé John Law, financier habile, honnête homme, mais joueur. Il possédait des vues économiques fragmentaires que l'on a improprement appelées un *système.*

L'idée maîtresse de Law était que l'on manquait de monnaie pour faire face aux payements et qu'il était indispensable, en raison du manque de numéraire, de créer une monnaie fiduciaire, gagée et remboursable en or, en argent, ou, à défaut, par des actions. Ces dispositions, assez orthodoxes sur le plan financier, étaient compromises d'avance par l'établissement du cours forcé du billet de banque.

Pour gager sa monnaie, Law constitua des sociétés prévoyant l'exploitation des colonies : Sénégal, Antilles, Louisiane, Canada. Il y adjoignit rapidement, en raison du succès, une compagnie d'Afrique et une de Chine. Le Régent, ébloui par ces réussites, nomma Law surintendant des Finances le 5 janvier 1720.

Law avait émis des actions dont le quart seulement avait été versé, dont vingt-cinq pour cent en numéraire, le reste en billets déjà dépréciés. Quand toutes les actions eurent été souscrites, Law se trouva le principal créancier de l'État, mais sans posséder de disponibilités.

L'engouement pour les actions fut tel que leur cours monta à trente-six fois le nominal. Tout se gâta au premier dividende ; il représentait quarante pour cent du nominal, ce qui était énorme, mais seulement un pour cent du cours atteint. Comme à ce prix il était plus avantageux d'avoir de la rente, les actionnaires se mirent à vendre leurs titres avec une telle rapidité que l'action qui valait dix-huit mille livres en janvier 1720 ne trouvait plus preneur à un louis en novembre de la même année. Law, ruiné, dut s'enfuir ; l'État fit banqueroute, ce qui représentait tout de même un assainissement, mais beaucoup de gens étaient ruinés ce qui n'augmenta pas la popularité du Régent.

La politique extérieure de Philippe d'Orléans fut aussi singulière que ses méthodes financières.

Le jour de la mort de Louis XIV, Louis XV, âgé de cinq ans, accompagné du Régent, le duc d'Orléans (à gauche), reçoit l'hommage du cardinal de Noailles.

Se méfiant, avec raison, de la puissance anglaise manifestée pendant la guerre de Succession d'Espagne, il décida de s'entendre avec elle. Il noua une quadruple alliance où se rangèrent aux côtés de l'Angleterre la Hollande et l'Empire. Cet accord était l'œuvre du premier ministre, le cardinal Dubois, ancien précepteur du Régent, et l'une des plus grandes canailles de l'Histoire.

Grâce à cet accord on décida de faire la guerre à l'Espagne à propos d'une prétendue conspiration manigancée par l'ambassadeur Cellamare. L'Espagne était la seule nation dont la marine pouvait aider la France ; négligeant cette considération de bon sens, le Régent expédia le maréchal de Berwick en Espagne où ses troupes détruisirent tous les chantiers navals, tandis que l'amiral anglais Byng dispersait la flotte espagnole en Méditerranée.

A titre de réconciliation avec l'Espagne, le Régent décida que la petite infante, fille unique de Philippe V, épouserait le jeune roi et l'on conduisit la petite fille à la Cour de France.

On cherche en vain les mobiles de Philippe d'Orléans qui semblait s'être donné comme programme la destruction de l'œuvre de Louis XIV.

L'alliance avec l'Angleterre, qui assura une trêve de vingt ans avec cette nation, eut une conséquence imprévue qui fut l'introduction de la franc-maçonnerie de rite écossais en France. Cette association secrète sera un principe d'union entre les adhérents et la création d'une force parallèle susceptible de combattre la monarchie de droit divin.

Philippe d'Orléans était trop intelligent pour ne pas mesurer la portée de ses erreurs ; il faut lui rendre la justice qu'au cours des deux dernières années de sa régence il s'efforça de les pallier. Les célèbres banquiers Pâris furent chargés de liquider les séquelles du système de Law et d'essayer de rembourser au moins le nominal des actions.

La politique religieuse du Régent fut favorable aux jansénistes et il obtint du Pape une atténuation de la bulle *Unigenitus* qui, depuis 1713, les avait de nouveau condamnés.

En février 1723, Louis XV fut proclamé majeur quelques mois après avoir été sacré à la cathédrale de Reims. Le premier ministre Dubois était mort, et le jeune roi fit pratiquement de Philippe d'Orléans le premier ministre.

Mais ce système ne dura pas longtemps ; le Régent, usé par les plaisirs, mourut d'apoplexie chez sa maîtresse, la duchesse de Falari, le 2 décembre 1723.

Le duc de Bourbon, chef de la Maison de Condé sollicita la succession du ministère et l'obtint sans difficultés.

A droite : Louis XV en habits de sacre.

Le sacre de Louis XV à Reims le 25 octobre 1722.

Louis XV ne va pas pour autant gouverner par lui-même et pendant une vingtaine d'années il laissera la main à ses ministres. Toutefois, les choses allèrent moins mal que sous la Régence, mais les excès de celle-ci avaient marqué le siècle et sérieusement affaibli la royauté.

Marie Leczinska (1725-1745)

LE ROI AVAIT LA MAJORITÉ LÉGALE ; il était beau à troubler tous les cœurs. De nature, c'était un timide et un violent. Le duc de Bourbon pensa avec raison que le prince ne pouvait attendre que sa fiancée espagnole atteignît l'âge d'être nubile. Le problème dynastique se posait ainsi que celui de la sexualité du roi.

Avec l'aide de sa maîtresse, Madame de Prie, Bourbon persuada Louis XV de renvoyer la fiancée à Philippe V, affront qui pouvait être la cause d'une guerre avec l'Espagne, et de chercher parmi les cent princesses d'Europe celle qui pouvait le plus rapidement possible lui donner des enfants.

On reconduisit l'infante à la frontière espagnole et l'on se mit en quête d'une épouse possible. Le choix se révéla très malaisé et l'on se trouva réduit à accepter la fille du roi de Pologne détrôné, Stanislas Leczinski, qui vivait misérablement en exil à Wissembourg. La princesse avait déjà vingt-trois ans, ce qui était beaucoup pour un jeune homme de quinze.

On fit dépuceler Louis XV par Madame de Falari et l'on célébra le mariage le 4 septembre 1725.

Marie Leczinska, qui devait donner à son époux dix enfants en dix ans, huit filles et deux garçons, dont un seul survécut, le Dauphin, père de Louis XVI, est une des figures touchantes de l'Histoire. Bonne, douce, d'intelligence moyenne, elle se montra au début une épouse admirable. Louis XV, dans l'ardeur de sa jeunesse, la trouva d'abord inimitable. Puis, quand elle eut été déformée par les grossesses et que, pour des raisons de santé, elle refusa de remplir ses devoirs conjugaux, elle fut trompée comme rarement une femme peut l'être et il y aura lieu de revenir sur le sujet des maîtresses de Louis XV car il intéresse la grande Histoire.

Le duc de Bourbon devint très vite impopulaire parce qu'il établit une sorte d'impôt sur le revenu au taux d'ailleurs fort modéré de deux pour cent. De surcroît, la mauvaise récolte de blé de 1725 fit tripler le prix du pain, ce qui réduisit le peuple à la famine.

Sur le conseil de son ancien précepteur, Louis XV renvoya le duc de Bourbon et donna sa place à Fleury. Celui-ci allait mener avec sagesse le gouvernement jusqu'à sa mort, qui ne survint qu'en 1743, alors que le cardinal atteignait ses quatre-vingt-dix ans.

Fleury, fils d'un receveur des tailles de Lodève, était né ambitieux ; il dut pendant longtemps se contenter du modeste évêché de Fréjus, où il se sentait relégué, disait-il, « par l'indignation divine ». Son rôle de précepteur du jeune roi allait décider de la fin de sa carrière et le roi, qui avait très grande confiance en lui, le laissa mener les affaires à sa guise.

Son œuvre, où il fut assisté par Maurepas à la Marine, par Saint-Florentin aux Affaires étrangères et par Le Blanc à la Guerre, fut considérable et assez heureuse pour la France.

Très préoccupé par les questions religieuses, Fleury se montra l'adversaire impitoyable du jan-

A droite : Portrait de Louis XV par Maurice Quentin de La Tour.

sénisme et il entreprit de le briser par le concile d'Embrun (1729) qui trouva un bouc émissaire dans la personne du pieux évêque de Senez, Jean Soanen. Il fit de la bulle *Unigenitus* une loi du royaume et le Parlement fut dessaisi des causes ecclésiastiques par lit de justice (3 avril 1730).

Expert en matière financière, Fleury, conseillé par les frères Pâris, fixa le prix du louis d'or à vingt-quatre livres et fit refondre les monnaies. Cette opération, qui paraît secondaire, eut un effet bénéfique et, au contraire du temps de Louis XIV, où la valeur du louis changea une cinquantaine de fois, la nouvelle valeur fut conservée jusqu'au temps des assignats.

Ensuite Fleury reconstitua la ferme générale des impôts en indexant le forfait exigé des fermiers généraux en fonction de la productivité de la nation. Cette idée si neuve porta d'heureux fruits et les finances ne connurent pas de difficultés sérieuses pendant toute la durée du ministère. Il convient également de dire que, sur le conseil du surintendant Orry, Fleury frappa les contribuables d'un impôt de dix pour cent (le dixième) sur le revenu pour financer les dépenses de guerre. De surcroît, il fonda les Ponts et Chaussées, service qui rendit carrossables les grandes routes du royaume.

Reprenant une partie des idées de Law, il encouragea les grandes compagnies coloniales, mit en valeur le Canada et la Louisiane, encouragea les entreprises de plantations aux Caraïbes. On peut donc dire que, dans l'ensemble, la politique de Fleury aurait été parfaitement rentable s'il n'y avait eu, au grand regret du cardinal, pacifiste de temparément, à entreprendre des guerres qui ne rapportèrent pas que des avantages.

Un *casus belli* allait se présenter en l'année 1732 : le père de la reine, Stanislas Leczinski, voulut reprendre le trône de Pologne et il parvint à se faire élire roi par soixante mille suffrages, évinçant le roi de Saxe Auguste III qui n'en obtint que six mille.

Auguste III, avec l'appui de la Russie, de l'Autriche et des Pays-Bas, ne l'entendit pas de cette oreille ; il se fit proclamer roi de Pologne et Stanislas Leczinski, mis en fuite, dut se réfugier à Dantzig. A tout hasard, Fleury envoya une flotte et des renforts à Dantzig mais l'opération échoua et Stanislas Leczinski dut s'enfuir.

Pour soutenir l'honneur du père de la reine on se décida, à défaut de la Russie, à attaquer l'Autriche, et l'on acheta la neutralité de l'Angleterre.

Berwick attaqua en Allemagne, Villars en Italie, et tous deux, après avoir remporté d'appréciables succès, moururent. La progression française se poursuivit dans le Trentin en direction de Vienne, ce qui permit dès 1735 de signer un armistice.

Les négociations de paix, menées par Chauvelin, se prolongèrent pendant trois ans où l'on signa un traité à Vienne (1738). Le traité fut un succès pour Fleury : le duc de Lorraine, gendre de l'Empereur, céda son duché en échange de la Toscane. La Lorraine fut attribuée en viager à Stanislas Leczinski avec retour de la province à la France à la mort du nouveau roi. Cet arrangement permettait à terme d'achever pacifiquement la frontière de l'Est.

La guerre n'était pas terminée car l'Autriche et la Russie attaquèrent alors la Turquie. Fleury fit aider les alliés traditionnels de la France et, à la paix de Belgrade, en 1739, la Turquie récupéra une partie des territoires que lui avait enlevés le prince Eugène. La France se trouvait fortifiée par l'avantage remporté à l'est et il semblait qu'une nouvelle période de paix allait s'ouvrir.

Il n'en fut rien et l'année 1740 remit toute la politique de l'Europe en question. Frédéric II devint roi de Prusse, Élisabeth, fille de Pierre le Grand, tsarine, et surtout Marie-Thérèse, fille de l'Empereur, monta sur le trône autrichien.

L'Empereur avait fait garantir la succession à sa fille par un acte solennel auquel l'Europe avait adhéré, la *Pragmatique sanction.*

Pour se faire payer son adhésion, Frédéric II occupa brusquement la Silésie.

En France, un parti anti-autrichien s'agitait, mené par le petit-fils de Fouquet, le maréchal de Belle-Isle. Ce parti voulait soutenir l'action de Frédéric II : Louis XV et Fleury se trouvèrent malgré eux contraints à la guerre.

On attaqua en direction de Vienne et un succès fut remporté par l'escalade de Prague (1741).

Forte du succès, la France imposa l'élection comme Empereur de l'Électeur de Bavière, Charles-Albert, dont les droits dynastiques en ligne masculine primaient ceux de Marie-Thérèse.

Cette élection n'apporta pas les succès espérés. Marie-Thérèse, appuyée par les Hongrois, envahit la Bavière et fit une paix séparée avec Frédéric II en lui abandonnant la Silésie.

Pressés par les Hongrois, les Français durent évacuer Prague en plein hiver et la retraite fut meurtrière. Conscient que la France était dans une impasse, Fleury écrivit secrètement à Marie-Thérèse pour trouver un accommodement. La lettre fut divulguée. Fleury perdit la face et désavoua sa lettre mais, accablé par le sort, il mourut peu après (29 janvier 1743).

Marie Leczinska, par Nattier.

La guerre devait se poursuivre pendant trois ans encore, mais avant d'en relater toutes les péripéties il convient de dire un mot de la vie privée de Louis XV à cette période.

La reine Marie Leczinska lui ayant fermé la porte de la chambre conjugale, Louis XV, qui avait du tempérament et n'était âgé que de trente ans, avait cherché des consolations.

On raconte encore ses amours avec les quatre sœurs de Nesle, dont la plus remarquable, la duchesse de Châteauroux, voulut, à la mort de Fleury, que le roi régnât par lui-même et se couvrît de gloire par des exploits guerriers.

Après l'évacuation de Prague on renonça à occuper l'Autriche ; une armée resta cependant en Allemagne, mais, en 1743, la coalition, à laquelle s'était jointe l'Angleterre, attaqua l'armée française avec succès à Dettingen. Il fallut repasser le Rhin et l'Alsace fut défendue par Maurice de Saxe, un bâtard du roi de Pologne Auguste II et de la comtesse Aurore de Kœnigsmark.

La défense de l'Alsace fut tellement efficace que, par le traité de Francfort (22 mai 1744), Frédéric II offrit son alliance à la France et à la Bavière.

Ainsi fortifié, Louis XV prit personnellement

Ci-dessus : Le roi Frédéric II de Prusse avec Voltaire.

A gauche : Fête dans la Galerie des Glaces à Versailles pour célébrer le mariage du Dauphin Louis (fils de Louis XV) en 1745.

la direction des hostilités. Il attaqua les Pays-Bas et enleva Menin, Ypres et Furnes.

L'Autriche riposta par une offensive en Alsace et Louis XV transporta son quartier-général à Metz. Il y tomba gravement malade et l'on craignit pour sa vie. Sur l'injonction de son confesseur, il fit une amende publique honorable, il chassa la duchesse de Châteauroux, et se réconcilia avec la Reine.

Guéri, il reprit la campagne, débloqua l'Alsace et prit Fribourg-en-Brisgau le 6 novembre 1744.

Le 20 janvier 1745, l'Empereur bavarois mourut à Munich, ce qui aurait peut-être permis une paix de compromis si Frédéric II n'avait relancé les hostilités. François de Lorraine, mari de Marie-Thérèse, obtint sans difficultés la Couronne impériale.

Après son succès en Alsace, Louis XV avait regagné Paris et, en dépit de ses promesses, il avait renoué avec la duchesse de Châteauroux, à la grande indignation de l'opinion. Peu de jours après, Madame de Châteauroux mourut subitement, peut-être empoisonnée.

Ne pouvant supporter la solitude, le roi se lia avec une bourgeoise, Jeanne Poisson, épouse Le Normant d'Étiolles, qu'il fera marquise de Pompadour.

C'était une fille très jolie, fine et ambitieuse, qui consentit à tous les sacrifices pour conserver sa place jusqu'à sa mort, survenue en 1764. Cette liaison avec une fille de modeste extraction scandalisa la noblesse et madame de Pompadour eut une situation d'autant plus difficile que, étant frigide, elle ne put se maintenir qu'en procurant de multiples maîtresses au roi.

Ce *« règne »* de Madame de Pompadour, qui va se prolonger pendant dix-neuf ans, allait avoir un rôle de premier plan sur toute la politique française.

Madame de Pompadour (1745-1764)

MADAME DE POMPADOUR NE JOUE cependant aucun rôle dans les dernières années de la guerre de Succession d'Autriche.

L'Alsace délivrée du risque, le théâtre de la guerre revint aux Pays-Bas. Louis XV assista à une grande partie des opérations qui furent menées avec talent par le maréchal de Saxe. Celui-ci, le 11 mai 1745, écrasa à Fontenoy l'armée de Cumberland. Fontenoy, la plus belle bataille du XVIIIe siècle, est illustrée par le dialogue fameux : « Messieurs les Français, tirez les premiers » - « Messieurs les Anglais nous ne tirons jamais les premiers, tirez vous-mêmes », et par la réflexion si humaine de Louis XV à son fils en visitant le champ de bataille : « Voyez ce que coûte un triomphe; le sang de nos ennemis est toujours le sang des hommes, la vraie gloire c'est de l'épargner. »

Le succès de Fontenoy fit tomber une partie de la Belgique aux mains des Français. La paix aurait pu être signée, mais Frédéric II signa une paix séparée avec l'Autriche à Dresde ce qui lui assura définitivement la Silésie.

La guerre continua avec l'Angleterre et l'Autriche ; le 20 février 1746, Maurice de Saxe s'empara de Bruxelles. Ce succès fut neutralisé par un revers qui eut lieu en Angleterre où le prétendant Stuart que soutenait la France fut écrasé par Cumberland à Culloden (16 avril 1746). La victoire anglaise fit reflamber une lutte qui ne se limitait pas à la Belgique car des combats se déroulaient également aux colonies, au Canada et aux Indes où combattaient brillamment Dupleix et La Bourdonnais.

Belle-Isle tenta de reprendre le Piémont mais il essuya une défaite dans les Alpes, au col de l'Assietta. En revanche, Maurice de Saxe accumulait les succès. Il remportait les victoires de Raucoux en 1746, de Lawfeld (1747), tandis que Lowendal emportait en Hollande l'imprenable citadelle de Berg Op Zoom.

La prise de Maëstricht par Maurice de Saxe au printemps de 1748 fut le prétexte d'une conférence de paix qui se tint à Aix-la-Chapelle. Personne n'était franchement vainqueur et l'on fit des concessions réciproques : Madras fut échangée contre Louisbourg, François de Lorraine fut reconnu comme Empereur. La Belgique représentait un gage énorme que Maurice de Saxe réclama pour un proconsulat personnel. Louis XV, qui assura « faire la paix en roi et non en marchand », la rendit à l'Autriche, ce qui fit courir les expressions légendaires « bête comme la paix », ou « travailler pour le roi de Prusse ». En effet, devenu possesseur de la Silésie, Frédéric II était le seul bénéficiaire de la paix.

Somme toute, le territoire national, ayant été préservé de l'invasion, la prospérité française, ne fut pas affectée par la guerre. Un ministre énergique, le surintendant des Finances Machault d'Arnouville, voulut instituer un impôt permanent de cinq pour cent sur le revenu et également taxer le clergé, presque dispensé d'impôts. La vie privée de Louis XV lui interdisant de s'aliéner le clergé, les réformes fiscales prévues ne furent pas appliquées et Machault dut rendre son portefeuille. C'est un fait très important dans lequel il faut voir une des causes de la Révolution.

A l'extérieur, la situation se dégradait parce que l'Angleterre, forte de sa marine, persévéra dans son dessein de s'emparer des colonies françaises pour assurer sa propre hégémonie... Louis XV, conscient du danger, chercha une alliance avec l'Espagne (1754).

Puis, en 1755, l'impératrice Marie-Thérèse sut se servir de l'importance politique de Madame de Pompadour ; elle la fit pressentir pour contracter une alliance. Le cardinal de Bernis, ministre des Affaires étrangères, trouva sage d'étudier les modalités du projet. L'Impératrice proposait de placer le gendre de Louis XV, Don Philippe de Parme, à la souveraineté des Pays-Bas autrichiens, avec l'espoir qu'ils pourraient revenir à la France, un peu comme la Lorraine.

Ces négociations secrètes eurent leur contrepartie, non moins mystérieuse. La Prusse, ayant appris que l'Angleterre avait contracté un traité d'alliance défensive avec la Russie, craignit l'encerclement et signa, sans avertir Louis XV, le traité de Westminster (16 janvier 1756).

Cette véritable défection laissant la France isolée, il devint possible de donner suite aux propositions de Marie-Thérèse qui, jusque-là, avaient paru contraires à l'honneur de la France.

Un traité d'alliance fut donc signé avec l'Autriche le 1er mai 1756. Il a conservé le nom de *renversement des alliances* et il sera lourd de conséquences politiques.

Dès qu'elle eut connaissance du traité franco-autrichien, l'Angleterre déclara la guerre (18 mai 1756) et Frédéric II entra en campagne sans

Le siège de Bruxelles, en février 1746.

Madame de Pompadour, par François Boucher.

déclaration et occupa la Saxe. La Russie se rangea alors aux côtés de la France.

La guerre débuta par des succès : en 1756, Richelieu et La Galissonnière enlevèrent Minorque. Puis Richelieu fit capituler Cumberland à Closterseven, tandis que Frédéric II était battu par le maréchal autrichien Daun à Kollin (juin 1757).

Cette année 1757 qui débutait si bien fut marquée par un attentat contre Louis XV perpétré par un déséquilibré nommé Damiens. Il révélait une baisse de la popularité du Roi ; elle fut en effet gravement atteinte par les revers qui allaient suivre.

En un mois, Frédéric II infligea deux sanglantes défaites, aux Français à Rossbach (5 novembre 1757), et aux Russes à Leuthen (5 décembre 1757).

En revanche, la France, dans le secteur Hesse-Westphalie, remporta quelques succès locaux, grâce au maréchal de Broglie à Hastenbeck et à Bergen, et au marquis de Castries à Clostercamp (16 octobre 1760). Mais, aux colonies, les désastres se multiplièrent : Montcalm, chargé de la défense du Canada, fut battu à Québec et y mourut le 3 septembre 1759. Son second, Lévis, ne put empêcher la chute de Montréal en 1760. Aux Indes, Lally-Tollendal acheva de ruiner l'œuvre de Dupleix, erreur qu'il devait payer d'une condamnation capitale.

Sur le conseil de Madame de Pompadour, Louis XV avait nommé premier ministre l'ambassadeur à Vienne qui avait négocié le renversement des alliances, le duc de Choiseul. Celui-ci allait s'acquitter de sa tâche avec brio pendant une douzaine d'années.

La France ayant perdu ce qui lui restait de

marine aux combats de Lagos (1757) et des Cardinaux (1759), Choiseul eut l'idée, pour faire bénéficier la France de la marine espagnole, de négocier un traité d'alliance avec tous les Bourbons d'Europe, le Pacte de Famille (1761).

Cet acte diplomatique fut neutralisé par la défection de la Russie où le nouveau tsar Pierre III signa une paix séparée avec Frédéric II. La France se vit contrainte de subir la paix dans de déplorables conditions.

Les traités de Paris et d'Huberstbourg (1763) mirent fin aux hostilités. Marie-Thérèse devait renoncer définitivement à la Silésie. Pour la France, les conditions furent exceptionnellement sévères, bien que son territoire restât intact. Le désastre, dont on ne comprit pas sur le moment l'importance, se situait aux colonies.

Du Canada il ne restait rien, tout passant à l'Angleterre ; la France ne conservait comme bases dans ce secteur que les infimes îlots de Saint-Pierre et de Miquelon ; hors cinq comptoirs, Pondichéry, Chandernagor, Yanaon, Mahé et Karikal, une grande partie des Indes était incorporée à l'empire britannique. La Louisiane était donnée à l'Espagne pour la compenser de la perte de la Floride cédée à l'Angleterre. L'œuvre coloniale de deux siècles était anéantie hors la possession de quelques îles des Caraïbes, la Martinique, Sainte-Lucie, la Guadeloupe, et, au Sénégal, l'îlot de Gorée.

On aurait tort de croire que Louis XV fut insensible à ces désastres. Dès la signature du traité de Paris, il fit étudier des possibilités de revanche, envoya des missions secrètes en Amérique commença la reconstitution d'une marine.

Ces activités honorables du roi ont été effacées par une vie privée que même l'indulgent XVIIIe siècle jugea scandaleuse. Dès 1750, Madame de Pompadour ne fut plus qu'une amie. Pour conserver sa place elle dut se résigner à fournir des maîtresses à son royal amant.

On parle encore d'une maison de Versailles, située près du parc aux Cerfs, où Louis XV se rendait nuitamment pour rencontrer de jolies filles. Certaines ne surent même pas qu'elles rencontraient le roi. D'autres durèrent, dont la célèbre Morphise qui donna à Louis XV un des rares bâtard auxquels il se soit intéressé. On a beaucoup jasé de ces aventures, somme toute pas plus scandaleuses que les ostentations sexuelles d'Henri IV et de Louis XIV.

Il est hors de doute que l'influence de Madame de Pompadour, bien que le renversement des alliances n'ait pas fourni les résultats escomptés, fut bénéfique dans l'ensemble. Profondément artiste, elle encouragea les peintres, les sculpteurs, les architectes et le patrimoine immobilier français lui doit beaucoup : il suffit de citer la place de la Concorde, l'École militaire, le petit Trianon.

Madame de Pompadour mourut, vraisemblablement de la poitrine, en 1764. Quand elle fut morte, le roi poursuivit ses habitudes de débauche et, à la mort de la reine Marie Leczinska, en 1768, il afficha officiellement une nouvelle favorite qui scandalisa l'Europe, la comtesse du Barry.

La réforme des Parlements (1764-1774)

LES DERNIÈRES ANNÉES DU RÈGNE de Louis XV rachètent en partie les négligences qui semblent avoir marqué les premières devant l'opinion. Celle-ci fut parfois injuste car on ne connaît guère de souverain aussi consciencieux que Louis XV, qui fit passer toutes les affaires entre ses mains, mais rencontra d'ordinaire des conjonctures internationales très malaisées.

Afin de restaurer la France dans sa grandeur, Choiseul élaborait des projets onéreux ; pour obtenir les crédits nécessaires, il fallait se concilier les Parlements devenus de plus en plus puissants ; il fallut leur faire la concession de sacrifier l'ordre des jésuites à l'occasion de la faillite du père La Vallette (1764).

Cette concession si pénible ne rendit pas les Parlements plus compréhensifs et ils en arrivèrent peu à peu à une attitude de révolte permanente dont l'exemple le plus aigu se situe en Bretagne lors de la fameuse affaire d'Aiguillon-La-Chalotais.

En dépit de ces résistances, Choiseul exécutait peu à peu la reconstitution de la marine et de l'armée, secondé par Guibert, Castries et Gribeauval.

La Corse était achetée aux Génois et la soumission de l'île opérée par le maréchal de Vaux (1768), ce qui donnait à la France une solide base navale en Méditerranée.

En 1768, Louis XV nomma chancelier Maupeou, président du Parlement de Paris. C'était un homme sombre, chafouin, pénétré de ses devoirs. Ses conceptions étaient en opposition avec celles de Choiseul. Il estimait qu'il fallait réduire les Parlements à l'obéissance, tandis que Choiseul était partisan d'élargir encore leurs pouvoirs pour arriver progressivement à transformer la monarchie absolue en monarchie constitutionnelle.

Cette lutte d'influence va être dominante pendant les années 1768 à 1770. Choiseul emporta d'abord l'avantage en négociant le mariage du Dauphin, futur Louis XVI, avec l'archiduchesse Marie-Antoinette, fille de Marie-Thérèse, ce qui consolidait l'alliance avec l'Autriche.

Bien vu de la nouvelle Dauphine, Choiseul, qui avait été la créature de Madame de Pompadour, ne put souffrir la comtesse du Barry, nouvelle favorite, et ses rapports avec elle se tendirent jusqu'à irriter Louis XV. Celui-ci n'eût tout de même pas sacrifié son premier ministre à une intrigue de Cour, mais il utilisa une désobéissance de Choiseul, qui avait armé un corps expéditionnaire aux îles Falkland sans en avertir le roi, pour le disgracier subitement le 24 décembre 1770.

La crise des Parlements prit une forme aiguë. Le roi dut tenir plusieurs lits de justice et, le 3 décembre 1770, il publia un édit affirmant la prérogative royale :

« Nous ne tenons notre couronne que de Dieu. Le droit de faire des lois par lesquelles nos sujets peuvent être conduits et gouvernés nous appartient à nous seul, sans dépendance ni partage. »

C'était adopter la prise de position de Maupeou contre celle de Choiseul ce qui explique également la disgrâce d'un premier ministre devenu si puissant qu'on l'avait surnommé « le cocher de l'Europe ».

Les magistrats, jaloux de leur indépendance, refusèrent d'enregistrer l'édit du 3 décembre. Ils perdirent en Choiseul leur dernier défenseur et le roi régla le problème par un coup d'État.

Dans la nuit du 19 au 20 janvier 1771, les membres du Parlement furent personnellement sommés de répondre par oui ou par non et par écrit s'ils voulaient reprendre leurs fonctions. Leurs réponses ayant été en grande majorité négatives, le roi cassa le Parlement par un arrêt du Grand Conseil et exila ses membres.

Cette manifestation d'absolutisme venait probablement trop tard car elle n'était pas dans l'esprit du siècle. La sagesse était probablement dans les vues de Choiseul et, si Louis XV avait établi de lui-même une monarchie constitutionnelle, on aurait vraisemblablement évité la Révolution.

Comme le roi n'avait que soixante ans lors de son coup d'État, il était probablement en droit d'espérer qu'il avait le temps de tirer les conséquences de la réforme. Il constitua un nouveau Parlement réduit aux seules fonctions de judicature et ordonna la gratuité de la justice : les membres du nouveau Parlement seraient nommés par le roi et appointés, ce qui était la négation de la vénalité des charges qui avait fini par restreindre le pouvoir royal.

Les classes privilégiées se montrèrent, dans

Madame du Barry par Mme Vigée-Lebrun.

l'ensemble, hostiles à la réforme. Une guerre de libelles s'alluma et le roi borna le nouveau système au seul Parlement de Paris, laissant les anciennes habitudes intactes dans les provinces.

Le ministère qui servit Louis XV pendant les dernières années de son règne a gardé le nom de *Triumvirat* parce qu'il était composé de trois ministres : Maupeou, Terray et le duc d'Aiguillon.

Ce dernier était, comme Maupeou, l'ennemi-né des Parlements. Terray, un abbé, fut surintendant des Finances et il s'ingénia à réduire les abus. Il adoucit les impôts les plus vexatoires, organisa équitablement la perception des vingtièmes et lança l'idée de la contribution mobilière assise sur la fortune terrienne.

D'Aiguillon échoua en politique étrangère et fut déconsidéré par le premier partage de la Pologne entre la Prusse, la Russie et l'Autriche (1772). Ce partage était la faillite d'une politique mystérieuse appelée *Secret du roi* et menée par Louis XV à l'insu de ses ministres dans le dessein de placer sur le trône polonais un Français, le prince de Conti.

De plus en plus obnubilé par sa réforme intérieure, Maupeou en sentait peut-être aussi la vanité, en raison de l'âge du roi. Il eût fallu un demi-siècle de constance pour faire admettre les nouvelles institutions et l'on se demandait si le Dauphin, un jeune homme lourd et lent, en aurait la force.

La Dauphine, en dépit des observations répétées de sa mère, l'impératrice Marie-Thérèse, fut en lutte constante avec la favorite Madame du Barry et il en résulta des piques qui troublèrent les rapports de Louis XV avec son petit-fils et héritier, car le fils et la belle-fille du roi étaient morts à peu de distance, à peu près en même temps que la reine Marie Leczinska.

Madame du Barry était certes toute-puissante sur Louis XV mais il s'agissait d'une domination purement sensuelle, celle d'une jolie fille experte qui avait rendu l'illusion de la jeunesse à un homme mûr, fatigué par ses excès sexuels. Il semble équitable de dire que ce n'était pas une méchante femme ; elle se signala souvent par sa charité et sa générosité, et, hormis son différend avec Choiseul, elle ne se mêla guère de la politique.

Peut-être épuisé par ses excès et par ses soucis de gouvernement, Louis XV donna des marques de déclin ; il lui arrivait de parler avec inquiétude du compte effrayant qu'il devrait rendre à Dieu.

Mais, ne pensant toujours qu'à ses joies amoureuses, il décida d'aller passer une semaine en tête à tête avec Madame du Barry au grand Trianon. Aussitôt arrivé dans ce palais, il fut pris d'une forte fièvre et son médecin le fit ramener en hâte à Versailles.

Au bout de quelques jours, on découvrit que le roi était atteint de la petite vérole, maladie qui ne pardonnait pas à un homme de son âge, dans l'état présent de la médecine.

Mis au courant de la gravité de son état, Louis XV exila Madame du Barry, fit appeler l'aumônier de la Cour, l'abbé Maudoux, auquel il se confessa et il fit publiquement amende honorable des désordres de sa vie privée.

Il mourut le 10 mai 1774, laissant le trône à un petit-fils de vingt ans, le roi Louis XVI.

Il convient, avant de parler de celui-ci, de porter un jugement d'ensemble sur le règne de Louis XV.

En dépit de déboires coloniaux dont on prit aisément parti, le règne de Louis XV peut être considéré comme un grand règne.

La France y donna le ton à l'Europe et elle continuait à éblouir le monde même quand ses chances d'hégémonie eurent à peu près disparu.

Le territoire national s'était agrandi de la Corse et de la Lorraine, acquisitions considérables, fort importantes stratégiquement.

On ne pouvait dire que la France fût mécontente de son gouvernement. L'impopularité qui atteignit Louis XV lors de ses dernières années lui était personnelle. Il avait été adulé dans sa jeunesse et, lors de sa maladie au siège de Metz, il avait été surnommé le « Bien-Aimé ». Ce fut sa conduite privée qui le rendit moins populaire à la fin de sa vie, et son enterrement quasi clandestin donna lieu à des manifestations scandaleuses.

En revanche, et par contraste, son successeur allait dans ses débuts jouir d'une popularité si fabuleuse que l'on s'étonne encore qu'en moins de vingt ans, son règne ait abouti à la destruction de la royauté.

LOUIS XVI (1774-1793) ET MARIE-ANTOINETTE

Louis XVI avant la Révolution (1774-1789)

LE ROI LOUIS XVI A PRIS DANS L'HISTOIRE une figure particulièrement émouvante en raison de son martyre. Au physique, c'était un homme épais, au visage bouffi, aux yeux saillants et myopes. Il avait un goût profond pour la chasse et les travaux manuels, notamment la serrurerie, mais il n'en était pas moins fort instruit, principalement en géographie. C'était un homme de bien, peu fait pour régner. Plein de bonnes intentions mais incapable de les mener jusqu'au terme par versatilité de caractère, il verra, après un début de règne brillant, l'État s'effriter entre ses mains jusqu'au point d'amener la chute du trône.

Atteint d'une légère malformation génitale, il resta sept ans sans consommer son mariage, ce qui

Ci-dessus : Portrait de Louis XVI par Alexandre Roslin.

Ci-contre : La jeune Marie-Antoinette.

fit souffrir profondément dans son orgueil son épouse, l'archiduchesse d'Autriche Marie-Antoinette. Celle-ci était une fille plus majestueuse que vraiment belle, avec un port inimitable, une certaine raideur de manières, beaucoup de morgue, une ironie parfois blessante. Isolée comme épouse, elle tenta de se faire une vie privée et sortit beaucoup dans les bals en dehors de son mari. Ses imprudences la firent calomnier autant que les maîtresses de Louis XV alors que ses aventures, hormis l'attachement du comte de Fersen, sont probablement du domaine de l'imagination. Le malheur fut que la Nation crut à toutes les critiques sur la reine et celle-ci vécut dans un climat d'impopularité qui explique un peu ses malheurs.

Qui eût pu se douter de ce sombre avenir au moment de la mort de Louis XV où le nouveau roi fut accueilli avec un élan de ferveur tel qu'on n'en avait pas vu depuis Henri IV ? Cependant, le jeune couple, âgé d'une vingtaine d'années, parut tout de suite appréhender l'avenir et l'on cite le mot qui leur vint immédiatement aux lèvres : « Mon Dieu, gardez-nous, protégez-nous ; nous régnons trop jeunes. »

De son père, Louis XVI tenait un testament moral qui lui conseillait le choix d'un premier ministre. Il hésita entre Machault, qu'il repoussa, comme hostile au clergé, et le comte de Maurepas qu'il désigna. C'était un ancien ministre de Louis XV, disgracié pour avoir manqué de respect à Madame de Pompadour, ce qui pesa beaucoup dans le choix. Maurepas, qui avait été seulement consulté, s'installa d'autorité dans les fonctions de premier ministre ; en moins de trois mois, les ministres de Louis XV furent écartés et remplacés par des hommes nouveaux qui ne manquaient pas de valeur, principalement Vergennes aux Affaires étrangères et Turgot aux Finances.

Le premier acte de Maurepas fut de conseiller à Louis XVI de revenir sur la réforme de 1771 et de rétablir les Parlements ; c'était une erreur de désavouer Louis XV à moins que le dessein royal fût d'établir la monarchie constitutionnelle, ce qui n'entrait nullement dans ses vues. Il y a lieu de citer le mot profond et prophétique de Maupeou disgracié : « J'avais fait gagner au roi un procès qui durait depuis trois siècles ; il veut le reperdre, il est le maître. »

Les deux ministres qui vont successivement conduire la politique sont Turgot et Vergennes, mais Maurepas joua constamment un rôle important de conseiller et Louis XVI qui l'appréciait beaucoup le surnomma son *Mentor.*

Turgot exposa sa méthode dans cette formule simple : « pas de banqueroute, pas d'augmentation d'impôts, pas d'emprunts », ce qui était chimérique. Mais, élève des physiocrates, Turgot pensait que les ennuis matériels venaient des contraintes imposées au commerce. Il fit donc décider la liberté de circulation des grains. La récolte de blé ayant été déficitaire, le prix du pain haussa dans des conditions sociales défavorables et la réforme provoqua des troubles dits « guerre des Farines ».

Cet échec ne découragea pas Turgot qui, reniant son programme, voulut établir un nouvel impôt, la subvention territoriale, dont la quotité eût été établie par des assemblées de propriétaires. Cette idée heurta profondément Louis XVI et fut un des motifs de la disgrâce de Turgot.

Sans être conscient de son impopularité, Turgot poursuivait ses réformes en supprimant la corvée, remplacée par un impôt foncier, abolissant les corporations, les jurandes, accordant la liberté à l'industrie et au commerce.

Le Parlement s'insurgea contre toutes ces nouveautés ; le roi fit enregistrer les édits, puis les désavoua, politique d'hésitations funeste qui provoquera sa perte. Turgot fut disgracié ; avant de partir, il dit au roi : « Rappelez-vous, Sire, que c'est la faiblesse qui a mis la tête de Charles Ier sur le billot. »

Marie-Antoinette avait fait sur le roi de fortes pressions pour obtenir le renvoi de Turgot parce que celui-ci avait assuré que l'état des finances rendait toute guerre impossible, alors que Vergennes, qui observait de près la révolte des colonies anglaises d'Amérique, y entrevoyait le champ de bataille qui permettrait de venger les hontes du traité de 1763.

Vergennes voyait juste. Depuis 1773, un conflit à propos de taxes douanières sur le thé opposait l'Angleterre aux treize colonies américaines et celles-ci envoyèrent un émissaire, Silas Deane, à Versailles, pour demander l'appui de la France. Le 4 juillet 1776, les colonies anglaises proclamèrent leur indépendance, ce qui permettait, avec de la bonne volonté, de les reconnaître comme État souverain. Au printemps de 1777, un jeune aristocrate, le marquis de La Fayette alla s'engager dans l'armée américaine et y obtint un commandement, ce qui était un geste très significatif pour l'avenir.

Entrer en guerre représentait un grand risque financier, mais le nouveau contrôleur-général, le banquier genevois Necker, estima qu'on pouvait l'assumer. Cette attitude encouragea la participation française à la guerre aux États-Unis. Le 6 février 1778, un traité fut signé à Paris entre

Rochambeau et Washington au siège de Yorktown, 1781.

Franklin, représentant les Américains, et Louis XVI. Ce traité d'amitié était en réalité une alliance défensive.

Quand le traité fut connu, l'Angleterre déclara la guerre et celle-ci s'engagea dans la Manche par l'incident de la *Belle-Poule* et la bataille d'Ouessant. En même temps, Louis XVI envoyait à l'aide des Américains une flotte confiée à l'amiral d'Estaing. Cette flotte, qui conduisait aux États-Unis le premier ambassadeur français, Conrad-Alexandre Gérard, arriva devant les côtes américaines en juillet 1778 mais elle échoua devant New York et devant Newport, ce qui promettait une guerre longue.

En fait, il fallut plus de trois ans pour venir à bout de la résistance anglaise en Amérique. En 1780, un corps expéditionnaire commandé par Rochambeau fut envoyé aux États-Unis mais il ne put agir utilement par insuffisance d'effectifs. Ce ne fut qu'en 1781 qu'un nouveau ministre de la Marine, le maréchal de Castries, put dénouer la situation en envoyant des renforts et en désignant l'amiral de Grasse à la tête de la flotte d'intervention en Amérique et Suffren pour la campagne des Indes.

La conjonction de l'armée de Washington, du corps expéditionnaire de Rochambeau et de la flotte de l'amiral de Grasse fut menée à bien au début de septembre 1781 et la chute de Yorktown, le 19 octobre 1781, marqua la réussite de l'indépendance américaine.

Toutefois, le traité qui termina la guerre fut signé à Versailles seulement le 3 septembre 1783. Il représentait pour la France un succès moral considérable, mais ne lui apportait pas d'avantages matériels sérieux et laissait ses finances en ruine.

La crise financière due aux dépenses de guerre avait éclaté dès l'année 1781 et Necker avait cru judicieux de publier un « compte rendu » levant le secret budgétaire, ce qui amena sa disgrâce.

Ses successeurs, Joly de Fleury, puis d'Ormesson, ne purent faire mieux que lui et Louis XVI, en 1783, pensa trouver un surintendant adéquat, le comte de Calonne. C'était un bon financier, mais aussi un courtisan et il multiplia pendant trois ans les faveurs à la Cour pour faire accepter un ensemble de réformes qu'il présenta à Louis XVI au mois d'août 1786.

Ce plan comportait assez judicieusement un programme d'emprunts et d'impôts nouveaux ; comme Calonne craignait les résistances du Parlement, il conseilla à Louis XVI de réunir une assemblée de Notables pour imposer ses volontés.

Les Notables se réunirent au mois de février 1787, au lendemain de la mort de Vergennes. Calonne présenta ses projets qui prévoyaient un droit de timbre et un impôt territorial qui eussent permis avec le temps de rétablir les finances de l'État. Joué par les Notables, Calonne fut obligé de démissionner et le roi le remplaça par un prélat impudent, le cardinal de Loménie de Brienne, archevêque de Toulouse, puis de Sens.

La France était, depuis la paix de Versailles, secouée par une crise intérieure où s'affirmait la déconsidération du pouvoir. Une affaire très fâcheuse, celle du Collier, compromit injustement la reine Marie-Antoinette et discrédita la famille royale. Une politique extérieure maladroite où la France refusa de soutenir ses alliés hollandais contribua également à affaiblir le gouvernement à un point que Loménie de Brienne était vraisemblablement incapable de surmonter.

Brienne appliqua d'abord le programme voté par les Notables : il fit accepter par le Parlement le principe des assemblées provinciales, mais se heurta à lui quand il demanda d'enregistrer l'impôt du timbre et la subvention territoriale.

Louis XVI se décida enfin à sévir : le 14 août 1787, les membres du Parlement furent exilés à Troyes. Loménie de Brienne fut nommé principal ministre avec des pouvoirs discrétionnaires, ce qui provoqua le départ du ministère des maréchaux de Castries et de Ségur accompagnés par le surintendant Laurent de Villedeuil.

Loménie allait gouverner seul pendant un an mais, en sous-main, il négocia avec le Parlement, bien que celui-ci réclamât les États-généraux. Le Parlement ayant accepté d'autoriser un emprunt de quatre cent quatre vingt-cinq millions, indispensable pour combler le déficit budgétaire des cinq années à venir, il promit la convocation des États-généraux pour 1792. Louis XVI ayant émis des réserves, Brienne lui expliqua qu'il s'agissait d'une fallacieuse promesse qui ne serait pas suivie d'effet.

On entrait dans une politique des plus tortueuses. Afin d'obtenir l'accord du Parlement pour l'emprunt, le nouveau Garde des Sceaux, Lamoignon, tenta d'acheter les parlementaires les plus influents. Alors les deux premiers ordres se groupèrent autour du duc d'Orléans en qui ils voyaient la possibilité d'un roi de rechange. La séance d'enregistrement se déroula le 19 novembre 1787. On commit une erreur de procédure et le duc d'Orléans, s'étant levé pour réclamer les formes légales, s'entendit répondre par Louis XVI : « C'est légal parce que je le veux. »

Le Parlement dut s'incliner mais, dès que le roi fut sorti, les parlementaires refusèrent la transcription des textes.

Alors le roi regimba et tenta de mener une révolution en faveur de la Couronne. Il signa deux lettres de cachet contre les parlementaires les plus virulents et exila le duc d'Orléans.

Cet acte d'autorité n'ayant pas suffi à réduire le Parlement au respect de ses devoirs, Louis XVI fit un coup de force rappelant celui de Louis XV en 1771. Il se prépara à dissoudre le Parlement mais, avant que le décret eût été publié, les parlementaires s'assemblèrent et prêtèrent serment de maintenir l'état de choses existant. Le 5 mai 1788, le roi fit arrêter les fauteurs du désordre, d'Eprémesnil et Fréteau de Saint-Just, puis il convoqua un lit de justice et institua une cour plénière qui devait se substituer au Parlement.

Si ces décisions avaient été appliquées, il est probable que la Couronne l'aurait emporté. Mais Louis XVI avait épuisé déjà toute son énergie. La cour plénière ne fut pas constituée et l'on se trouva dans une situation tragique parce que les Parlements de province se soulevèrent à leur tour.

Une assemblée d'États provinciaux tenue à Vizille réclama l'égalité fiscale et la convocation des États-généraux.

Cette atmosphère de troubles aggrava l'état des finances publiques ; Loménie de Brienne demanda en vain l'aide du clergé et, sur son refus, il prit un arrêté, le 8 août 1788, qui convoquait les États-généraux pour 1789. Cet aveu de faiblesse, qui marquait l'échec de la tentative de révolution royale, provoqua un tel assèchement de la trésorerie que Brienne, se voyant incapable d'assurer les échéances de la fin d'août, dut démissionner (24 août 1788).

Alors Louis XVI, estimant se conformer au vœu de la nation, se résigna à rappeler Necker et à le nommer premier ministre. Le crédit du Genevois était tel que les fonds publics remontèrent et que l'on obtint une souscription massive de bons du trésor.

Mais si la présence de Necker avait rétabli la confiance, le nouveau premier ministre ne voyait d'autre programme de réformes que l'établissement de la monarchie constitutionnelle, ce qui était en contradiction formelle avec les vues de Louis XVI.

On convoqua une seconde fois l'Assemblée des Notables qui se trouva incapable de résoudre les problèmes et borna ses activités à régler la forme administrative des États-généraux. En septembre 1788, le Parlement, s'étant prononcé pour les usages utilisés en 1614, perdit toute sa popularité.

Les Notables, consultés, admirent comme possible le doublement des députés du Tiers-état, mais, comme ils restèrent fermes sur le principe du vote par ordre, leurs concessions n'apaisèrent pas l'opinion.

Necker et le Garde des Sceaux Barentin accordèrent un suffrage universel à plusieurs degrés avec l'idée que cette méthode avantagerait la noblesse et le clergé, vue qui se révéla complètement erronée...

Le gouvernement mit un point d'honneur absurde à ne pas se mêler des élections. Celles-ci se déroulèrent au cours d'un hiver glacial où le gel des rivières compromit le ravitaillement.

Les collèges électoraux rédigèrent des cahiers pour établir leurs revendications, qui se bornaient au contrôle de l'impôt, à la confirmation du droit de propriété et à l'abolition des lettres de cachet.

Si l'on s'en était tenu à la satisfaction de ce programme rudimentaire il est probable que le roi et Necker eussent pu obtenir du peuple français les mesures permettant de redresser la situation.

Nous allons voir qu'il n'en fut rien et qu'une série de maladresses et de fausses manœuvres, alors que tout pouvait être sauvé, fit basculer la France dans une révolution qui allait anéantir le principe monarchique.

Louis XVI et la Révolution (1789-1793)

LES ETATS-GÉNÉRAUX s'ouvrirent en séance solennelle le 5 mai 1789. Dans les discours d'ouverture, prononcés par Louis XVI et par Necker, on resta dans le vague et l'on se garda d'indiquer si le vote aurait lieu par tête ou par ordre.

La noblesse, qui possédait une certaine expérience, se hâta de vérifier ses pouvoirs afin de pouvoir prendre des arrêtés faisant loi ; le clergé, partagé entre le maintien de ses privilèges et sa sympathie pour le Tiers, atermoya en vue d'un compromis ; le Tiers, sachant que l'on ne pouvait rien faire sans lui, attendit dans une inertie savamment calculée...

L'ouverture des Etats-généraux, le 5 mai 1789. (Gravure de Helman d'après Monet.)

Le serment du Jeu de Paume, le 20 juin 1789, d'après David.

Au bout d'un mois, le roi ordonna des conférences de conciliation entre les trois ordres. Le Tiers, pensant qu'il s'agissait d'une feinte, envoya son doyen, l'astronome Bailly, demander des explications mais le roi, préoccupé par l'état de santé du dauphin qui était mourant, refusa l'audience.

Alors le Tiers, exaspéré, décida d'opérer en commun la vérification des pouvoirs et, les privilégiés n'ayant pas répondu à son appel, il se constitua seul et se déclara Assemblée nationale.

Louis XVI, n'admettant pas cette manière d'agir, fit fermer la salle des Séances ; les députés du Tiers, réunis dans la salle du Jeu de Paume à Versailles, prêtèrent serment de doter le pays d'une constitution (20 juin 1789).

Le 23 juin, une séance royale présidée par Louis XVI annula les décisions prises par le Tiers et intima à celui-ci l'ordre de se retirer pour délibérer séparément. Une résistance s'organisa aussitôt et le marquis de Mirabeau répondit à Dreux-Brézé, notifiant au Tiers d'évacuer la salle : « Allez dire à ceux qui vous envoient que nous sommes ici par la volonté du peuple et que nous n'en sortirons que par la puissance des baïonnettes » ; puis il fit voter l'inviolabilité des députés.

Non seulement Louis XVI ne prit pas de sanctions, mais, changeant d'avis une fois de plus, il ordonna le 27 juin 1789 aux trois ordres de se réunir pour délibérer en commun, geste qui établissait *de facto* la monarchie constitutionnelle.

La reculade de Louis XVI avait alarmé la Cour. Alors le roi changea encore d'avis. Il fit venir des troupes, renvoya Necker, le 11 juillet, et fit constituer par Breteuil un ministère de combat, prêt à la banqueroute si l'Assemblée ne votait pas les crédits nécessaires au rétablissement des finances.

En apprenant ces nouvelles, Paris se souleva et des bandes d'émeutiers s'emparèrent de la Bastille, massacrèrent le gouverneur Launay, ainsi que le prévôt des marchands Flesselles (14 juillet 1789).

Par une nouvelle volte-face, Louis XVI rappela Necker et, le 17 juillet, il se rendit à Paris où il fut accueilli par le nouveau maire, Bailly, et par le commandant de la Garde nationale, La Fayette, qui décora le roi de la cocarde tricolore, mêlant le blanc du drapeau royal aux couleurs de la ville de Paris.

L'Assemblée continua de siéger et prit des mesures dont la plus importante se situe dans la nuit du 4 août 1789 où le vicomte de Noailles fit voter l'abolition des privilèges et des droits féodaux, décision généreuse qui suscitera beaucoup de complications. Puis, tandis que l'Assemblée travaillait à jeter les bases d'une constitution, Louis XVI rassembla des troupes à Versailles, probablement dans le dessein de faire un coup de force.

Il fut devancé par l'émeute. Le 5 octobre 1789, une troupe de femmes, grossie d'hommes travestis, marcha sur Versailles en dépit des efforts de La Fayette. Cette troupe envahit la salle de l'Assemblée et envoya une délégation au château. Louis XVI reçut aimablement la délégation, pensant que les choses en resteraient là. Ce fut une illusion ; dans la matinée du 6 octobre, les émeutiers envahirent le château et Marie-Antoinette faillit être massacrée. Elle ne dut la vie qu'à la présence d'esprit de La Fayette qui, en baisant la main de la reine, sur le balcon central du château de Versailles, déconcerta la foule. Mais celle-ci exigea que le roi se rendît à Paris ; le voyage se fit dans des conditions horribles et la famille royale se trouva pratiquement prisonnière aux Tuileries ; cette captivité virtuelle allait durer pendant près de trois ans.

Dans cette situation difficile, le roi chercha des appuis ; il en trouva dans La Fayette et aussi dans Mirabeau, qui devint son conseiller secret, et envisagea comme solution possible une fuite du roi dans une ville de province d'où, avec l'aide de l'armée, il pourrait tenter de dissoudre l'Assemblée et reprendre les rênes du pouvoir...

Necker, redevenu premier ministre, chercha avec l'Assemblée à rétablir une situation financière de plus en plus compromise. Il tenta sans succès d'emprunter et finit par se ranger à un principe de solution, proposé par l'évêque d'Autun, Mgr de Talleyrand.

Il s'agissait de confisquer l'immense fortune du clergé et de gager sur elle des billets dénommés assignats. Le 2 novembre 1789, l'Assemblée nationale, qui siégeait désormais au Manège, à Paris, sanctionna le principe par un vote et l'on mit en circulation pour plusieurs centaines de millions de billets qui facilitèrent la trésorerie mais furent dévorés en six mois, ce qui nécessita une nouvelle émission, suivie de beaucoup d'autres qui provoquèrent l'effrondrement du cours des assignats.

Si l'on s'en était tenu à ces mesures financières, il est probable que l'on n'aurait pas eu de véritables difficultés avec le clergé. Mais l'Assemblée, qui s'était donné le nom de Constituante, devait aller beaucoup plus loin. Elle travailla à établir une Constitution civile du Clergé qui prévoyait la nomination des curés et des évêques par voie d'élection. Comme on avait annexé le territoire papal du Comtat-Venaissin, le pape Pie VI se trouva mal disposé à admettre des réformes qui risquaient de ruiner son autorité sur le clergé français.

L'année 1790 fut marquée par un moment d'accalmie : le 14 juillet, la fête de la Fédération eut lieu au Champ-de-Mars ; le roi, au milieu d'un grand concours de peuple, y prêta serment à la Constitution et beaucoup crurent que la Révolution était finie.

Il n'en était rien, et le roi, peu de jours après, signa, non sans restrictions mentales, la constitution civile du clergé.

La réaction papale fut très dure et Pie VI, par le bref *Quod aliquantum* (10 mars 1791), condamna en bloc les mesures envisagées. Mais il était déjà trop tard. A partir de novembre 1790, la Constituante exigea la prestation de serment des prêtres et des évêques. Les serments concernèrent plus de la moitié du clergé ; une grande partie des moines et des religieuses firent retour à l'état laïc.

Les évêques montrèrent plus de tenue et seulement quatre d'entre eux, plus trois coadjuteurs, acceptèrent de jurer. Talleyrand consentit à sacrer les nouveaux évêques et, en avril 1791, tous les évêchés de France se trouvèrent pourvus de dignitaires auxquels la condamnation papale interdisait d'exercer leurs fonctions.

L'Europe commença à s'inquiéter de ces désordres et, pour les pallier, Louis XVI envisagea une politique secrète ; il chargea le baron de Breteuil de mener une diplomatie occulte avec les souverains d'Europe et avec les nombreux nobles et prêtres qui avaient émigré et siégaient à Coblentz sous l'autorité du comte d'Artois, second frère de Louis XVI et futur roi Charles X.

Il va sans dire que ce double jeu présentait les plus graves dangers. Mirabeau, qui l'approuvait, mourut subitement, le 2 avril 1791, laissant désemparé Louis XVI privé de ses conseils.

A Pâques 1791, Louis XVI voulut se rendre à Saint-Cloud pour y recevoir la communion des mains d'un prêtre non jureur. La foule s'étant opposée à son départ des Tuileries, il conçut alors la réalisation du projet de fuite envisagé par Mirabeau.

La fuite fut organisée par le comte de Fersen. Dans la nuit du 20 au 21 juin 1791, Louis XVI, déguisé en laquais, Marie-Antoinette munie d'un passeport danois, le dauphin travesti en fille, Madame Élisabeth, sœur du roi, et Madame Royale parvinrent à quitter clandestinement les Tuileries. Une berline trop voyante les emmena en direction de Montmédy. En même temps, le comte de Provence avait pris la route de Bruxelles et y arrivait sans encombre.

Au matin du 21 juin, Paris stupéfait apprit la fuite du roi. La Fayette, pour éviter d'inquiétantes éventualités, affirma que le roi avait été enlevé et il envoya des messagers à sa recherche munis d'un mandat d'arrêt.

Par suite d'imprudences, le roi avait été reconnu en route ; un maître de poste, Drouet, le devança et fit stopper la voiture à Varennes-en-Argonne où l'envoyé de La Fayette, Romeuf, eut le temps d'arriver et de notifier l'arrestation. La famille royale dut regagner Paris en trois jours d'un voyage pénible.

L'Assemblée avait suspendu le roi de ses pouvoirs et l'avait interné complètement aux Tuileries. Une grande agitation se manifesta dans les masses et le 17 juillet, La Fayette et Bailly furent obligés de faire tirer sur les manifestants, faisant une cinquantaine de morts.

Cet acte d'autorité rétablit momentanément le calme et l'Assemblée, craignant pour sa propre survie, jugea prudent de faire le roi garant des réformes ; elle amenda la constitution dans un sens favorable à la monarchie. Louis XVI, rétabli dans ses droits, accepta de prêter serment à la nouvelle Constitution (14 septembre 1791) et la Constituante se sépara peu après, laissant la place à l'assemblée que la constitution avait créée et qui portait le nom d'Assemblée législative.

Cette assemblée était composée d'hommes jeunes, absolument nouveaux, puisque les députés à la Constituante avaient décidé qu'ils n'étaient pas rééligibles, mais aussi d'hommes fort inexpérimentés en politique.

La Législative entra en fonctions le 1er octobre 1791. Elle trouvait une situation difficile en raison de la crise religieuse, des problèmes de trésorerie et du non-rachat des droits féodaux.

L'Assemblée se divisait en monarchistes constitutionnels dits Feuillants, la droite ; à gauche, existaient deux groupes : les Girondins, conduits par Vergniaud et Brissot, les Jacobins avec Carnot et Cambon qui étaient franchement républicains. Entre la droite et la gauche le groupe des indécis représentant le tiers des députés fut surnommé le Marais.

Les députés ne pouvant être ministres, Louis XVI constitua un ministère « feuillant », avec le comte de Narbonne. Celui-ci était partisan d'une guerre qui détournerait la nation des problèmes intérieurs. Par un curieux paradoxe, les Jacobins avaient la même vue mais pour que le trouble de la guerre permît d'établir la République. Cette communauté d'intentions guerrières rejoignait le point de vue des émigrés massés à Coblentz sous les ordres du comte de Provence et qui souhai

La prise de la Bastille, 14 juillet 1789. (Gravure de l'époque d'après une peinture contemporaine.)

6
5
2
1

taient la guerre pour utiliser l'apport étranger au rétablissement de la monarchie absolue. La guerre finira pas sortir de cette immorale conjonction d'extrêmes...

Un motif de conflit se présenta rapidement avec la question des « princes possessionnés ». C'étaient de petits souverains allemands dont les territoires étaient enclavés en Alsace et dont les habitants réclamaient le bénéfice des réformes révolutionnaires.

Louis XVI, sentant la guerre se dessiner car l'ultimatum lancé aux possessionnés avait déterminé une alliance austro-prussienne, se vit obligé de sommer les émigrés de rentrer en France sous peine de confiscation de leurs biens et il commit la faiblesse d'envoyer en Haute-Cour le ministre des Affaires étrangères, Valdec de Lessart, qui défendait la paix à tout prix.

Le ministère feuillant se désagrégea après le renvoi de Narbonne et Louis XVI se vit forcé de constituer un ministère girondin où Roland de La Platière fut ministre de l'Intérieur et où la Guerre fut confiée à un soldat royaliste, guerrier valeureux et ancien initié au Secret du roi, le général Dumouriez. Celui-ci, décidé à sauver la monarchie par tous les moyens, se heurta à l'hostilité de Marie-Antoinette.

Le roi de Suède, Gustave III, qui soutenait les émigrés, fut assassiné en mars 1792, et en même temps mourut l'empereur Léopold, frère de la reine de France. L'ultimatum qui venait de lui être envoyé fut renouvelé à son fils François II.

Sans attendre la réponse de l'Autriche, Louis XVI, qui vit dans la guerre sa dernière chance de salut, vint en proposer la déclaration à la tribune de l'Assemblée, le 20 avril 1792.

Celle-ci, après une longue délibération, approuva la déclaration de guerre en précisant que la France ne cherchait pas de conquêtes mais voulait seulement faire cesser l'injustice d'un roi. De cette décision allait résulter un conflit de vingt-trois ans qui ne finirait que sur le champ de bataille de Waterloo.

La guerre débuta par une série de revers ; les armées du maréchal de Rochambeau se débandèrent et les Impériaux violèrent les frontières du Nord. De surcroît, les coalisés se préparaient à former une puissante armée d'invasion dont le commandement serait exercé par le grand-maître européen de la franc-maçonnerie, le duc souverain de Brunswick, considéré comme le meilleur général de l'époque.

Alors que la politique étrangère semblait dominer la situation, la Législative se cantonna dans la politique intérieure : elle aggrava les sanctions contre les émigrés et réclama des mesures de contrainte et d'exil contre les prêtres réfractaires à la Constitution civile du Clergé. A ces mesures de coercition Louis XVI opposa son veto.

L'assemblée riposta en licenciant la garde personnelle du roi et en appelant de province vingt mille fédérés pour investir Paris. Il semble que Louis XVI ne vit pas clairement le danger de ces décisions.

Le 13 juin 1792, les ministres girondins donnèrent leur démission pour protester contre le maintien du veto. Dumouriez, devenu premier ministre, n'ayant pu fléchir le roi, partit à son tour et le roi constitua un ministère feuillant, ce qui était aller à contre-courant de l'opinion.

Aussi une émeute éclata le 20 juin ; les Tuileries furent envahies, Louis XVI coiffé du bonnet rouge et contraint de trinquer avec les émeutiers. Mais il ne céda pas à la violence et maintint son veto. L'énergie montrée par le roi parut pendant quelques jours redresser la situation. La Fayette vint offrir ses services et fut maladroitement repoussé par Marie-Antoinette.

La menace extérieure se précisait. François Ier fut couronné empereur à Francfort le 20 juillet et le rassemblement de l'armée Brunswick s'organisa dans la région de Mayence, en même temps que les fédérés marseillais faisaient leur entrée à Paris.

Avant de passer à l'offensive, le duc de Brunswick lança un manifeste très maladroit, menaçant Paris de subversion totale s'il était porté atteinte à la famille royale. Connu au début d'août, ce manifeste enflamma l'opinion et une journée d'émeute fut organisée pour le 10 août 1792.

Au cours de cette journée, la royauté allait succomber. Les Tuileries étant presque encerclées par les émeutiers, Louis XVI et les siens trouvèrent judicieux de demander asile à l'Assemblée législative. Les émeutiers, qui avaient abattu le chef de la Garde royale, Mandat, parvinrent d'autant mieux à leurs fins, que, pour arrêter le massacre, Louis XVI donna aux Suisses de sa garde l'ordre de cesser le feu.

Tandis que les Tuileries envahies étaient mises au pillage, la Commune de Paris fit pression sur la Législative et obtint l'internement du roi et de sa famille à la tour du Temple. Un comité exécutif provisoire présidé par Danton se substitua au pouvoir royal et se livra, au début de septembre, à d'horribles massacres de prêtres et d'aristocrates.

Puis l'Assemblée législative se sépara pour être remplacée par une Convention nationale dont le

Le Temple, où furent emprisonnés Louis XVI et sa famille. (Dessin à la plume de Le Gueux.)

Garde montée au château du Temple : grosse tour, flanquée de 4 tourelles. Le frère Hubert, trésorier des Templiers la bâtit vers 1210. /.

Louis XVI

Je les ai vus là. L. 2.

premier acte, le 20 septembre 1792, fut d'abolir la royauté.

Le même jour, au moulin de Valmy, Dumouriez et Kellermann repoussaient le duc de Brunswick : celui-ci se décidait à la retraite, ce qui donnait tous pouvoirs au gouvernement de la Convention.

Celle-ci, non contente d'avoir aboli la royauté, estima nécessaire d'en supprimer le chef et le procès du roi fut envisagé par Robespierre et Saint-Just.

La découverte de papiers contenus dans une armoire de fer aux Tuileries, papiers qui établissaient la collusion de Louis XVI et des émigrés, fournissait aux accusateurs la possibilité d'un procès en haute trahison, procès dont le résultat était connu d'avance puisqu'il s'agissait bien moins de juger le roi que de l'assassiner légalement.

Le procès de Louis XVI se déroula du 26 décembre 1792 à la mi-janvier 1793.

Le roi y fut admirable de dignité et de sang-froid. Malgré le dévouement de ses défenseurs, Malesherbes, Tronchet et de Sèze, le roi fut condamné à mort par trois scrutins successifs ; dans l'un d'eux la mort ne fut votée que par trois cent soixante et une voix contre trois cent soixante, ce qui a pesé sur la mémoire du duc d'Orléans qui vota la mort, par lâcheté semble-t-il.

Le 21 janvier 1793, le roi Louis XVI fut conduit à l'échafaud dressé place de la Concorde. Il mourut avec une grande dignité, jetant avant de mourir cet appel à la foule :

— Français, je meurs innocent et je prie Dieu que mon sang ne retombe point sur mon peuple.

Une tradition assure que le confesseur du roi, l'abbé Edgeworth de Firmont, lui ait dit ces paroles : « Fils de Saint Louis, montez au ciel. »

La reine Marie-Antoinette devait suivre le sort de son mari et, après un procès abject, elle fut guillotinée le 16 octobre 1793. Pourtant la royauté n'était pas morte : le dauphin Louis XVII devenait roi par la mort de son père ; détenu au Temple, confié au cordonnier Simon, il semble qu'il mourut dans cette prison le 8 juin 1795. Cette mort a pris des proportions légendaires car on vit par la suite fleurir de nombreux faux dauphins, imposture qui suscita beaucoup de commentaires jusqu'à la moitié du XIXe siècle.

D'ailleurs, la mort officielle du Dauphin en 1795 n'anéantit pas davantage la royauté, puisqu'en exil, le comte de Provence, dont nous aurons à parler, se proclama roi de France sous le nom de Louis XVIII.

L'exécution de Louis XVI, le 21 janvier 1793. (Gravure de l'époque.)

Ci-contre : Louis XVI, par Duplessis.

Ci-dessus : Marie-Antoinette, par Le Maître.

Sixième partie

LE PREMIER EMPIRE
1804-1814

Bonaparte fils de Clovis et de la Révolution

Le Sacre de Napoléon, par David. Napoléon offre lui-même la couronne impériale à Joséphine.

droite : Napoléon, par David.

i-dessus : Napoléon à la bataille d'Aus-
rlitz en 1805.

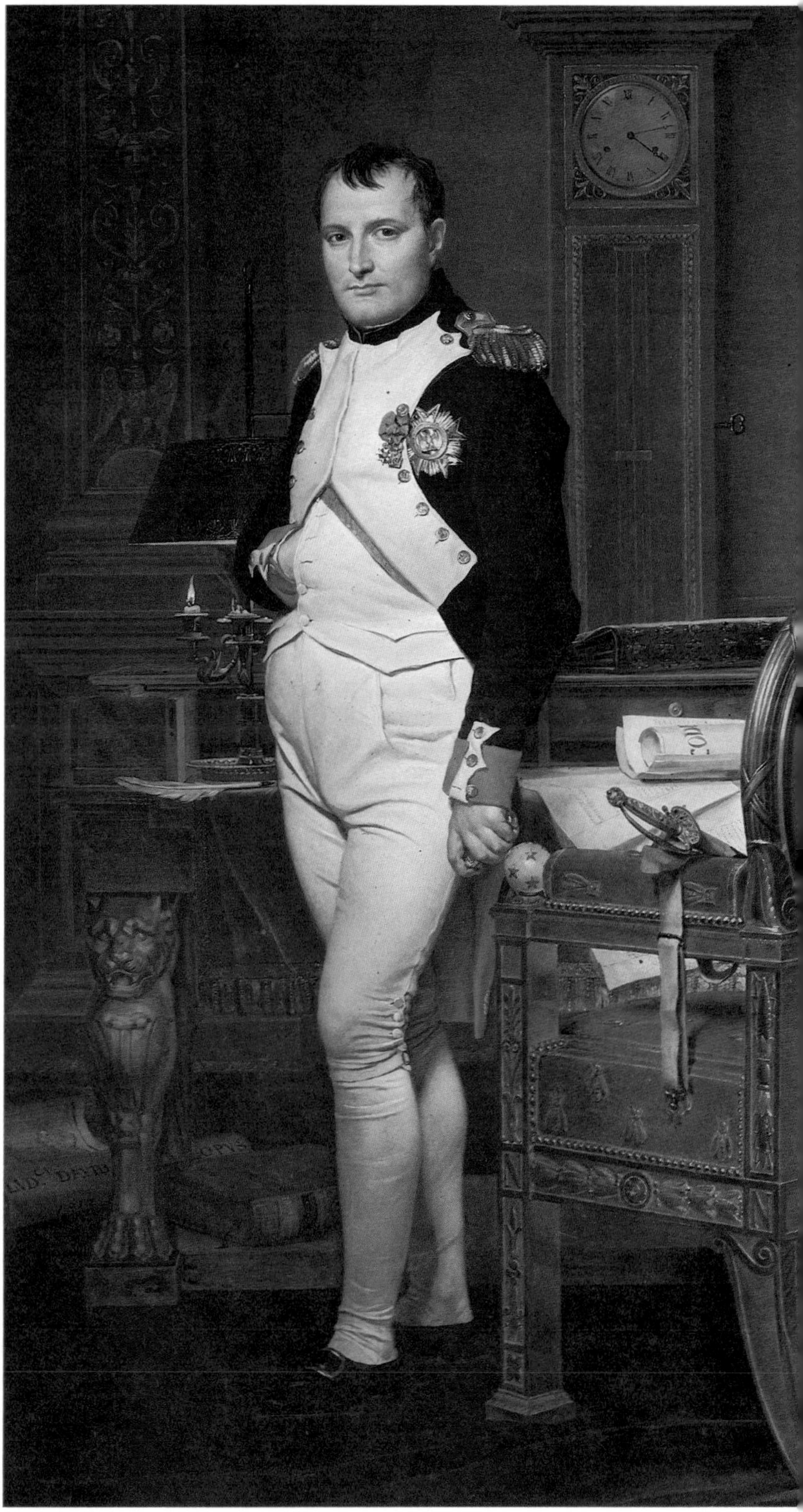

Le premier portrait connu de Napoléon, exécuté d'après nature par un de ses condisciples à Brienne (1785).

NAPOLÉON Ier (1804-1814) JOSÉPHINE ET MARIE-LOUISE

Bonaparte avant l'Empire (1769-1804)

NAPOLÉON BONAPARTE, la figure la plus étonnante parmi les souverains français, naquit à Ajaccio, le 15 août 1769, d'un ménage de modestes gentilshommes, Charles Bonaparte et Laetitia Ramolino. Il fut le second fils d'une famille qui compta huit enfants, cinq garçons et trois filles, qui devaient tous laisser un nom dans l'Histoire.

Grâce à une bourse, le jeune Napoléon fut admis à l'Ecole militaire de Brienne, il en sortit sous-lieutenant à seize ans et fut affecté à de modestes garnisons, Valence et Auxonne. Rien ne faisait alors présager un destin exceptionnel.

Bonaparte était un produit typique du XVIIIe siècle : à peu près agnostique, méprisant, amoral. En revanche de ces défauts fort utiles pour réussir, il avait le goût très vif de s'instruire, une grande connaissance du caractère humain et, par-dessus tout, la passion de la gloire ; dès sa jeunesse il rêva d'une grande destinée, qu'il aurait eue de toute façon mais à une échelle moindre que celle qui étonna si justement le monde.

En 1793, au siège de Toulon, occupée par les Anglais, le jeune capitaine Bonaparte dirigé si heureusement l'artillerie qu'il est nommé général de brigade. Compromis avec Robespierre, il est rayé des cadres de l'armée, mais y fait peu de jours après une rentrée foudroyante, car, chargé par la Convention d'écraser une insurrection royaliste, il en vient à bout le 13 vendémiaire an IV (5 octobre 1795). Désormais son importance politique ne fera que croître. Présenté par le directeur Barras à une femme légère, Joséphine de Tascher de La Pagerie, veuve du comte de Beauharnais, il demande sa main et l'épouse bien qu'il soit plus jeune qu'elle de six ans.

Celle qui sera l'impératrice Joséphine et dont la figure a passé dans la légende est une creole née à la Martinique en 1763 ; elle a été conduite en France en 1780 pour épouser Beauharnais dont elle a eu deux enfants, Eugène et Hortense, qui auront eux aussi leur place dans l'Histoire. Beauharnais, député à la Constituante, finira sur l'échafaud et sa veuve mènera une vie dissolue ; elle sera la maîtresse de Barras qui sera heureux de s'en débarrasser en la mariant à Bonaparte, qu'elle trompera sans arrêt pendant les premières années de l'union.

Si Bonaparte est un médiocre parti au moment du mariage, il va vite s'illustrer d'une manière dépassant la mesure commune. Nommé commandant en chef de l'armée d'Italie, il y mène la plus splendide campagne de toute l'histoire militaire. Au mois d'avril 1796, il rejoint ses maigres troupes en Ligurie et, après une étincelante suite de victoires à Montenotte, Millesimo, Dego, Mondovi, il signe avec le Piémont un armistice à Cherasco puis il poursuit son avance, bat les Autrichiens à Lodi, ce qui lui ouvre les portes de Milan. Il s'installe dans la ville au château de Mombello et exerce en Italie du Nord un véritable proconsulat. Puis il reprend les hostilités contre les Autrichiens : les victoires d'Arcole et de Rivoli lui livrent Mantoue ; il signe un traité avec le pape Pie VI à Tolentino, occupe Venise, jette bas la Sérénissime république, puis il mène en direction de Vienne une offensive foudroyante et accorde un armistice aux Autrichiens au pied du Semmering, à Léoben (18 avril 1797). Ayant organisé à son idée des républiques associées en Italie du Nord, il signe, presque sans en référer au Directoire, la paix de Campo-Formio, par laquelle l'Autriche se résigne à la cession de la rive gauche du Rhin (1797).

De retour à Paris, Bonaparte, élu membre de l'Institut, fut encensé en vainqueur, mais il se rendit rapidement compte que sa popularité inquiétait les Directeurs. Il eut l'habileté de demander le commandement d'une expédition en Egypte, avec peut-etre le dessein secret de se tailler un empire personnel en Orient.

L'expédition d'Egypte débuta par la prise de l'île de Malte et la dissolution de l'Ordre. Le débarquement eut lieu à Alexandrie et la victoire des Pyramides rendit Bonaparte maître du Caire. Mais la flotte française fut coulée à Aboukir (1er août 1798) et une expédition menee en direction de la Palestine et de la Syrie fut arrêtée par un échec devant Saint-Jean-d'Acre.

Napoléon est proclamé premier Consul. (Gravure du XIXe siècle.)

Tenu au courant des nouvelles de France, apprenant que le Directoire était déconsidéré et qu'une partie du territoire échappait au contrôle gouvernemental, Bonaparte assuma le risque de quitter clandestinement l'Egypte, de traverser la Méditerranée en échappant à la flotte anglaise ; le 9 octobre 1799, il débarquait en France et prenait la route de Paris.

Il se concerta avec les Directeurs Barras et Sieyès pour étudier la possibilité d'un coup de force qui permettrait de sauver définitivement le régime issu de la Révolution.

Un coup d'Etat fut préparé, prévoyant des modalités tellement compliquées que l'affaire fut à deux doigts d'échouer. Mais, au cours des journées des 18 et 19 brumaire (9-10 novembre 1799), Bonaparte s'assura l'appui de l'armée et chassa les représentants du peuple qui siégeaient au château de Saint-Cloud. Aidé par l'habileté de son frère Lucien, président de l'Assemblée, il fit voter une délégation de pouvoirs qui le faisait chef du gouvernement, assisté de Sieyès et de Roger Ducos.

Sieyès fit improviser une constitution qui réservait les places aux notables et divisait les pouvoirs publics. Bonaparte accepta ces principes mais exigea pour lui seul le pouvoir exécutif. Il fut nommé premier Consul avec de pleins pouvoirs et se fit assister de deux autres consuls, ayant seulement voix consultative, Cambacérès et Lebrun, ce dernier étant un ancien secrétaire de Maupeou, ce qui renouait un peu les traditions interrompues par la tourmente révolutionnaire.

Les activités de Bonaparte pendant le Consulat sont multiples et leur importance confond l'imagination.

Il fallait d'abord faire approuver le nouvel état de choses ; un plébiscite confirma la nouvelle légitimité à une majorité qui paraît écrasante puisque le nombre des *oui* dépassa quatre-vingt-dix-neuf et demi pour cent des suffrages. Mais cela provenait d'abstentions massives et aussi du fait que, le vote n'étant pas secret, la crainte joua son rôle. Néanmoins, le régime était solidement établi et Bonaparte fit aux Français l'effet d'un sauveur.

Son premier geste fut de réconciliation ; il

Ci-contre : Le 18 brumaire (9 novembre) 1799 : Napoléon, entouré des membres des Conseils des Anciens et des Cinq-Cents. (Peinture de Bouchot.)

voulut mettre fin aux luttes civiles et il négocia avec les Chouans qui tenaient sous leur contrôle militaire plus du tiers du pays. L'opération fut habilement menée mais elle ne désarma pas toutes les hostilités.

Le péril extérieur subsistait car la coalition ne voulait pas traiter avec Bonaparte. Celui-ci, bien que le territoire ne fût pas envahi, prit sur lui de diriger en personne les opérations militaires ; il chargea Moreau d'une offensive en direction de l'Autriche et se réserva le secteur italien. Franchissant le Saint-Bernard avec son artillerie, ce qui fournit une image légendaire, il gagna Milan, puis Alexandrie où il fut attaqué par le général autrichien Mélas qu'il battit à Marengo, avec l'aide de Desaix, qui fut tué au cours de la bataille (14 juin 1800). De son côté, Moreau emporta la victoire dans le secteur danubien à Hohenlinden (3 décembre 1800). Ces deux succès provoquèrent des armistices respectifs qui aboutirent au traité de Lunéville (9 février 1801) : celui-ci non seulement reconnaissait la rive gauche du Rhin à la France mais aussi toutes les républiques associées d'Italie du Nord.

Ce traité confirmait que la France avait atteint ses limites naturelles et il formait un contrepoids à ce renversement des alliances qui avait tant choqué les sujets de Louis XV.

Le traité de Lunéville ayant privé l'Angleterre de ses alliés continentaux, celle-ci se résigna à traiter à son tour. La paix fut signée à Amiens en mars 1802 ; elle était fort avantageuse pour l'Angleterre qui ajoutait à ses conquêtes coloniales Ceylan et la Trinité mais, dans l'esprit du gouvernement anglais, le traité n'était qu'une trêve et l'on s'en aperçut assez vite.

Les Français avaient recouvré une paix à laquelle ils ne croyaient plus et le surcroît de popularité qui en résulta permit à Bonaparte de se faire conférer par plébiscite le consulat à vie, ce qui faisait de lui un véritable monarque.

On aurait tort de penser, cependant, que, en dépit des résultats plébiscitaires satisfaisants, toute la France fût ralliée. Les royalistes avaient pris Bonaparte, offrant la paix aux Chouans, pour un nouveau général Monk, et ils avaient cru fort légèrement que, l'entente militaire obtenue, le Premier Consul céderait le pouvoir au prétendant au trône, le roi Louis XVIII en exil. Quand ils comprirent qu'il n'en était rien, ils décidèrent de supprimer le Premier Consul ; ce fut l'attentat, dit de la machine infernale (24 décembre 1800), où Bonaparte échappa de peu à la mort, attentat qui était bien l'œuvre des royalistes dont certains furent exécutés.

Mais le Premier Consul, décidé à rétablir la paix intérieure, fit taire les rancunes provoquées par l'attentat et décida des mesures les plus propres à rétablir la concorde entre les Français.

La première mesure fut d'ordre confessionnel. Il s'agissait de mettre fin aux désordres engendrés par la constitution civile du clergé. Bonaparte ayant traité avec la Papauté lors de la campagne d'Italie, il lui fut relativement aisé de mettre le clergé dans son jeu. De longues négociations furent nécessaires et elles obligèrent à de grandes concessions des deux parties ; en particulier, tous les évêques non jureurs, au lieu d'être récompensés de leur courage civique, furent sommés par le pape Pie VII de renoncer à leurs anciens évêchés. La plupart furent remplacés par Bonaparte. Evêques et curés devenaient de simples fonctionnaires. Les biens du clergé restaient acquis à l'Etat. Le Concordat fut signé le 15 juillet 1801 par le cardinal Consalvi, légat de Pie VII ; ce prélat fut en partie joué par Bonaparte qui avait fait ajouter au traité des articles organiques établissant une sorte de gallicanisme. Néanmoins, le Concordat rétablit la paix religieuse et il fut approuvé par la Nation.

Peu après, toujours dans un dessein d'apaisement, Bonarparte accorda l'amnistie aux émigrés, en réservant toutefois le cas de ceux qui avaient porté les armes contre la France. Le décret de floréal (1802) les autorisa à rentrer en France, leur rendit leurs droits civiques et même leur restitua la partie de leurs biens qui n'avait pas été vendue.

Ces deux facteurs d'apaisement religieux et politique ne désarmèrent pourtant point toutes les rancunes, et celles-ci aboutirent à de nombreuses conspirations dont la plus importante aura pour effet de transformer le Consulat en Empire français.

Avant de relater cette péripétie majeure, il convient de passer rapidement en revue les réalisations de Bonaparte Premier Consul.

Au premier rang, il faut noter le Code civil qui, commencé en 1800, devait être promulgué en 1807 sous le nom de Code Napoléon et imposé à une grande partie de l'Europe. Ce code confirmait les principes de 1789 sur les libertés diverses et sur l'égalité, mais il avait un caractère de charte bourgeoise, défendant la propriété, l'héritage, la puissance paternelle, l'autorité maritale. Il ne contenait aucune disposition d'ordre social et interdisait le droit de grève.

La prospérité revint plus lentement qu'on ne l'espérait car il fallut d'abord procéder à un redressement monétaire ; la parité entre l'or et l'argent fut fixée au rapport de 1 contre 15 1/2 et le franc, dit de Germinal, établi en 1803, se montra assez solide pour garder sa valeur intrinsèque jusqu'à la guerre de 1914.

Puis l'agriculture redevint très prospère mais sans rétablir l'équilibre de la balance des payements. Pour y parvenir, Bonaparte développa l'industrie et le commerce, il instaura une politique douanière protectionniste, et tenta une politique guerrière pour reprendre les Antilles. Par défaut de marine, cette politique, qui irrita l'Angleterre, se révéla stérile. Faute de pouvoir la mener, Bonaparte se résigna à vendre la Louisiane aux Américains, pour un prix infime et sans se douter qu'il privait ainsi la France d'une richesse inestimable.

En politique extérieure, Bonaparte s'appliqua à détruire l'Empire romain germanique, en vue d'obtenir l'hégémonie française. Le *Recès* de 1803, qui réduisit les trois cent quarante-trois souverains d'Allemagne à moins de soixante, sonna le glas de l'Empire romain germanique, mais prépara dangereusement une unité allemande dont la France allait manquer de périr au siècle suivant.

Ces activités n'empêchèrent pas des nuages de s'accumuler et, en 1803, l'Angleterre refusa l'évacuation de Malte, prévue au traité d'Amiens, ce qui était le présage d'une reprise des hostilités qui entraînerait les ruineuses guerres de l'Empire.

D'autre part, l'extension des pouvoirs de Bonaparte, qui avait acquis le droit de désigner son successeur, ce qui le mettait dans une situation aussi forte que celle d'Hugues Capet, inquiéta fortement les milieux royalistes : ils voyaient s'effacer la possibilité d'une restauration.

Un complot fut organisé par le général chouan Georges Cadoudal, qui y rallia le général Pichegru, vainqueur de la Hollande et ancien président des Cinq-Cents ; on tenta de s'adjoindre le vainqueur de Hohenlinden, le général Moreau, qui se jugeait apte à remplacer lui-même le Premier Consul, mais mit de la réticence à s'engager ; ses lenteurs donnèrent le temps de découvrir le complot.

Moreau fut arrêté le premier (15 février 1804) et son arrestation fut suivie, les jours suivants, par celles de Pichegru et de Cadoudal.

Les enquêtes menées autour de la conspiration parurent établir que les conjurés attendaient l'arrivée d'un prince du sang pour diriger la suite du complot qui visait rien moins qu'à faire le Premier Consul prisonnier et au besoin à le supprimer.

Des erreurs d'interprétation firent croire que le prince choisi était le plus jeune des Condé, le duc d'Enghien, qui vivait à Ettenheim, en pays de Bade. Bonaparte le fit enlever par la troupe en terre étrangère et conduire à Vincennes où une commission militaire fut chargée de le juger sommairement. Bien que tout eût prouvé que le duc d'Enghien était totalement étranger à la conspiration, il fut condamné à mort comme émigré ayant porté les armes contre la France et fusillé incontinent dans les fossés de Vincennes (21 mars 1804).

Par ce crime juridique, Bonaparte rejoignait le clan des régicides. D'autre part la France avait tremblé à l'idée que son régime ne tenait qu'à la vie d'un homme.

L'exécution du duc d'Enghien vainquit les répugnances des républicains sur le rétablissement de l'hérédité.

Alors, sur la proposition d'un ancien conventionnel régicide, Curée, le Sénat décida que le pouvoir exécutif serait désormais confié à un empereur héréditaire, qui serait Bonaparte lui-même, et qu'à défaut de descendance, la succession serait assurée par son frère aîné Joseph puis par certains de ses cadets et leurs lignées (18 mai 1804).

On aboutissait en fait à la création d'une quatrième dynastie appelée à supprimer l'existence politique des Bourbons, exactement comme les Capétiens avaient anéanti les Carolingiens.

Bonaparte, devenu l'empereur Napoléon Ier, allait régner de 1804 à 1814, écrivant une des pages les plus extraordinaires de l'histoire de France.

Napoléon Ier Empereur (1804-1814)

AVANT D'ÊTRE PROCLAMÉ EMPEREUR, Bonaparte s'était conduit en souverain, créant notamment un Ordre de chevalerie, la Légion d'honneur, appelé à une rare fortune, et décidant d'une promotion de quatorze maréchaux de France.

Devenu empereur, il poursuivra la même ligne et aura des relents d'Ancien Régime : il constituera une nouvelle noblesse, entretiendra une Cour, et fera régner autour de lui un faste qui rappellera celui de Louis XIV.

Bien qu'il fût presque incroyant, Napoléon, qui avait le sens de l'Histoire et n'ignorait pas que le souverain français est aussi un chef religieux, décida de se faire couronner par le pape, en souvenir de Pépin et de Charlemagne.

En raison du Concordat, le pape Pie VII ne crut pouvoir refuser sa présence. Il vint à Paris et la cérémonie du sacre se déroula dans une splendeur inouïe à Notre-Dame de Paris, le 2 décembre 1804. Mais pour bien souligner qu'il ne devait son élévation qu'à lui-même Napoléon, devançant le geste du Pape, se ceignit de ses propres mains du diadème impérial et il posa la couronne sur la tête de l'impératrice Joséphine.

Fort à contrecœur, les anciennes dynasties d'Europe feignirent de reconnaître celui qu'elles considéraient comme un usurpateur tandis que Louis XVIII et tous les princes de la Maison de Bourbon protestaient contre le sacre, par la déclaration de Calmar, qui passa presque inaperçue tant Napoléon faisait trembler l'Europe.

Pourtant cet écrasant pouvoir allait durer à peine dix années, les plus chargées en événements de toute l'histoire de France.

Les guerres à travers l'Europe y furent la principale activité. La rupture avec l'Angleterre impliquait non seulement la lutte avec cette nation mais aussi la victoire sur elle. Aussi fut organisé un gigantesque projet de débarquement qui occupa une partie de l'année 1805. Comme les constructions maritimes nécessaires à l'opération ne progressaient pas assez rapidement, Napoléon réquisitionna les marines de ses alliés : Hollande, Portugal et Espagne. Puis il fit préparer des centaines de bateaux plats, dits barges, pour transporter des troupes de débarquement. Il pensait qu'en tenant la mer vingt-quatre heures l'opération pouvait réussir, ce qui était une illusion. Pour rendre l'opération plus aisée, il voulut détourner une partie de la flotte anglaise vers les Antilles et chargea de l'opération l'amiral Villeneuve dont la flotte se trouvait à Cadix. Villeneuve, qui savait Nelson dans les parages, obéit à regret. Il se heurta à la flotte de Nelson au cap Trafalgar et la flotte française fut anéantie (21 octobre 1805). Sans flotte, la victoire sur l'Angleterre devenait à peu près impossible.

Au moment de Trafalgar, défaite que Napoléon eût pu éviter, l'Empereur avait déjà renoncé au débarquement immédiat en Angleterre parce que d'autres risques se dessinaient.

En effet, le 18 mai 1805, Napoléon, se modelant de plus en plus sur Charlemagne, avait été à Monza ceindre la couronne de fer des rois lombards, ce qui avait été considéré par l'empereur d'Autriche François Ier comme une offense personnelle (depuis le *Recès* de 1803 qui avait aboli l'Empire romain germanique, l'empereur François II s'était proclamé empereur d'Autriche et, étant le premier de son espèce, avait pris le nom de François Ier). L'annexion de la Ligurie par la France acheva de le décider à s'agréger à la coalition que venaient de nouer l'Angleterre, la Russie, la Suède et Naples à laquelle l'adhésion de l'empereur d'Autriche ajouta les princes d'Allemagne (9 août 1805).

Pour parer au risque d'invasion par l'est, Napoléon prit les devants ; il dirigea sur le Rhin la « Grande armée » qu'il avait constituée au camp de Boulogne. Il était à pied-d'œuvre quand l'Autriche déclencha les hostilités en envahissant la Bavière (11 septembre 1805).

La rencontre décisive eut lieu à Ulm, le 20 octobre 1805. L'armée russe de Koutousof retraita vers la Moravie.

Ne trouvant plus de résistance, Napoléon fit son entrée à Vienne. La Prusse offrit une médiation que l'Empereur feignit d'accepter. Alors, les Austro-Russes, se croyant les plus forts, passèrent à l'attaque, à Austerlitz (2 décembre 1805), où Napoléon remporta la plus spectaculaire victoire de toute sa carrière.

Talleyrand, ministre des Affaires étrangères, conseilla vainement de ménager l'Autriche. A la paix de Presbourg (26 décembre 1805), elle dut cependant céder Venise et l'Illyrie, qui furent rattachés aux républiques d'Italie du Nord, pour former un royaume d'Italie dont la vice-royauté fut donnée à Eugène de Beauharnais, fils de l'impératrice Joséphine. En même temps, Napoléon plaçait son frère aîné Joseph sur le trône de Naples, début d'une politique familiale qui donnera de sérieux déboires, et qui se poursuivra en installant Louis Bonaparte sur le trône de Hollande, Murat, époux de Caroline Bonaparte, sur celui du grand-duché de Berg et, par la suite, Jérôme Bonaparte sur le trône de Westphalie.

Bien que la Russie eût été vaincue à Austerlitz, Napoléon voulut la ménager ; des négociations furent entamées par le diplomate russe Oubril, mais l'empereur Alexandre de Russie, en dévoilant certaines clauses de l'accord envisagé, fit échouer la négociation, aidé par l'Angleterre.

La Prusse, qui était opposée à la création d'une Confédération du Rhin, jugea le moment opportun pour adresser, le 7 octobre 1806, un ultimatum à Napoléon, tentative risquée qui allait lui coûter cher.

En effet la campagne contre la Prusse surpasse peut-être la fameuse campagne d'Italie.

De Bamberg, en Franconie, où il était établi, Napoléon poussa son armée vers le nord. Le duc de Brunswick, le vaincu de Valmy, fut écrasé par Davout à la bataille d'Auërstaedt et y trouva la mort (14 octobre 1806). Le même jour, à quelques lieues de là, Napoléon, à Iéna, disloquait l'armée de Hohenlohe. La Prusse ayant perdu ses effectifs, la route de Berlin était ouverte et Napoléon occupa Potsdam, faisant main basse sur l'épée et le réveille-matin du grand Frédéric.

A Berlin, le 21 novembre 1806, Napoléon signa

Rencontre de Napoléon avec l'empereur d'Autriche après la bataille d'Austerlitz, 1805. (Peinture de Gros.)

le décret instituant le *Blocus continental,* c'est à mique ayant pour objet de ruiner l'Angleterre, mais mesure aussi démesurée qu'imprudente, qui sera la cause principale des conflits dont l'Empire périra.

Le roi de Prusse, Frédéric-Guillaume III, et son héroïque épouse, la reine Louise, s'étaient réfugiés en Prusse orientale où le tsar Alexandre leur apporta son appui, tandis que l'Angleterre, pour répondre au décret de blocus, bombardait Copenhague et débarquait des troupes au Portugal.

Pour combattre les Russes, Napoléon franchit la Vistule, souleva les Polonais en sa faveur, et eut avec les Russes une bataille sanglante et indécise à Eylau (8 février 1807). Installé pour l'hiver au château de Finkenstein, Napoléon y vécut une idylle avec une grande dame polonaise, Marie Walewska, qui lui donnera un fils.

Au cours du printemps, il fit venir des renforts de France, neutralisa l'Autriche et battit les Russes à Friedland le 14 juin 1807.

Le tsar demanda un armistice et une rencontre entre les deux empereurs eut lieu sur un radeau flottant sur le Niémen, à Tilsitt, au mois de juillet 1807. Napoléon et Alexandre se réconcilièrent ; un partage d'influence amena un démembrement de la Turquie ; l'Allemagne fut dépouillée des territoires à l'ouest de l'Elbe, qui formèrent le royaume de Westphalie. Dantzig devint ville libre et une partie de l'ancienne Pologne fut constituée en grand-duché de Varsovie.

Se sentant le plus fort, Napoléon prit des mesures de coercition contre les États qui n'appliquaient pas le blocus continental, notamment le patrimoine pontifical et Rome furent occupés. L'affaire s'aggravera par la suite ; le Pape sera arrêté, interné à Savone, puis à Fontainebleau, très fâcheuse affaire qui mettra l'Empereur en difficultés avec le clergé et le fera excommunier.

Un nouveau foyer de difficultés allait s'ouvrir en Espagne dont Murat avait occupé le nord pour combattre les Anglais au Portugal. Les Espagnols, exaspérés par l'occupation française, se révoltèrent et déposèrent le roi Charles IV. Le 2 mai 1808 *(Dos de Mayo),* Murat dut intervenir militairement à Madrid.

Pour régler l'affaire espagnole, Napoléon se rendit à Bayonne où il convoqua Charles IV et son fils Ferdinand qui s'était proclamé roi lors de la déposition de son père. Les deux rois Bourbons se disputèrent en présence de l'Empereur ; Charles IV réclama sa couronne à son fils et, quand il l'eut obtenue, il la remit à Napoléon. L'Empereur interna le roi et son fils en France, plaça son frère Joseph sur le trône d'Espagne et le remplaça à Naples par Murat.

Le 20 juillet 1808, Joseph Bonaparte fit son entrée à Madrid et l'Espagne se souleva. La capitulation du général français Dupont à Bailen (22 juillet 1808) apporta rapidement la preuve que la soumission de l'Espagne serait malaisée et que l'on y avait fort imprudemment ouvert un front de guerre supplémentaire.

Avant d'aller redresser la situation en Espagne, Napoléon voulut s'imposer personnellement aux divers souverains européens. Il les convia à Erfurt et fit jouer Talma devant *un parterre de rois.* Il ne se doutait nullement que Talleyrand le trahissait et nouait avec Alexandre une intrigue dont les conséquences seront un jour fatales à l'Empire.

Ayant obtenu quelques garanties à Erfurt, Napoléon pensa qu'il pouvait se rendre en Espagne. Il s'y révéla une nouvelle fois un grand chef de guerre, fut vainqueur à Somo-Sierra et reprit tout le territoire aux Anglais qui durent se replier sur le Portugal. Mais ces succès ne rétablirent pas le calme en Espagne, alors que Napoléon se trouvait obligé de rentrer rapidement en France pour faire face à une revanche probable de l'Autriche.

Il découvrit la trahison de Talleyrand auquel s'était joint le ministre de la Police, le célèbre Fouché. Talleyrand fut congédié au cours d'une scène célèbre.

Pour reunir les effectits nécessaires à la reprise de la lutte contre l'Autriche, il fallut appeler une classe militaire par anticipation et c'est avec une armée de plus de trois cent mille hommes que Napoléon allait se heurter à l'archiduc Charles d'Autriche. La campagne se passa moins brillamment qu'en 1805 et la bataille gagnée par Ney à Eckmühl, le 22 avril 1809, fut loin d'avoir les effets dissuasifs d'Ulm et d'Iéna.

L'armée française parvint tout de même à Vienne, mais la traversée du Danube fut contrariée par l'archiduc Charles à Essling (22 mai 1809), bataille qui compléta la gloire de Masséna déjà duc de Rivoli et qui devint prince d'Essling.

La situation militaire risquant de devenir critique, Napoléon reprit l'offensive ; il fit franchir le Danube à la Grande Armée à Lobau et battit les Autrichiens à Wagram le 6 juin 1809.

L'empereur François Ier demanda un armistice ; de grandes difficultés, telles que le soulèvement du Tyrol, le débarquement anglais dans l'île de Walcheren en Hollande, les défections du tsar qui envoya des troupes dans le grand-duché de Varsovie, firent traîner les pourparlers de paix. Celle-ci fut signée à Presbourg le 14 octobre 1809 : l'Autriche perdait la Carinthie et la Carniole qui furent jointes à la Dalmatie ; cet ensemble constitua le gouvernement des Provinces Illyriennes qui fut confié à Fouché, ce qui était un moyen commode de l'écarter.

Le problème qui se posa ensuite ne fut pas d'ordre politique mais il regarda la vie privée. Ayant eu des enfants naturels d'une demoiselle d'honneur, Éléonore Denuelle de La Plaigne, et de Marie Walewska, Napoléon savait qu'il n'était pas stérile. Malheureusement, l'âge de l'impératrice Joséphine ne lui permettant plus d'avoir une descendance, Napoléon se résigna à divorcer. Il avait été marié civilement jusqu'à la veille du sacre où le Pape avait exigé le mariage religieux qui fut célébré clandestinement. Bien que la décision de divorce ait aggravé encore les rapports avec le Pape prisonnier, Napoléon contraignit l'Officialité de Paris de constater la nullité d'un mariage religieux contracté sans témoins et sans portes ouvertes. Il fut impossible à l'Officialité de ne pas obéir et Napoléon se trouva libre de se remarier.

Après avoir vainement sollicité la main d'une sœur d'Alexandre, il fit savoir à l'Autriche qu'il épouserait volontiers la fille de l'empereur François Ier, l'archiduchesse Marie-Louise et, par raison d'État, l'Empereur, poussé par son premier ministre Metternich, donna son consentement. Le mariage qui faisait de Napoléon le neveu de Louis XVI fut célébré au Louvre le 2 avril 1810 et, l'année suivante, il en naquit un fils qui recevra le titre de roi de Rome.

Il y a lieu de dire quelques mots de l'impératrice Marie-Louise, femme médiocre et sotte, qui n'avait pour elle que la fraîcheur de ses dix-huit ans. Elle se laissa marier à l'*Ogre de Corse* sans discussion, lui donna un fils, mais ne fut jamais, semble-t-il, une épouse amoureuse. Dès la chute de Napoléon, elle le trompa odieusement avec le général de Neipperg, dont elle eut des enfants du vivant de l'Empereur. Neipperg fut le véritable prince consort du duché de Parme, donné à Marie-Louise lors de la chute de l'Empire. Elle aima Neipperg autant qu'elle était capable d'un sentiment, mais, après son décès, ne pouvant se passer d'un homme, elle épousa en troisièmes noces le comte de Bombelles, fils d'un ambassadeur de France qui, après son veuvage, était entré dans les ordres et était devenu évêque d'Amiens. Telle fut la destinée étrange d'une impératrice qui se range parmi les plus médiocres des femmes qui ont régné sur la France.

Le mariage de Napoléon n'en marque pas moins l'apogée de l'aventure impériale ; le fait qu'un soldat de fortune ait pu s'allier à l'une des plus anciennes dynasties et devenir le gendre des Césars romains, lui rallia une partie de la vieille noblesse française, qui fréquenta la Cour et reçut des titres d'Empire.

Napoléon prit très au sérieux un mariage qui achevait de le légitimer en le faisant entrer dans le concert des souverains européens. L'Empire, avec ses sept cent cinquante mille kilomètres carrés, divisés en cent trente départements, peuplés de quarante-quatre millions d'habitants, représentait la plus grande extension territoriale que la France ait jamais connue depuis ses rois et il semblait que l'aventure grandiose qu'elle était en train de vivre fût un gage d'avenir, alors que l'Empire qui paraissait triompher portait déjà en lui les éléments de son proche écroulement.

La nouvelle vie conjugale de Napoléon fut une des causes de la catastrophe : fort épris de sa jeune femme, il semble que l'Empereur négligea pendant plus d'un an les problèmes essentiels ; en particulier il ne se soucia pas assez de l'affaire espagnole : les Anglais en profitèrent pour y intensifier leurs offensives ; le général Wellesley marcha sur Madrid et un éclatant succès à Talavera lui valut le titre de duc de Wellington. Masséna, envoyé pour le déloger, se heurta aux défenses qu'il avait organisées au Portugal, les lignes de Torres-Vedras.

La vraie cause du désastre est imputable au blocus continental qui non seulement mécontenta les Français privés de denrées essentielles telles le sucre ou le café mais aussi les souverains d'Europe qui voyaient leur commerce péricliter.

Le tsar viola ouvertement le blocus ; pour le sanctionner, Napoléon annexa le duché d'Oldenbourg, fief du beau-frère d'Alexandre. Celui-ci répliqua en occupant le grand-duché de Varsovie.

L'Empereur jugea qu'il était indispensable de mettre la Russie au pas. Il fit d'importants préparatifs de guerre et constitua une armée de sept cent mille hommes, dont un tiers seulement de Français, et concentra ses effectifs en direction du Niémen.

Le mariage de Napoléon avec Marie-Louise, par Rouget. (Musée de Versailles.)

Le fleuve fut franchi les 24 et 25 juin 1812. Le tsar engagea une politique de terre brûlée et les Russes retraitèrent systématiquement. Hors un engagement secondaire à Smolensk le 17 août, le choc des armées eut lieu à Borodino, sur les bords de la Moskowa, le 7 septembre 1812. La bataille fut sanglante mais ouvrit la route de Moscou où Napoléon fit son entrée le 14 septembre. Les Russes avaient incendié la ville avant de la quitter.

Alexandre refusant toute négociation, on se trouvait devant une situation sans issue ; dans l'alternative d'hiverner à Moscou ou de retraiter, Napoléon choisit le second terme.

Un hiver précoce et le manque d'approvisionnements donnèrent à cette retraite le caractère

L'incendie de Moscou, le 14 septembre 1812.

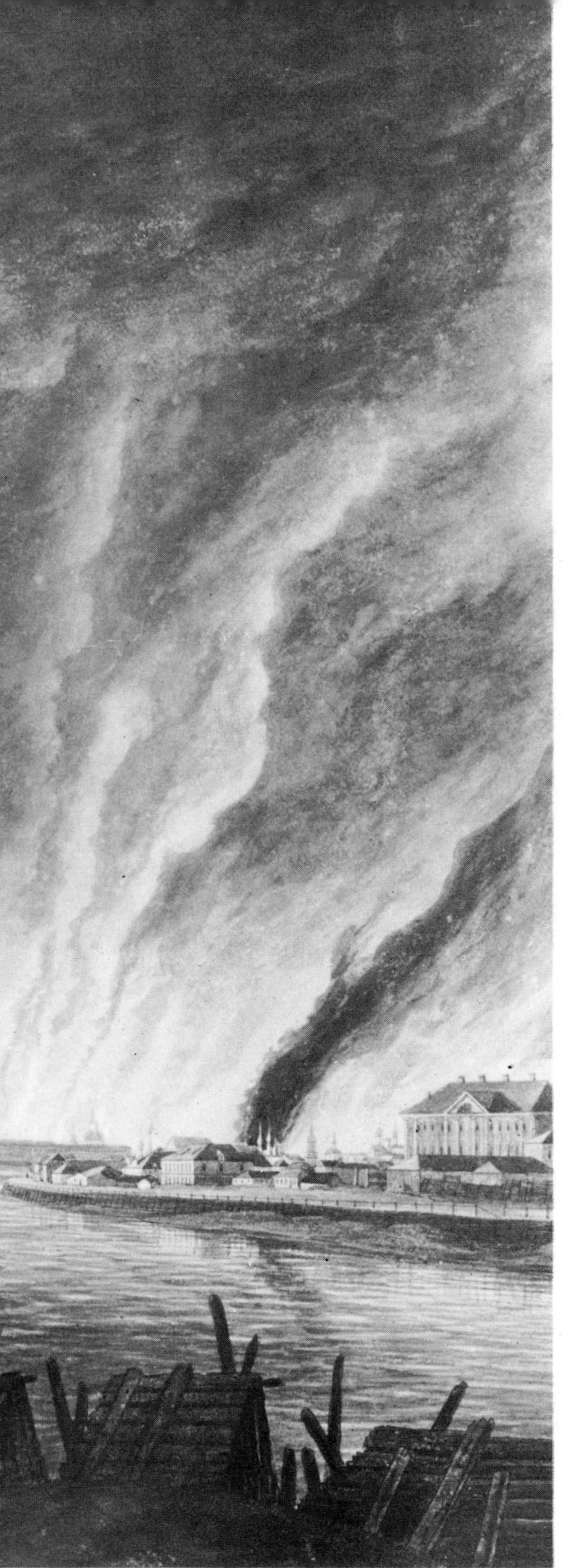

d'une tragédie. Les Russes avaient effectué des mouvements tournants pour couper la route du retour. Le passage de la Bérésina symbolise les difficultés de cette campagne désastreuse où plus des quatre cinquièmes de la Grande Armée périrent, provoquant un manque d'effectifs qui rendra vite impossible la défense du grand Empire.

L'ordre intérieur en France fut menacé par la conspiration du général Malet qui faillit s'emparer du pouvoir grâce à la fausse annonce de la mort de Napoléon. Celui-ci était rentré précipitamment à Paris pour s'efforcer de rétablir son autorité.

Le prestige militaire de la France ayant été grandement ébranlé par le drame de Russie, une coalition se noua pour abattre Napoléon.

Le 28 février 1813, Frédéric-Guillaume III signait une alliance avec le tsar Alexandre et, mettant à profit son armée reconstituée clandestinement par Scharnhorst et Clausewitz, il déclara la guerre à la France, le 16 mars.

Metternich offrit au nom de l'Autriche une médiation qui eût replacé la France dans la situation du traité de Lunéville, c'est-à-dire en possession de la rive gauche du Rhin. Napoléon proposa seulement de rendre l'Illyrie et refusa toute autre concession car il avait reconstitué des troupes.

Il confia la régence à Marie-Louise, rejoignit ses armées sur la Saale et se prépara à acculer ses adversaires sur les monts de Bohême où il espérait les anéantir. En dépit de succès sérieux à Lutzen et à Bautzen, il n'obtint pas les résultats escomptés.

Toutefois, la Prusse, inquiète de la force des armées françaises, offrit un armistice signé à Pleswitz le 4 juin 1813.

Un congrès s'ouvrit à Prague ; Napoléon y espérait la médiation de l'Autriche. Les conférences se poursuivirent avec Metternich à Dresde. Napoléon, au lieu d'accepter des arrangements raisonnables, s'obstina à tergiverser jusqu'à lasser l'Autriche qui, le congrès clos, lui déclara la guerre le 12 août 1813.

Comme, de surcroît, l'Angleterre avait signé des traités d'alliance avec la Prusse et la Russie, Napoléon se trouva brusquement devant une situation critique. Tous les adversaires de l'Empereur se trouvaient coalisés contre lui avec des effectifs supérieurs aux siens, ce qui présentait des risques considérables.

Les Alliés entrèrent en campagne avec trois armées commandées par Schwarzenberg, en Bohême, Blucher en Silésie. La troisième armée était confiée à Bernadotte, un maréchal français, devenu roi de Suède et servant sa nouvelle patrie contre l'ancienne.

Une scène de la retraite de Russie, 1812. (Lithographie de Marin.)

Napoléon remporta au départ un avantage relatif en battant les Autrichiens à Dresde le 27 août. Puis la chance joua contre lui et, à Leipzig, il se trouva avec cent soixante mille hommes seulement en face des Alliés qui en totalisaient trois cent vingt mille. La bataille de Leipzig, qui a conservé le nom de bataille des Nations, dura trois jours (16-18 octobre 1813) ; Napoléon fut complètement battu et décida de retraiter sur le Rhin. Les Saxons et les Bavarois avaient fait défection, la France était menacée d'invasion et le grand Empire se désagrégeait.

Pour accabler plus sûrement Napoléon, les Alliés, ne voulant pas lui laisser le temps de reconstituer ses effectifs, décidèrent, contrairement aux habitudes de la guerre de ce temps, de mener une campagne d'hiver.

Toutefois, avant de l'entreprendre, Metternich proposa à l'Empereur un arrangement sur la base des frontières naturelles (15 novembre 1813). Persuadé que la France n'accepterait pas cette diminution de son territoire, Napoléon refusa une fois de plus. L'Angleterre avait d'ailleurs fait connaître qu'elle ne laisserait à la France ni la Belgique ni la frontière du Rhin. Dans ces conditions, il n'y avait plus qu'à combattre dans des circonstances malaisées puisque Schwarzenberg avait passé le Rhin, en Suisse, Blücher en direction de la Lorraine, tandis qu'au sud Wellington menaçait la frontière des Pyrénées.

Les Alliés réunirent alors un congrès à Châtillon-sur-Seine où l'Angleterre fit décider que la France serait ramenée à ses limites de 1792 (29 janvier 1814).

Pour défendre le territoire national, Napoléon allait mener la plus parfaite peut-être de ses campagnes stratégiques. La campagne de France est illustrée par des noms de batailles célèbres : Brienne, La Rothière, Champaubert, Montmirail, Château-Thierry, Vauchamps, Montereau.

Combattant simultanément l'armée de Schwarzenberg et celle de Blücher, passant de l'une à l'autre en des combats presque quotidiens,

Napoléon se montra militairement au-dessus de lui-même, mais il devait succomber sous le nombre. Un pacte signé par les Alliés à Chaumont se traduisit par une alliance de vingt ans contre la France.

Auparavant, Metternich, frappé par la résistance admirable de Napoléon, avait offert un armistice que Napoléon refusa une fois de plus, voulant conserver à la France ses frontières naturelles.

Renversant un moment la situation militaire, Napoléon fit reculer Blücher jusqu'à Laon. Mais cette manœuvre laissa ouverte la route de Paris ; Schwarzenberg marcha sur la capitale où il fit son entrée le 30 mars 1814. L'impératrice Marie-Louise s'était enfuie à Blois.

Les Alliés, réunis chez Talleyrand, à Paris, déclarèrent une nouvelle fois qu'ils ne traiteraient pas avec Napoléon. Talleyrand fit nommer par le Sénat un gouvernement provisoire qui, le 3 avril 1814, prononça la déchéance de l'Empereur.

Trois jours plus tard, le gouvernement provisoire appelait Louis XVIII au trône.

Napoléon s'était établi à Fontainebleau, espérant reprendre Paris. Il en fut empêché par la défection du maréchal Marmont à Essonnes le 5 avril. Apprenant la nouvelle, l'Empereur tenta en vain de s'empoisonner. Puis, n'ayant pas réussi, il se résigna à l'abdication. Cet acte mettait fin à la guerre qui continuait dans d'autres secteurs puisque Soult, non au courant des événements, livra une bataille coûteuse et inutile à Wellington, près de Toulouse (10 avril 1814).

Le 11 avril, le traité, dit de Fontainebleau, réglait le sort de l'Empereur : on lui accordait la souveraineté à vie de l'île d'Elbe avec un traitement de deux millions ; Marie-Louise et le roi de Rome étaient nantis du duché de Parme ; des rentes substantielles étaient prévues pour les membres de la famille Bonaparte.

Le 20 avril, Napoléon fit d'émouvants adieux à sa garde réunie dans la cour du Fer à cheval à Fontainebleau, puis il prit la direction de son nouveau royaume.

Le voyage à travers la France fut pénible et même dangereux car, dans la Provence royaliste, la vie de l'Empereur fut en danger et il en fut réduit à se déguiser en officier autrichien...

Napoléon s'embarqua et prit possession de l'île d'Elbe ; « Je suis un homme mort », dit-il à ses familiers. Puis son goût de l'action le reprit et il apporta tous ses soins à la mise en valeur de l'île, espérant toujours y voir arriver sa femme et son fils. Mais Marie-Louise était déjà la maîtresse du général de Neipperg.

A défaut de Marie-Louise, il vit arriver Marie Walewska, qu'il ne voulut pas garder près de lui.

La pension promise ne fut pas versée et Napoléon connut de sérieuses difficultés d'argent. Fort renseigné sur ce qui se passait en France où il faisait fomenter des complots locaux, il en vint à l'idée que sa popularité, qu'il jugeait intacte, lui permettrait peut-être de reconquérir son ancien empire et il prépara secrètement l'expédition qui devait lui permettre de mener à bien son audacieux dessein.

Les Cent-Jours et Sainte Hélène (1815)

PARTI DE L'ÎLE D'ELBE avec trois vaisseaux et six cents hommes, Napoléon, par une marche triomphale, allait voir la France tomber à ses pieds. Une proclamation fameuse : « L'aigle avec les couleurs nationales volera de clocher en clocher jusqu'aux tours de Notre-Dame », un prestige personnel à peu près intact, le mécontentement dû aux maladresses du gouvernement de Louis XVIII et, plus que tout cela, la fidélité de l'armée, firent triompher une entreprise quasi folle et qui devait coûter fort cher à la France.

Ayant pris la route des Alpes pour éviter la Provence hostile, Napoléon se heurta pour la première fois aux troupes royales envoyées pour l'arrêter aux lacs de Laffrey, près de Grenoble. Il s'avança la poitrine découverte en disant :

— Si quelqu'un veut tuer son empereur, le voilà.

Les fusils s'abaissèrent ; les soldats applaudirent. La partie était gagnée au point qu'à Auxerre le maréchal Ney, qui avait promis « de ramener l'usurpateur dans une cage de fer », céda au mirage et tomba dans les bras de l'Empereur.

La défection de Ney ayant ouvert la route de Paris, le roi Louis XVIII quitta les Tuileries dans la nuit du 19 au 20 mars pour se réfugier à Gand. Le jour même du départ du roi, Napoléon s'installait à sa place.

Pour se faire plus facilement admettre par les Français, il accepta le maintien de la Charte, légèrement amendée par un acte additionnel ; il prévit des élections libres, la responsabilité ministérielle devant les Chambres, la liberté de la presse et des cultes, la suppression des tribunaux d'exception. C'était en fait l'acceptation d'une monarchie constitutionnelle.

Ce régime prévu pour contenter tout le monde ne fit pourtant pas l'unanimité. Toutefois, la nouvelle constitution soumise à plébiscite fut adoptée à une minorité de faveur, le tiers seulement des électeurs ayant exprimé son suffrage.

Sentant inévitable une guerre contre toute l'Europe, Napoléon utilisa les deux premiers mois de son retour sur le trône pour lever une armée de

cinq cent mille hommes. Les Alliés, en même temps, en rassemblaient le double.

La Belgique étant restée occupée par Blücher et Wellington, Napoléon décida d'y porter d'abord son effort, puis, ayant battu Prussiens et Anglais, il comptait ramener ses troupes vers le Rhin pour combattre l'Autriche.

Après avoir reçu les vœux des nouvelles assemblées au début de juin, Napoléon gagna rapidement la Belgique où il avait déjà envoyé les troupes.

Il franchit la Sambre, remporta un succès local à Ligny le 15 juin 1815, succès contrarié par la trahison du général de Bourmont, qui passa à l'ennemi, et par une fausse manœuvre de Grouchy qui laissa échapper Blücher.

La rencontre avec l'armée anglaise eut lieu le 18 juin 1815 près de Waterloo. L'Empereur avait soixante-quatorze mille hommes, Wellington seulement soixante-sept mille.

L'armée française, contrariée par la pluie et le défaut de ravitaillement, se montra inégale à elle-même. Mais elle garda longtemps l'avantage et la bataille promettait d'être indécise, quand Wellington se trouva fortement renforcé par l'arrivée du corps de Bülow, puis par celui de Blücher, alors que Napoléon espérait la venue de Grouchy.

La bataille changea de figure et, du côté français, ce fut pis qu'une défaite ; l'armée se débanda, l'honneur étant seulement sauvé par la résistance héroïque de la vieille garde.

Napoléon, atterré du désastre, revint rapidement à Paris, dans le dessein de faire appel au loyalisme des Chambres et de prendre le commandement des réserves pour reprendre le combat et préserver Paris.

De même que l'année précédente, il ne trouva que la trahison. Fouché fit former un gouvernement provisoire et celui-ci contraignit l'Empereur à une nouvelle abdication en faveur du roi de Rome.

Napoléon comptait gagner les États-Unis où ses admirateurs lui avaient préparé un asile.

Il ne put forcer le blocus de la côte atlantique ; il se rendit au capitaine Maitland sur un vaisseau anglais à Rochefort et écrivit alors au régent d'Angleterre cette lettre célèbre :

« A bord du *Bellérophon,* à la mer.

« Altesse royale, en butte aux factions qui divisent mon pays et à l'inimitié des grandes puissances de l'Europe, j'ai consommé ma carrière politique. Je viens, comme Thémistocle, m'asseoir sur le foyer du peuple britannique. Je me mets sous la protection de ses lois que je réclame de Votre Altesse royale comme celle du plus puissant, du plus constant, du plus généreux de mes ennemis. »

Ce langage sublime ne fut ni compris ni entendu. Les Anglais considéraient Napoléon comme un criminel de guerre qu'il fallait empêcher de nuire par tous les moyens. Il fut traité en prisonnier et conduit à l'île de Sainte-Hélène, dans l'océan Austral, où il devait subir une dure captivité.

Les six dernières années de sa vie, car il finit par mourir sur son rocher de tristesse, d'inaction, d'un ulcère de l'estomac, furent savamment utilisées par lui pour parfaire sa légende.

Quand il fut exilé, il était devenu pour la plus grande partie des Français un objet d'exécration ; ceux-ci étaient las de la guerre et ne souhaitaient plus que l'ordre et la tranquillité.

Puis, peu à peu, l'idée que leur ancienne idole subissait de mauvais traitements et mourait solitairement dans une île lointaine retourna l'opinion.

Un premier ouvrage, le *Mémorial de Sainte-Hélène,* œuvre de Las Cases, qui partagea la captivité de l'Empereur les deux premières années, connut un immense succès de librairie, puis les romantiques, principalement Lamartine et Hugo, l'exaltant dans leurs poèmes, lui donnèrent une véritable auréole et la palme du martyre. Le regret de ce passé glorieux, le souvenir de la grandeur, la gloire des victoires, l'exaltation de la Révolution dont l'Empereur avait codifié les principes firent oublier les bouleversements, les horreurs de la conscription, la lourdeur des impôts, les guerres perpétuelles, les familles endeuillées, les foyers détruits.

Ces éléments joueront fortement pendant la monarchie constitutionnelle et, quand celle-ci s'écroulera, la nostalgie de Napoléon incitera le peuple français à revenir à sa dynastie en la personne de son neveu. Le Second Empire est la conséquence logique du Premier.

Aussi Napoléon, en dépit de ses défauts immenses, de son orgueil démesuré, de son mépris de la vie des autres, demeure cher au cœur des Français, sans doute parce qu'il a écrit leur plus grande page de gloire.

L'Empereur, conscient de sa grandeur et de son mérite, supporta impatiemment sa captivité qui fut aggravée par les mesquineries du gouverveur anglais Hudson Lowe mais il fut parfaitement conscient que le rocher de Sainte-Hélène était le piédestal sur lequel sa légende se forgeait.

Les historiens sont partagés sur le jugement à porter sur un destin exceptionnel ; les uns l'admirent sans réserves et exaltent la figure de l'Empereur ; les autres, plus réalistes peut-être, sans contester son prestige et sa grandeur, pensent qu'il eût mieux valu pour la France que cet homme hors du commun ne fût jamais né.

Napoléon à Sainte-Hélène.

Septième partie

LA RESTAURATION DES BOURBONS 1814-1830

Le faux printemps

L'arrivée de Louis XVIII à Calais le 24 avril 1814.

LOUIS XVIII
(1814-1824)

LOUIS-STANISLAS-XAVIER DE BOURBON était le troisième fils du dauphin, fils de Louis XV et de sa seconde épouse Marie-Josèphe de Saxe. Il était né en 1755, un an après Louis XVI. L'aîné des enfants étant mort prématurément, Louis XVI se trouva dauphin et son frère prit le titre de Monsieur, comte de Provence.

Ce fut un enfant appliqué, très versé dans les études, aimant les lettres et la poésie, ce qui le fit prendre en grande amitié par son grand-père Louis XV. Quand Louis XVI monta sur le trône, Monsieur était héritier présomptif et il le resta jusqu'à la naissance d'un dauphin, en 1781.

Se jugeant avec raison plus intelligent que Louis XVI, il jalousait son frère aîné et certains historiens assurent même qu'il tenta de le supprimer. Le futur Louis XVIII fut marié à une princesse de Savoie très disgraciée physiquement et qui connaîtra une vie assez misérable. Monsieur étant atteint d'une malformation physique, il est probable que le mariage ne fut pas consommé. Le prince s'en consola par de nombreuses amitiés platoniques, indifféremment avec des hommes et des femmes.

Prince jouant aux importants et menant un train de vie considérable, le comte de Provence commença à tenir un rôle politique aux Assemblées des Notables où il prôna une double représentation du Tiers.

Inquiet des concessions de Louis XVI au début de la Révolution, il poussa le roi à la résistance et organisa une conspiration avec l'aide du marquis de Favras pour interner le roi et devenir lieutenant-général du royaume. L'affaire fut découverte et le comte de Provence abandonna Favras qui fut pendu (1790).

Le jour où Louis XVI prit la fuite qui devait se terminer à Varennes, le comte de Provence avait pu gagner Bruxelles sans difficultés puis il s'installa à Coblentz avec le comte d'Artois et prit la tête du mouvement des émigrés d'une manière tellement virulente que ses agissements mirent en péril la famille royale, ce dont il parut se soucier assez peu.

Il assista à la campagne de Brunswick et, après la retraite, se réfugia à Hamm, en Westphalie, où il organisa un semblant de gouvernement. A la mort de Louis XVI, il se proclama régent, tenta de rejoindre les Anglais à Toulon ; le succès de Bonaparte lui fit changer ses projets. Il s'établit à Vérone et, quand il apprit la mort du Dauphin, devenu le roi Louis XVII, il se proclama roi à son tour et il fit toujours dater le début de son règne du mois de juin 1795.

Ce règne fictif est d'ailleurs plein d'intérêt ; il est mêlé d'aventures policières, de manifestes, de complots. La vie errante de Louis XVIII en exil le conduisit de Vérone à Blankenbourg (1796), de Blankenbourg à Mitau, en Courlande (1798), d'où il fut chassé par le tsar Paul Ier. Il s'installa à Varsovie en 1801, puis revint à Mitau en 1805 pour s'installer définitivement en Angleterre à partir de 1808. Il mena une vie recluse au château d'Hartwell où son épouse mourut en 1810.

Ce fut à Hartwell qu'aux premiers jours d'avril 1814 on vint lui annoncer qu'il était roi de France. Il répondit majestueusement :

— Est-ce que j'ai jamais cessé de l'être ?

Le 24 avril 1814, il débarqua à Calais, puis vint s'établir au château de Saint-Ouen où il reçut les représentants du Sénat. Il conclut un compromis avec ceux-ci ; il revenait en vertu du seul droit divin mais consentait à octroyer une Charte à ses sujets, acte qui établissait une monarchie constitutionnelle à l'anglaise. Le roi détenait seul le pouvoir exécutif, le législatif était partagé entre lui et deux chambres, l'une élue au suffrage restreint, l'autre nommée par lui, la Chambre des Pairs.

La première affaire à résoudre était de faire évacuer le territoire national occupé par les Alliés. Un traité de paix fut mis en discussion et le roi obtint des conditions très avantageuses : la France retrouvait ses frontières de 1792, plus la Savoie et la Comtat-Venaissin. Il n'y aurait ni occupation ni indemnité de guerre.

Le traité fut signé à Paris le 30 mai 1814. Quelques jours plus tard, la Chambre des Pairs fut réunie et la Charte promulguée. On conserva l'Assemblée nationale élue à la fin de l'Empire.

Les problèmes territoriaux européens furent confiés à un congrès international qui se tint à Vienne et où Talleyrand représenta brillamment les intérêts français. Un premier succès fut obtenu dès le mois de janvier 1815 où un accord fut signé avec l'Angleterre. De nouveaux progrès étaient en voie d'accomplissement quand éclata, comme un coup de tonnerre, la nouvelle que Napoléon avait quitté l'île d'Elbe, qu'il avait débarqué à Golfe-Juan et qu'il marchait sur Paris.

Le gouvernement de la Restauration n'avait pas

Louis XVIII en habits royaux par Paulin Guérin, 1820.

Les signataires alliés au traité de Paris, en 1814 : Metternich, Hardenberg et Castlereagh. (Gravure de Bollinger.)

contenté tout le monde ; une partie des gens de l'Empire perdirent leurs places, données aux émigrés ou aux royalistes fidèles. Une partie de l'armée ayant été licenciée, les officiers furent placés en demi-solde. Des complots bonapartistes éclatèrent sporadiquement… Cette atmosphère assez critique facilitera l'opération hardie tentée par l'Empereur.

Louis XVIII fit concentrer des troupes à Lyon sous la direction de son frère, Monsieur, comte d'Artois. La résistance se révéla impossible, les troupes se ralliaient à Napoléon au fur et mesure de sa progression. La défection de Ney à Auxerre ouvrit la route de Paris.

Louis XVIII quitta Paris dans la nuit du 19 au 20 mars 1815 et alla se réfugier à Gand. Moins de vingt heures après son départ, Napoléon faisait son entrée aux Tuileries et reprenait le gouvernement de la France.

Une tentative de résistance militaire tentée par le duc d'Angoulême, fils du comte d'Artois, échoua dans les provinces du Midi et Napoléon se trouva momentanément maître du pays, mais des soulèvements se dessinèrent dans l'Ouest.

A Gand, Louis XVIII constitua un gouvernement provisoire et attendit la suite des événements. Le bruit du canon lui apprit la bataille de Waterloo.

Comme il n'avait pas été prévu dans l'acte final du Congrès de Vienne (9 juin 1815) que le roi de France récupérerait son trône, Louis XVIII se mit en passe de le retrouver lui-même. Il quitta Gand, franchit la frontière française et revint à Paris, exactement cent jours après en être parti.

Napoléon avait abdiqué et était en route vers la côte de l'Atlantique.

Bien qu'ayant lancé en route des proclamations peu heureuses menaçant de châtiments exemplaires ceux qui l'avaient trahi au profit de Napoléon, Louis XVIII put reprendre la France en main sans de trop grandes difficultés intérieures.

Les problèmes venaient principalement de la nouvelle invasion et des conditions très dures que les Alliés entendaient imposer à la France, en raison de sa nouvelle défaite.

Tous ces problèmes furent résolus au cours des premières années du règne. Pour assurer la paix intérieure et mettre fin aux troubles connus sous le nom de Terreur blanche, il fallut employer la troupe. On institua des tribunaux d'exception, les cours prévôtales, qui prononcèrent plus de neuf mille condamnations. Au sommet, les principales victimes furent le colonel de La Bédoyère et le maréchal Ney qui furent passés par les armes.

Une épuration rigoureuse remplaça près de vingt-cinq pour cent des fonctionnaires ; soixante-dix préfets furent suspendus ; la Chambre des Pairs fut complétée et la pairie devint héréditaire.

Une loi électorale fut promulguée par ordonnance ; elle établissait des collèges électoraux à base censitaire. Suivant ce nouveau système de suffrage très restreint, une assemblée fut élue en août 1815 ; elle compta une majorité si massive de royalistes que Louis XVIII la baptisa *« Chambre introuvable »*.

Sous prétexte de difficultés avec les Alliés, Talleyrand provoqua une crise ministérielle. Louis XVIII y fit face avec sang-froid ; il se débarrassa de Talleyrand et de Fouché et confia les fonctions de premier ministre à un grand seigneur, ancien émigré, le duc de Richelieu.

Celui-ci, qui était l'ami du tsar Alexandre, mit son point d'honneur à négocier un traité de paix qui fut également signé à Paris le 20 novembre 1815.

Ce traité était beaucoup plus dur que le précédent : la France perdait la Savoie et des places fortes dans le Nord et l'Est. Chose plus grave, une occupation du territoire fut prévue jusqu'au règlement de lourdes indemnités de guerre. Il fallait payer sept cents millions-or, cent trente millions par an de frais d'occupation ; de longues discussions furent nécessaires pour ramener à deux cent soixante-cinq millions le chiffre des dommages de guerre. Cela représentait un total de charges dépassant le montant d'une année de budget.

La Chambre introuvable se montrant très réticente en présence de ces difficultés financières, les Alliés s'alarmèrent et, cédant virtuellement à leurs pressions, Louis XVIII prononça la dissolution de la Chambre introuvable bien qu'elle n'eût pas mis le ministère en minorité. Il semble que cet acte d'autorité, s'il n'était pas illicite, devait compromettre le système de gouvernement parlementaire.

Une seule protestation s'éleva, celle de Chateaubriand qui, dans sa brochure *la Monarchie selon la Charte,* critiqua la mesure, ce qui lui valut une disgrâce immédiate.

Une nouvelle chambre, beaucoup plus raisonnable, fut élue et Richelieu attaqua les problèmes posés par l'indemnité de guerre avec l'aide du ministre des Finances, Corvetto. Par de sages mesures on parvint à stabiliser la monnaie, à avancer le payement des indemnités et à faire libérer le territoire beaucoup plus tôt que prévu.

Richelieu, à qui l'on devait ces résultats remarquables, en fut récompensé par une royale ingratitude et il donna sa démission. Il fut remplacé par la général Dessoles, premier ministre en titre, mais le gouvernement fut exercé par le favori de Louis XVIII le comte Decazes, ancien ministre de la police, politique retors d'une grande habileté.

L'œuvre administrative de Richelieu était importante : une loi électorale qui prévoyait le renouvellement de la chambre par cinquième avait été votée en 1816 ; la seconde loi de base fut d'ordre militaire ; conçue par le maréchal Gouvion Saint-Cyr, elle établissait une sorte de conscription, par tirage au sort, mais surtout elle retirait la collation des grades à la noblesse et détruisait le seul privilège qui eût échappé à la nuit du 4 août. On avait également tenté d'abroger le Concordat de Bonaparte, mais le projet avorta dans ses grandes lignes et il n'en reste que l'actuelle répartition des archevêchés.

Les élections de 1819 manifestèrent le mécontentement de la noblesse qui mêla souvent ses suffrages à ceux de la gauche, ce qui créa dans l'Assemblée un groupe de forte opposition.

Cette opposition provoqua une crise gouvernementale dont Decazes sortit vainqueur. Mais il ne resta pas longtemps président du Conseil.

En effet le 13 février 1820, le duc de Berry, second fils du comte d'Artois et troisième sur la ligne des héritiers présomptifs, fut assassiné au sortir de l'Opéra par un fanatique nommé Louvel. Les ultras, Chateaubriand en tête, tentèrent de faire accuser Decazes d'être l'instigateur du crime. Sous la pression de l'opinion, Louis XVIII dut se séparer de son favori ; il le fit duc et ambassadeur à Londres puis il rappela le duc de Richelieu.

Pour conserver leur puissance les royalistes firent restreindre la liberté de la presse et instituer la loi du double vote qui avantageait les candidats les plus imposés. La loi fut adoptée par l'intervention d'un député de Toulouse, le comte de Villèle, qui allait être appelé bientôt à jouer les premiers rôles.

Le 28 septembre 1820, la duchesse de Berry, mit au monde un enfant posthume, Henri-Dieudonné, titré comte de Bordeaux ; la ligne successorale étant de nouveau assurée, la monarchie se crut renforcée.

Pourtant, une fermentation intérieure révélait les progrès de l'opposition. Un mouvement libéral, animé secrètement par La Fayette et la Charbonnerie, travaillait à l'établissement d'une république La plus célèbre de ces conspirations avortées a immortalisé le nom des quatre sergents de La Rochelle.

Ces agitations servirent Louis XVIII. Il les utilisa pour mener une politique de droite et prendre des mesures d'essence cléricale qui placèrent l'enseignement secondaire sous le contrôle de l'Église.

Les difficultés de la politique intérieure amenèrent Richelieu à négliger contre son gré la politique extérieure. Si la France avait été présente en 1818 au Congrès d'Aix-la-Chapelle, elle fut absente en revanche des congrès de la Sainte-Alliance à Troppau (1820) et à Laybach (1821) au cours desquels les Alliés étendirent leurs empiètements en Europe.

Richelieu était secrètement combattu par le comte d'Artois alors que celui-ci lui avait promis son soutien après l'assassinat du duc de Berry. Il se vit obligé de démissionner de nouveau et le frère du roi le fit remplacer par Villèle.

Celui-ci, qui allait rester plus de six ans président du Conseil, fut un bon ministre, et surtout un excellent administrateur ; mais d'un royalisme étroit et borné, il n'eut pas le sens de la grandeur en politique extérieure, ce qui lui valut beaucoup d'opposition.

Il allait se trouver très rapidement dans une situation contraire à ses principes et être obligé de leur faire une entorse pour conserver sa place.

Le 9 mars 1821, le roi d'Espagne Ferdinand VII avait été contraint par une insurrection de prêter serment à une constitution. Il tenta un coup de force dont le résultat donna le pouvoir aux extrémistes de gauche. Le roi se trouva prisonnier, un peu comme l'avait été Louis XVI aux Tuileries ; les provinces royalistes du Nord instituèrent une régence et un gouvernement de résistance vint s'établir à Seo de Urgel qui engagea la guerre civile pour la libération de l'Espagne.

Cet événement divisa l'Europe. Le tsar et Metternich étaient partisans d'intervenir pour étouffer les révolutions ; l'Angleterre était réservée et s'opposait à une intervention française en Espagne. Louis XVIII était d'autant plus embarrassé qu'en fin de compte la décision risquait de retomber sur lui.

Un Congrès de la Sainte-Alliance devait se tenir à Vérone à la fin de l'année 1822 pour régler la question. Alors que le ministre des Affaires étrangères, Mathieu de Montmorency, prenait sur lui de faire passer clandestinement des armes à l'Espagne royaliste, le roi et le comte d'Artois se rangeaient à la politique neutraliste de Villèle.

Montmorency représenta la France au congrès de Vérone, mais Louis XVIII lui adjoignit Chateaubriand.

Louis XVIII avait interdit à Montmorency de soulever la question espagnole devant le Congrès. Celui-ci passa outre et le roi ne la désavoua pas, à la grande fureur de Villèle.

Chateaubriand était allé dans le même sens que Montmorency et en avait touché un mot au tsar Alexandre.

Le jour de Noël 1822, Louis XVIII soutint la position de Villèle devant le Conseil des ministres. Montmorency, s'estimant désavoué, donna sa démission. Pour calmer l'opinion, qui était favorable à une intervention en Espagne, Louis XVIII se fit forcé de nommer Chateaubriand ministre des Affaires étrangères.

Celui-ci poussa à la guerre et Villèle dut, contre son gré, demander les crédits nécessaires (10 février 1823).

Cette guerre d'Espagne que Villèle considérait comme une aventure dangereuse, fut, au contraire, un très grand succès. Mais les crédits ne furent pas accordés sans de pénibles discussions qui furent marquées par un événement qui est resté

L'entrée des Français, conduits par le duc d'Angoulême, à Madrid, le 23 mai 1823. (Lithographie de Cheyer.)

célèbre, l'expulsion du député Manuel, qui avait soutenu la thèse que les agissements des émigrés avaient été la vraie cause de la mort de Louis XVI, thèse soutenable mais que la dignité de Louis XVIII ne pouvait admettre, car elle eût été son propre procès.

Le 7 avril 1823, le duc d'Angoulême franchit la Bidassoa avec quatre-vingt-quinze mille hommes; ce fut une simple promenade militaire ; le 23 mai, l'armée française faisait son entrée à Madrid ; le 31 août, le roi Ferdinand, prisonnier des Cortès à Cadix, était délivré, après le combat décisif du fort du Trocadéro.

Le duc d'Angoulême s'efforça de contenir les excès des royalistes espagnols et rentra en triomphateur à Paris. Il est hors de doute que la guerre d'Espagne valut à Louis XVIII un grand prestige.

Pour tirer parti de ce prestige, Villèle fit dissoudre la Chambre où se manifestaient souvent des résistances et il fit procéder à des élections générales le 6 mars 1824.

Il convient de dire que ces élections furent menées avec une rare partialité et que les procédés les plus douteux furent utilisés pour obtenir un succès. Celui-ci dépassa l'attente ; l'opposition mordit la poussière et La Fayette fut battu. Sur quatre cent trente sièges, le gouvernement en obtenait quatre cent onze.

« C'est la Chambre retrouvée », dit paisiblement Louis XVIII, dont c'est le dernier mot passé à l'Histoire.

Pour consolider le succès, Villèle fit voter une loi de septennalité destinée à s'appliquer seulement aux élections suivantes.

La majorité écrasante obtenue ne donna cependant pas tous les résultats escomptés et Villèle n'obtint qu'une faible majorité dans un projet de conversion des rentes qui fut repoussé par la Chambre des Pairs.

Cherchant un bouc émissaire, Louis XVIII rendit Chateaubriand responsable de l'échec et le disgracia brutalement. Ce dernier acte d'autorité du Roi se révéla une lourde faute, car Chateaubriand ulcéré, passa dans l'opposition et ses interventions dans la presse contribuèrent par la suite à provoquer la chute du régime de la Restauration.

Louis XVIII baissait à vue d'œil ; à la fin d'août 1824, il ne put plus guère quitter son lit. Ses derniers jours furent tragiques, la gangrène faisant de lui un mort vivant. Il expira le 16 septembre 1824, ayant peu d'illusions sur les possibilités de son successeur, le comte d'Artois devenu Charles X.

Louis XVIII est le dernier souverain français qui soit mort sur le trône, ce qui lui mérite une considération particulière.

Cependant, les contemporains n'ont pas été tendres pour sa mémoire et il faut le recul du temps pour lui rendre justice.

En dépit de ses défauts qui ne sont pas contestables, il avait eu une haute idée de la fonction royale et des devoirs qu'elle implique. Pendant dix-neuf ans, il avait maintenu en exil, dans des circonstances malaisées, le principe de la royauté et en avait trouvé la récompense en recouvrant son trône en 1814 avec le minimum de concessions.

Roi devenu réel, il mena à bien une œuvre immense. D'une France ruinée, il refit une France riche ; à ce pays humilié il rendit sa primauté en Europe.

A l'hommage rendu à cette œuvre de redressement considérable, il convient cependant d'apporter des réserves.

On ne demandait pas au roi d'être bon, pas même d'être juste, mais seulement d'être prévoyant.

En créant des cours prévôtales, en se servant de tribunaux d'exception sans recours ni appel, Louis XVIII montra ce qui restait en lui d'homme d'Ancien Régime. Son libéralisme dans l'ordre politique n'avait pas tué ses préjugés dans le domaine judiciaire. Cette tendance se manifesta par une limitation des franchises dans le domaine public dont le système censitaire est un exemple typique.

L'émancipation apparente de l'État se paya par une tutelle plus grande aux échelons départementaux et communaux. En continuant à nommer les maires et les conseils municipaux, Louis XVIII en arriva à se priver des forces vives de la nation.

Ces réformes nécessaires, son hérédité et son éducation ne lui permettaient pas de les voir et l'on ne saurait lui en tenir une trop grande rigueur car il fut un roi de haute qualité à qui l'Histoire n'a pas rendu l'admiration qu'il méritait.

CHARLES X
(1824-1830)

LE RÈGNE DU ROI CHARLES X, terminé par une révolution, marque la fin de la monarchie de droit divin. La vie du prince dépasse peut-être en romanesque et en aventures celle de son frère Louis XVIII.

Charles-Philippe de Bourbon, comte d'Artois, naquit en 1757. Il était bien de sa personne et fort séduisant, mais avait l'esprit léger et obstiné. Après des études moyennes, il se lança dans une vie de plaisir semée d'aventures amoureuses, notamment avec des actrices. Il fut marié à la princesse Clotilde de Savoie, sœur de l'épouse de Louis XVIII, et elle lui donna deux enfants, le duc d'Angoulême, né en 1775, et le duc de Berry, né en 1778, qui furent, après la mort de Louis XVII, les héritiers présomptifs du trône de France. Le ménage du comte d'Artois fut fort relâché ; sa femme n'était pas belle et il la délaissera constamment jusqu'à la mort de celle-ci qui survint en exil en Carinthie en 1805.

Une liaison avec Mme de Polastron, belle-sœur de la duchesse de Polignac, favorite de Marie-Antoinette, débuta vers 1784 et cette liaison devait jouer un rôle capital dans la conduite du futur Charles X. En effet, quand Mme de Polastron mourut à Londres en 1805, elle fit jurer à son amant de renoncer à la débauche et de se rapprocher de Dieu. Le comte d'Artois lui en fit le serment et la suite de sa vie fut édifiante sur le plan moral et religieux.

Dévot désormais jusqu'à la bigoterie, le comte d'Artois se laissa chambrer par le confesseur de sa maîtresse, l'abbé Latil, dont il fit par la suite un cardinal et il écouta aveuglément ses conseils, qui conduisirent le monarque à sa perte.

Le comte d'Artois, dans sa jeunesse, avait entretenu les rapports les plus amicaux avec sa belle-sœur, la reine Marie-Antoinette, et celle-ci écouta volontiers ses avis et en tint compte en général, ce qui ne fut pas heureux.

Aux Assemblées des Notables de 1787 et 1788, le comte d'Artois se montra hostile à toute réforme et acharné à défendre les principes du droit divin. Il accentua son attitude lors des Etats-généraux ; c'est en partie à son influence qu'est due la séance royale du 23 juin 1789, si fâcheuse

Charles X en habits de sacre, par Gérard.

La famille royale autour du roi Charles X. (Lithographie de F. Neel.)

pour la monarchie. Il poussa Louis XVI à prendre des mesures de force contre l'Assemblée constituante, résistance qui amena la réaction du 14 juillet 1789 et la prise de la Bastille.

Louis XVI jugea son frère tellement compromis qu'il l'obligea à quitter la France dès le 17 juillet 1789. Le comte d'Artois s'établit chez son beau-père à Turin et y organisa avec Calonne les premiers rassemblements d'émigrés. Il accentua cette politique à Coblentz avec son frère le comte de Provence et participa avec lui à la campagne de Valmy.

En exil à Hamm, en Westphalie, il ne suivit pas son frère à Vérone, mais, après de grandes difficultés, s'établit à Londres ; après le désastre de Quiberon, il prit la tête d'une expédition en Vendée, mais il se contenta de débarquer à l'île d'Yeu, d'où, sans avoir rien fait, il regagna Londres où il allait séjourner jusqu'en 1814. Au mois de mars de cette année, il gagna la France à Vesoul ; il fut rejoint par un homme habile, le baron de Vitrolles. Tous deux négocièrent avec les Alliés et, en avril 1814, le comte d'Artois fit son entrée à Paris, en qualité de lieutenant-général du royaume. Il allait administrer la France, sans le moindre génie, jusqu'au retour de Louis XVIII.

Pendant le règne de son frère, il désapprouva complètement les concessions qui avaient été nécessaires pour récupérer le trône et il fut le chef d'une faction, dite du pavillon de Marsan, qui compliqua constamment la politique de Louis XVIII. Il contribua à la chute de Decazes et à la démission de Richelieu, accordant toute sa confiance au comte de Villèle, qu'il conservera comme premier ministre, quand il accédera au trône le 16 septembre 1824.

Avec de telles dispositions politiques, tout donnait à penser que le règne de Charles X serait orageux.

Il débuta cependant fort bien et le roi, par sa prestance et par quelques mesures libérales, telles que l'abolition de la censure, connut pendant quelques mois une réelle popularité.

L'euphorie fut de courte durée. Peu de mois après son avènement, Charles X s'aliéna les sympathies de l'armée en mettant à la retraite une partie des généraux de l'Empire, tandis que le dépôt d'une loi contre le sacrilège faisait crier au retour de l'Inquisition.

Pour bien montrer qu'il entendait affirmer la pérennité du droit divin, le roi se fit sacrer à Reims. Cette cérémonie du sacre, la dernière de l'Histoire de France, se déroula avec une pompe extraordinaire mais sa symbolique ne fut pas comprise et excita les railleries des pamphlétaires et des chansonniers.

La politique de Charles X allait s'affirmer par le dépôt de deux lois qui firent grand bruit et furent assez injustement appréciées.

La première de ces lois, qui a gardé le nom de *milliard des émigrés,* avait trait à l'indemnisation des émigrés spoliés par la confiscation de leurs biens en 1792. Dans l'esprit de Villèle et de Charles X, il s'agissait non seulement de réparer une iniquité mais également de rassurer définitivement les acquéreurs de biens nationaux.

Cette loi dictée par la raison, qui n'indemnisait que très partiellement les spoliés, fut cependant l'objet de vives critiques et elle ne fut adoptée que par une infime majorité.

Quant à la seconde loi, dite du droit d'aînesse, elle fut repoussée par la Chambre des Pairs, qui en eussent été les principaux bénéficiaires, puisqu'elle visait à atténuer la disposition de partage des biens résultant du Code Napoléon, et à autoriser à disposer en faveur des aînés de la quotité disponible.

Une vague d'anticléricalisme dénonça les abus du parti *prêtre,* et de la Congrégation, association pieuse qui mêlait un peu trop cléricalisme et politique. Charles X répondit aux attaques dont sa politique était l'objet en restreignant la liberté de la presse, ce qui affaiblit l'autorité de Villèle.

Celui-ci, bon administrateur, se préoccupait plus de l'équilibre budgétaire et de l'aisance de la trésorerie que d'une politique de grandeur à l'extérieur. Il refusa notamment d'intervenir contre les Turcs après le drame des massacres de Chio (1825), puis y fut contraint par l'opinion publique et, bien que la flotte française eût remporté un éclatant succès à Navarin (20 octobre 1827), il ne retrouva pas sa popularité.

Une manifestation de la Garde nationale, qui scandalisa Charles X lors d'une revue, fit dissoudre cette formation militaire. Cette mesure rendit le ministère très impopulaire. Pour retrouver une majorité, Villèle fit nommer par Charles X une fournée de pairs, puis, le 24 octobre 1827, il commit l'imprudence de faire renvoyer la Chambre *retrouvée* espérant que des élections lui seraient favorables.

Bien que des pressions eussent été exercées, les élections de 1827 mirent Villèle en minorité et il donna sa démission, parce que le roi ne voulut pas s'engager fermement à le soutenir.

Le roi n'était plus d'accord avec la Chambre et celle-ci n'était plus fidèle à la monarchie. Un nouveau premier ministre, le comte de Martignac, politique très souple, n'arriva pas cependant à désarmer l'opposition, bien qu'il eût fait de grandes concessions, notamment dans le domaine clérical où il fit signer par le roi des ordonnances retirant aux jésuites le droit d'enseignement.

Une tentative de réforme des lois électorales amena une telle levée de boucliers que Martignac dut se retirer. Charles X estima que le moment était venu de démontrer que le système constitutionnel conduisait à une impasse et, au lieu de confier, comme il eût été logique, le pouvoir à l'opposition, il nomma président du Conseil un de ses plus chers amis, le prince Jules de Polignac, un royaliste fidèle au droit divin, dévoué au roi jusqu'à la mort.

Le ministère Polignac où se côtoyaient Bourmont, le traître de 1815, et La Bourdonnaye, qui avait dirigé l'épuration, fut très mal accueilli par l'opinion.

A la vérité, Polignac n'avait d'autre programme que d'exécuter les désirs du roi et ceux-ci visaient à un retour à l'absolutisme. Aussi le discours du trône de 1830 fut-il d'une rare maladresse et Charles X y dit notamment :

« Si de coupables manœuvres suscitaient à mon gouvernement des obstacles que je ne veux pas prévoir, je trouverais la force de les surmonter dans ma résolution de maintenir la paix publique, dans la juste confiance des Français et dans l'amour qu'ils ont toujours montré pour leur roi. »

Ce propos fut accueilli par les députés comme une déclaration de guerre et l'Adresse au Roi se révéla empreinte de menaces :

« La Charte consacre comme un droit l'intervention du pays dans la délibération des intérêts publics. Elle fait du concours permanent des vues politiques de votre gouvernement avec les vues de votre peuple la condition indispensable de la marche des affaires publiques. Sire, notre loyauté nous oblige à dire que ce concours n'existe pas. »

Ce texte célèbre a gardé le nom d'*Adresse des Deux cent vingt et un,* du nombre des députés qui le votèrent, contre cent quatre-vingt-un qui le repoussèrent. Royer-Collard, président de la Chambre, porta l'Adresse aux Tuileries. Charles X l'accueillit fort mal et, peu de jours après, il prononça la dissolution de la Chambre et décida de nouvelles élections. La mesure parut tellement inopportune que les ministres les plus avisés donnèrent leur démission.

Polignac remania sa formation ; il comptait,

pour assurer son succès, sur une opération de politique extérieure. Il préparait une expédition de prestige ayant pour objet de mettre à la raison le dey d'Alger, coupable d'avoir frappé d'un coup de chasse-mouches le consul de France Deval. Ce projet, fort estimable en lui-même, devait aboutir à un succès remarquable, mais qui se révéla incapable de sauver le trône menacé de Charles X.

En effet, les élections désavouèrent sa politique intérieure. Sur les deux cent vingt et un, deux cent deux furent réélus et l'opposition se monta au total de deux cent soixante dix voix contre moins de cent cinquante à la Couronne. L'indication était lumineuse : il fallait confier le ministère à l'opposition ce qui correspondait aux données de la Charte. Mais une exégèse de Polignac et de Charles X allait conduire à une conception inverse ; s'appuyant sur l'article 14 de la Charte qui, selon eux, leur conférait les pleins pouvoirs dans les cas où la sûreté de l'Etat l'exigeait, ils décidèrent de régler la situation par des ordonnances qui furent signées à Saint-Cloud le 25 juillet 1830.

Réunion de députés pour protester contre les ordonnances de Charles X, le 27 juillet 1830.

Ces ordonnances, qui ont si vivement infléchi le cours de l'Histoire, étaient au nombre de quatre : la première supprimait la liberté de la presse, la seconde prononçait illégalement la dissolution de la Chambre qui ne s'était pas encore réunie, la troisième restreignait la capacité électorale, la dernière fixait les nouvelles élections aux 6 et 13 septembre 1830. D'importantes mesures de mutations de fonctionnaires complétaient le programme.

Charles X et Polignac se croyaient tellement sûrs de leur autorité qu'ils ne prirent pas les mesures nécessaires pour assurer l'ordre à Paris pour le cas où les ordonnances susciteraient des remous.

Cette légèreté et cette inconscience allaient provoquer une révolution. Elle devait durer trois jours et marquer la fin de la monarchie de droit divin.

Le 27 juillet, les députés de l'opposition se consultèrent. Le 28, la révolte éclata et le maréchal Marmont fut chargé de maintenir l'ordre à Paris. La capitale se couvrit de barricades ; le tocsin sonna et le peuple en armes descendit dans les rues. Marmont divisa ses troupes en quatre colonnes ; la fusillade commença mais bien vite la troupe fraternisa avec les insurgés. Les députés, en majorité, se rangèrent du coté du peuple, estimant que la monarchie avait trahi ses devoirs.

Il semblait que l'on allait à la proclamation d'une république à l'américaine dont la présidence eût vraisemblablement été confiée à La Fayette, qui venait d'être investi par la Commune de Paris du commandement en chef de la Garde nationale.

Les événements allaient pourtant se dérouler autrement et aboutir à la naissance d'une autre monarchie, un peu comme les choses s'étaient passées en Angleterre en 1688.

Un jeune journaliste, Adolphe Thiers, dont le quotidien, le *Constitutionnel,* reflétait une bonne partie de l'opinion, jugea qu'il serait plus avantageux pour la France de se donner une monarchie libérale que l'on eût confiée au duc d'Orléans, fils de Philippe-Égalité.

Celui-ci fut nommé lieutenant-général à la fois par Charles X et par la Commune de Paris. Le 29 juillet, les insurgés étaient complètement maîtres de Paris et Charles X, enfin éclairé sur son erreur, accepta la démission de Polignac et confia le soin de former le ministère au duc de Mortemart, bien vu de l'opposition.

Dans la nuit du 28 au 30 juillet, Mortemart quitta Saint-Cloud pour annoncer la démission de Polignac et le retrait des ordonnances. Quand il put porter les actes à l'Hôtel de Ville, on lui répondit qu'il était trop tard : Thiers avait déjà fait placarder des proclamations en faveur du duc d'Orléans et lui avait offert la Couronne.

Celui-ci, après des hésitations nombreuses, se décida à venir à l'Hôtel de Ville où il fut accueilli par La Fayette, qui l'emmena sur le balcon ; le drapant dans les plis du drapeau tricolore, il le présenta au peuple en disant :

« Voilà la meilleure des républiques. »

Les forces royales se replièrent vers Saint-Cloud. Charles X et les siens allèrent se réfugier au château de Rambouillet. On fit marcher des troupes sur Rambouillet pour intimider le roi et la manœuvre réussit.

Le 2 août, Charles X se résigna à abdiquer en faveur de son petit-fils, le duc de Bordeaux, et le duc d'Angoulême signa également une abdication en faveur de son neveu.

La situation semblait donc parfaitement claire. Charles X donna ordre au duc d'Orléans, lieutenant-général, d'annoncer l'avènement du duc de Bordeaux sous le nom d'Henri V et d'assumer la régence. Le duc d'Orléans se contenta de porter l'ordre royal aux archives de l'assemblée et se laissa élire roi des Français le 7 août 1830.

Il ne restait plus à Charles X qu'à prendre la route de l'exil. Il le fit avec une grande dignité et un long et majestueux cortège conduisit le roi déchu jusqu'à Cherbourg où il s'embarqua le 15 août 1830.

Il devait vivre six ans encore après sa chute. Accueilli d'abord par un grand seigneur anglais, il reçut de la Couronne anglaise l'hospitalité au château d'Holyrood à Édimbourg. Il y passa deux ans. Sa belle-fille, la duchesse de Berry, tenta, dans une aventure romanesque et dérisoire, de reprendre la Couronne pour son fils. Sa tentative échoua ; elle fut internée à la citadelle de Blaye ; on s'aperçut qu'elle était enceinte, ce qui la déconsidéra.

Charles X rompit avec sa belle-fille. Il quitta Édimbourg et vint s'établir à Prague au palais du Hradschin où il allait passer quatre ans, veillant sur l'éducation de son petit-fils. Chateaubriand, qui alla lui rendre visite, au moment de l'affaire de la duchesse de Berry, a laissé un récit immortel de sa visite au roi en exil.

En 1836, pour ne pas gêner le souverain autrichien qui allait se faire couronner roi de Bohême à Prague, Charles X et les siens se dirigèrent sur Goritz, ville réputée pour son bon climat.

Charles X y fut atteint du choléra dès son arrivée et il y mourut au mois de novembre 1836, ayant gâché son destin par son entêtement, son étroitesse d'esprit, mais il faut le dire aussi, et c'est à son honneur, par sa fidélité à la tradition du droit divin.

« La liberté reconquise ». La révolte éclate à Paris, le 28 juillet 1830. (Gravure populaire.)

MAGAS
DE NOUVEA
1 2 3 4
VIVE LA CHARTE ET LA

Huitième partie

LES ORLÉANS 1830-1848

Le Roi des Français

Médaillon-portrait de Louis-Philippe.

LOUIS-PHILIPPE Ier (1830-1848) ET MARIE-AMÉLIE

Louis-Philippe avant le Règne (1773-1830)

Les cinquante-sept premières années de la vie du roi Louis-Philippe Ier méritent d'être contées car elles apportent de nombreux enseignements sur son caractère et sur son comportement.

Fils du duc d'Orléans et de la princesse Louise-Adélaïde de Penthièvre, une Bourbon de la main gauche, Louis-Philippe, duc de Chartres, était né au Palais-Royal en 1773.

Son père confia son éducation à une femme intelligente et intrigante, sa maîtresse, Félicité de Genlis. Cette éducatrice forma remarquablement son élève, lui apprenant plusieurs langues, le mettant au courant de tout, y compris une adaptation possible à tous les genres de vie.

Dans le milieu d'opposition où se tenait son père, le duc de Chartres en vint tout naturellement aux idées nouvelles et il adhéra au Club des Jacobins. Il faisait carrière dans l'armée dans la garnison de Vendôme. Après le 10 août, Danton lui conseilla de persévérer, lui laissant entendre que son heure viendrait peut-être.

Sous les ordres de Dumouriez, le duc de Chartres participa vaillamment aux victoires de Valmy et de Jemmapes, ce qu'il se plaisait vivement à rappeler. Après la défaite de Neerwinden, Dumouriez, menacé d'arrestation, livra les commissaires de la Convention chargés de l'appréhender et, accompagné du duc de Chartres il passa chez les Autrichiens.

Ne voulant pas servir sous un uniforme étranger, Chartres se rendit en Suisse, vécut quelque temps à Bremgarten, puis en fut réduit, pour subsister, à accepter une place de maître d'école à Reichenau dans la haute vallée du Rhin.

La quasi-désertion du duc de Chartres provoqua l'arrestation et la condamnation à mort de Philippe-Égalité, dont les deux autres fils, le duc de Montpensier et le comte de Beaujolais, subirent une dure captivité à Marseille.

De Suisse, le duc de Chartres, devenu par la mort de son père duc d'Orléans, put s'établir à Hambourg ; il fit un voyage en Laponie puis gagna l'Amérique où ses frères libérés le rejoignirent.

Puis, en 1800, les trois frères s'installèrent à Londres : une réconciliation avec les Bourbons eut lieu chez le comte d'Artois.

Le duc d'Orléans perdit successivement ses deux frères dont la santé avait été ruinée par la captivité. Le comte de Beaujolais mourut à Malte, où il est inhumé et, de Malte, le duc d'Orléans passa en Sicile où il fut reçu par le roi, qui, après quelques hésitations, lui accorda la main de sa fille, la princesse Marie-Amélie.

C'était une personne de grande vertu et de haute dignité. Elle forma avec son mari un excellent ménage et lui donna dix enfants dont cinq fils et deux filles vécurent.

Après avoir participé aux opérations en Espagne, le duc d'Orléans revint à Paris en 1814, mais, en 1815, Louis XVIII, qui avait craint au moment de Waterloo qu'il briguât la Couronne, le maintint pendant deux années en exil à Londres. De retour à Paris en 1817, le duc d'Orléans, qui avait récupéré une partie de ses biens, s'occupa avec bonheur de ses gestions avec l'aide de l'avocat Dupin et il reconstitua une fortune considérable.

Mais il fut constamment tenu à l'écart par Louis XVIII qui se méfiait de lui et l'accabla de vexations.

Les choses changèrent à l'avènement de Charles X qui ménagea son cousin, lui rendit le titre d'Altesse royale et entretint de bons rapports avec lui.

Les maladresses politiques de Charles X inclinèrent l'opinion en faveur du duc d'Orléans. Des articles et des ouvrages exaltèrent la révolution anglaise de 1688, qui avait sauvé le principe monarchique en substituant une branche cadette libérale à une branche aînée rétrograde.

Thiers, qui fut l'un des propagateurs de cette idée, alla donc assez logiquement faire appel au duc d'Orléans au mois de juillet 1830.

L'attitude du duc d'Orléans, qui protesta de sa fidélité à l'égard de Charles X, paraît assez équivoque aux historiens. Investi de la dignité de lieutenant-général à la fois par la Commune de Paris et par le roi, il attacha semble-t-il plus d'importance à la première commission qu'à la seconde.

Chargé par Charles X de proclamer roi le duc de Bordeaux, il se contenta de porter l'ordre royal aux archives de l'Assemblée, ce qui était une manière de le rendre caduc.

Chateaubriand, convoqué par le duc d'Orléans, lut « dans ses yeux le désir d'être roi ». Il semble

La famille de Louis-Philippe ; Louis-Philippe est sur le canapé. (Tableau de E. Lanu.)

que le duc d'Orléans voulait seulement éviter l'exil et la perte de ses biens et cela le décida à accepter la Couronne que La Fayette lui avait virtuellement imposée.

Le 7 août, la Chambre votait la dévolution de la Couronne au duc d'Orléans par deux cent-dix-neuf voix sur un total de quatre cent vingt-huit députés ; la Chambre des Pairs s'inclinait malgré Chateaubriand et, le 9 août 1830, avait lieu le sacre laïc du duc d'Orléans devenu Louis-Philippe Ier, roi des Français.

Le Règne et le Nouvel Exil (1830-1850)

D'HÉRÉDITAIRE LA MONARCHIE redevenait élective et sa base majoritaire était d'une grande faiblesse. Le parti royaliste se trouvait coupé en deux fractions, « carlistes » et « orléanistes », ce qui ne simplifiait pas la tâche du nouveau roi.

Dans ces circonstances difficiles, les débuts du règne furent remarquables. Il fallut régler le sort des anciens ministres de Charles X, ce qui fut l'œuvre du ministère Laffitte. Ce ministre, banquier célèbre, était l'animateur d'un mouvement politique progressiste que l'on appelait le « Mouvement ». Louis-Philippe, conservateur de nature, donnait ses préférences au parti rival, celui de la « Résistance », plus favorable au maintien des traditions.

Le procès des ministres se termina par une condamnation à la prison perpétuelle ; comme l'opinion publique estimait qu'ils méritaient la mort, la popularité de Laffitte s'effondra et le roi le remercia, se débarrassant ainsi du Mouvement ; par la même occasion, il se délesta de La Fayette en lui retirant le commandement général de la Garde nationale.

Puis il confia le gouvernement au chef de la Résistance, Casimir-Périer, un homme d'État remarquable à qui une mort précoce ne permit pas de donner toute sa mesure.

La crise de 1830 avait provoqué des répercussions en Europe : la Belgique s'était révoltée contre le roi des Pays-Bas ; elle avait fait sécession et offert la Couronne au duc de Nemours, fils de Louis-Philippe. Sagement, pour éviter l'hostilité de l'Angleterre, le roi refusa la proposition. Léopold de Saxe-Cobourg, veuf de l'héritière du trône d'Angleterre, fut élu roi des Belges et il épousa la princesse Louise d'Orléans, fille de Louis-Philippe, tandis que Talleyrand, devenu ambassadeur à Londres, obtenait un traité assurant la neutralité perpétuelle du nouveau royaume de Belgique.

Ce succès en politique extérieure était balancé par des difficultés à l'intérieur. Des émeutes secouèrent Paris ; en février 1831, l'Archevêché fut mis à sac, à la fin de la même année une révolte éclata à Lyon et il fut nécessaire de faire appel à la troupe.

Casimir-Périer, par son énergie, retablit l'ordre à l'intérieur du pays et il mena une politique extérieure hautaine, intervenant militairement en Belgique où il fit occuper Anvers par le maréchal Gérard et par une expédition punitive au Portugal. Ces succès, qui fortifièrent le gouvernement, n'empêchèrent pas la nécessité de faire des concessions au Mouvement ; la plus notable fut l'abolition de l'hérédité de la Pairie en 1831, mesure que Casimir-Périer ne prit qu'à son corps défendant.

En 1832, alors que le premier ministre, tenant énergiquement tête au pape Grégoire XVI, trop favorable à l'Autriche, faisait occuper le territoire papal d'Ancône, une épidémie de choléra ravagea Paris et causa la mort de Casimir-Périer (16 mai 1832).

Louis-Philippe qui avait un goût presque maladif du pouvoir ne regretta pas la disparition d'un ministre qu'il jugeait trop personnel et il entretint volontiers un flottement ministériel. De 1832 à 1836, on changea fréquemment de président du Conseil et se succédèrent plusieurs premiers ministres dont le plus important fut le duc de Broglie.

Alors que l'équipée de la duchesse de Berry avait fini dans le vaudeville en 1833, les flottements gouvernementaux provoquèrent de graves émeutes à Paris, dont les plus célèbres eurent pour siège la rue Transnonain et le cloître Saint-Merri ; dans cette dernière affaire, il fallut reprendre Paris au canon, déférer les meneurs devant une cour spéciale et faire voter des lois d'exception qui n'apportèrent pas au monarque un supplément de popularité.

Il fut victime de plusieurs attentats dont celui de Fieschi, le 29 juillet 1835, qui causa une vingtaine de morts et troubla fortement l'opinion.

L'incohérence ministérielle se termina par la chute du duc de Broglie sur une insignifiante question de procédure. Répondant à l'opinion, Louis-Philippe crut habile de confier le pouvoir au parti du Mouvement et il nomma Thiers président du Conseil (22 février 1836).

Thiers, qui était surtout un opposant, n'avait pas de vrai programme. Il tenta sans succès de négocier le mariage du duc d'Orléans avec une princesse autrichienne, et, comme il considéra la France offensée par le refus, il pensa à faire la guerre pour donner une leçon à Metternich. Louis-Philippe désavoua Thiers, qui offrit de rendre son portefeuille, ce qui fut accepté sans hésitation le 6 septembre 1836. Débarrassé du Mouvement, Louis-Philippe nomma un premier ministre selon son cœur, le comte Molé.

L'année 1836 fut marquée par deux autres événements, la mort du roi Charles X, ce qui désagrégeait le parti légitimiste, la tentative de prise du pouvoir de Louis-Napoléon Bonaparte à Strasbourg, ce qui fit tort aux bonapartistes. Le prince Napoléon fut envoyé en Amérique sans avoir été jugé.

Le ministère Molé obtint un succès de popularité en négociant le mariage du duc d'Orléans avec la princesse Hélène de Mecklembourg. En dépit des qualités de la nouvelle duchesse d'Orléans, l'union était médiocre, mais, comme un fils naquit en 1838, le comte de Paris, la succession au trône fut assurée, ce qui permit à Molé de durer et consolida pour un temps Louis-Philippe.

Mais Molé n'était pas populaire ; on le jugeait hautain, distant, peu favorable au progrès social. Il en fut réduit pour maintenir sa majorité à faire nommer une fournée de pairs et à dissoudre la Chambre.

Ces opérations politiques ne produisirent pas tous les résultats espérés parce que Molé avait affaire à forte partie.

Contre lui se noua une coalition parlementaire menée par Thiers, Guizot et Odilon Barrot. Pour faire pièce, Molé provoqua en 1839 une nouvelle dissolution de la Chambre mais, les élections ne lui étant pas favorables, il se retira.

Alors s'ouvrit la plus grave crise politique du règne. Pendant trois mois, Louis-Philippe chercha en vain à constituer un ministère.

Les forces de désordre jugèrent que l'occasion était favorable pour intervenir. Une conspiration dite des « Saisons » fut menée par Barbès, Blanqui et Martin Bernard. Les insurgés parvinrent à s'emparer de l'Hôtel de Ville et il fallut la troupe pour en venir à bout. Pressé par la nécessité, Louis-Philippe fit constituer un ministère par le maréchal Soult (12 mai 1840) et les coupables du soulèvement, durement frappés, furent internés au Mont-Saint-Michel.

Thiers, vexé, se retira ostensiblement de la vie publique mais sa retraite devait être de courte durée car la Chambre refusa de voter la dotation demandée pour le mariage du duc de Nemours.

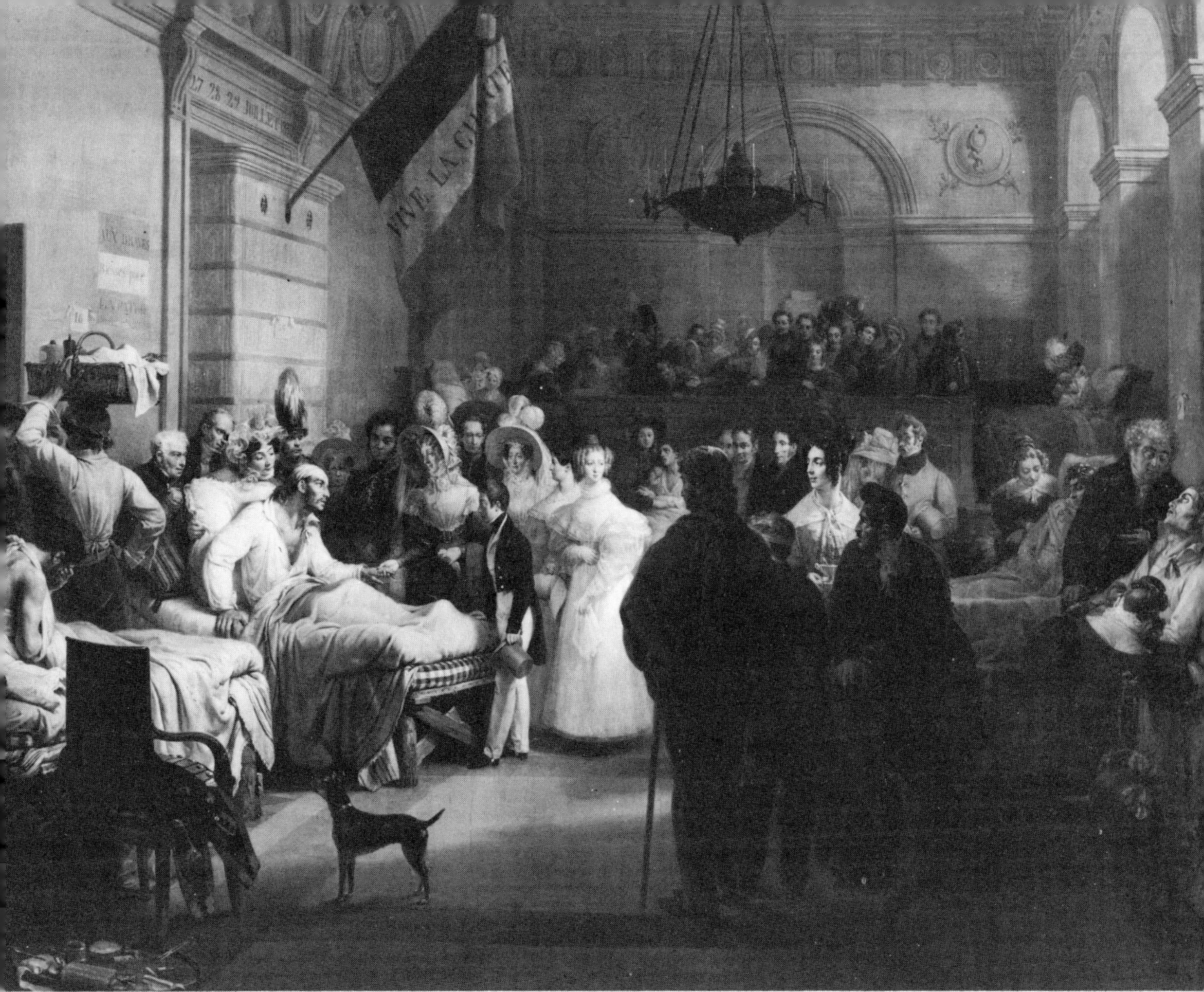

Marie-Amélie visitant les blessés à l'ambulance de la Bourse. (Peinture de Gosse.)

Soult fut contraint à la démission et Louis-Philippe dut se résigner une nouvelle fois à confier le pouvoir au parti du Mouvement en la personne de Thiers.

Celui-ci, croyant avoir triomphé, se vit premier ministre à vie, ce en quoi il se trompait car Louis-Philippe n'avait qu'un désir, celui de se débarrasser de lui.

Thiers fit ses nouveaux débuts par une idée qui lui valut une grande popularité : il proposa de ramener en France les cendres de Napoléon et il profita de l'effet produit sur l'opinion pour enterrer la réforme électorale et pour refuser le droit de vote à la Garde nationale.

Une crise à l'échelle européenne fit soudain oublier ces misérables combinaisons parlementaires.

La question d'Orient, nom que l'Europe donnait pudiquement à sa volonté de contrôler la Turquie, entra dans une phase aiguë. Méhémet-Ali, pacha d'Égypte, avait déclaré la guerre au sultan Mahmoud et l'avait écrasé à Nézib (24 juin 1839). Une conférence internationale réunie à Vienne s'opposa au démembrement de l'Empire ottoman réclamé par Méhémet-Ali comme fruit de sa victoire.

Alors Thiers, cherchant une occasion de se mettre en avant, émit la prétention de soutenir Méhémet-Ali jusqu'à faire la guerre pour défendre la position de ce dangereux allié. Cette guerre, la France n'avait pas alors les moyens matériels de la conduire, ni la possibilité de la déclarer sans liguer toute l'Europe contre elle. Aussi Louis-Philippe était-il décidé à sauvegarder la paix à tout prix, même à celui de l'honneur national qui était fortement atteint par le traité dit des Quatre-Puissances ; ce traité avait été signé à Londres sans l'avis de la France et il fit à Paris l'effet d'une provocation. Louis-Philippe se maintint sur sa position et fit bien puisque, à la première bataille, Méhémet-Ali s'effondra.

Thiers, imbu de ses projets belliqueux, n'en prépara pas moins un discours du Trône des plus agressifs. Louis-Philippe ayant refusé d'en accepter les termes. Thiers démissionna ce qui débarrassa une nouvelle fois le roi du parti du Mouvement.

Au plus fort de la crise ministérielle le prétendant Louis-Napoléon, espérant mettre à profit la publicité apportée au bonapartisme par le retour des Cendres, tenta une nouvelle expédition : il débarqua à Boulogne le 6 août 1840, essaya de soulever la garnison mais se fit maladroitement arrêter.

Cette fois-ci, Louis-Philippe, excédé, traduisit le prétendant en Haute-Cour ; il fut condamné à l'emprisonnement perpétuel dans une forteresse du territoire continental et interné au fort de Ham. Peu de jours après son incarcération, furent célébrées les funérailles de Napoléon et son inhumation aux Invalides (15 décembre 1840).

A partir de 1840 jusqu'à la chute de Louis-Philippe, la France va traverser une période d'immobilisme politique qui s'explique assez bien par la position du roi. Isolé par le pouvoir, Louis-Philippe, qui a connu l'Ancien Régime et a vécu comme émigré, retourne aux conceptions absolutistes et ne prend plus conseil que de lui-même. Il s'est débarrassé de tous les adversaires qui le gênaient en les dupant fort astucieusement. Il ne s'est pas rendu compte qu'il s'était écarté de plus en plus du sentiment général du pays. En 1840, il défendait la paix quand une jeunesse ardente et avide de gloire souhaitait la guerre. A une époque de progrès social, il restait prisonnier d'un conservatisme étriqué. Aristocrate de cœur et seulement bourgeois d'apparence il croyait aux vertus de la classe possédante et oublia que, sous son régime, le pouvoir ne venait plus du droit divin mais des volontés populaires. En refusant de s'appuyer sur les masses il négligea le principe même de son salut. Une classe dirigeante, égoïste jusqu'à la férocité, montra les défauts de toutes les oligarchies.

Un autre phénomène, d'ordre dynastique, la mort accidentelle du duc d'Orléans, héritier de la Couronne, en 1842, accentua le contraste entre un peuple trop jeune et un souverain trop âgé.

De 1840 à 1848, la politique royale est soutenue par son homme-lige, François Guizot, un protestant rigide, adepte du principe que le « trône n'est pas un fauteuil vide ». Il soutiendra le roi avec une admirable fidélité mais ne verra pas plus que lui les scléroses, les préjugés, les obstinations qui finiront par provoquer la chute d'un régime que l'on aurait pu sauver avec très peu de concessions, parce que son principe était assez proche des aspirations du peuple français.

Il ne faut pas croire, cependant, qu'il ne se passa rien au cours de cette période d'immobilisme que Lamartine a définie d'un mot : « La France s'ennuie. »

Si Louis-Philippe ne voulut pas prendre le risque d'une guerre européenne, qui eût peut-être rompu le carcan des traités de 1815, mais eût aussi fait courir à la France un risque de démembrement au cas probable d'un échec, il ne rechigna nullement aux opérations militaires quand il les jugea profitables et réalisables.

C'est à Louis-Philippe, bien plus qu'à Charles X, que sont dues la conquête et la pacification de l'Algérie, ce qui sembla en ce temps une opération avantageuse et de première importance.

Dans les débuts du règne, l'idée d'une lutte à outrance ne prévalut pas et l'on tâcha, par le traité de la Tafna, signé par Bugeaud, de trouver un terrain d'entente avec l'émir Abd-el-Kader (1836).

Puis, l'entente se révélant illusoire, on revint aux opérations militaires dont la plus célèbre fut la prise de Constantine en 1837.

Les fils de Louis-Philippe s'intéressèrent à la guerre d'Algérie ; le prince de Joinville s'illustra à Constantine et plus tard dans la guerre navale ; le duc d'Orléans força le défilé des Portes de Fer en 1839. Le duc d'Aumale se rendit célèbre par la prise de la Smalah d'Abd-el-Kader en 1843.

A partir de 1840, Louis-Philippe nomma Bugeaud gouverneur-général à Alger et celui-ci entreprit la conquête méthodique du territoire.

Cette conquête fut difficile ; elle exigea des effectifs permanents de cent mille hommes et une dépense annuelle de cent millions-or.

Peu à peu, l'occupation s'étendit vers l'ouest et l'Angleterre s'alarma de l'approche des Français au Maroc. Une brillante victoire de Bugeaud à Isly (15 août 1844) consolida l'influence française.

Le conflit continua cependant car Abd-el-Kader opposa une résistance désespérée et ne se rendit qu'en 1847 au général de Lamoricière au moment où Louis-Philippe venait de confier le gouvernement de l'Algérie à son fils, le duc d'Aumale.

En politique intérieure, Guizot provoqua une dissolution de la Chambre en 1842, ce qui accentua les tendances extrêmes, mais la nouvelle assemblée laissa en suspens la réforme électorale réclamée par un grand nombre de citoyens. Le duc d'Orléans, qui soutenait le principe de la réforme, étant mort d'un accident de voiture à Neuilly le 13 juillet 1842, le problème d'une régence éventuelle que justifiait l'âge du roi fut évoqué ; alors que l'on souhaitait la désignation de la duchesse d'Orléans qui partageait les idées libérales de son mari, la régence fut dévolue au duc de Nemours par une forte majorité, ce qui irrita grandement les partisans du progrès social.

Cette discussion sur la régence provoqua une recrudescence du mouvement légitimiste et le comte de Chambord inquiéta vivement les orléanistes en organisant une manifestation de loyalisme à Belgrave Square, à Londres (1843).

La reine Victoria, ayant désavoué l'acte du comte de Chambord, se rapprocha de Louis-Philippe et les deux souverains se rendirent respectivement visite, ce qui fortifia l'amitié franco-anglaise atteinte par divers incidents aux colonies, notamment les affaires du droit de visite et l'incident Pritchard à Tahiti.

Mais l'entente franco-anglaise dura peu et une brouille survint à propos de l'affaire dite des mariages espagnols. Le roi Louis-Philippe maria son dernier fils, le duc de Montpensier, à la sœur de la reine d'Espagne Isabelle II en 1846, mariage que l'Angleterre ne voulait à aucun prix.

Déçu par l'attitude anglaise, Guizot se tourna vers l'Autriche, dans l'espoir de renouer une alliance, de faire pièce à la Prusse et probablement aussi pour reprendre à son compte le rôle international joué depuis plus de trente ans par le prince de Metternich.

Cette politique n'eut pas l'audience de la Nation, restée depuis Marie-Antoinette et Marie-Louise fortement anti autrichienne, mais elle n'eût pas suffi à provoquer la chute du trône.

Celle-ci fut due plutôt à une série de scandales politiques, tels que l'affaire de concussion Teste-Cubières et l'assassinat de la duchesse de Choiseul-Praslin, et plus encore à l'obstination du roi pour refuser une réforme administrative et électorale.

La France était prospère ; d'heureuses initiatives lui avaient fait améliorer ses voies de communication : loi Montalivet sur les chemins vicinaux en 1836, création du réseau de chemins de fer à partir de 1842.

Mais les récoltes de 1846 et 1847 furent déficitaires, ce qui fit renchérir le pain et provoqua des troubles sociaux. Cette atmosphère, jointe à celle de l'opposition parlementaire, constituait un climat politique déplorable. Une campagne, dite des Banquets, menée par Lamartine et Ledru-Rollin, agita fortement l'opinion.

Au lieu de tenir compte des remous, le roi prononça le 28 décembre 1847 un discours du Trône d'une grande raideur qui marquait un désaccord profond avec l'ensemble de l'opinion.

La session parlementaire qui s'ouvrit le 24 janvier 1848 allait être orageuse et l'entêtement de Guizot provoqua une dangereuse réaction de la majorité. Ni le roi ni son premier ministre ne voulurent comprendre l'affaiblissement de leur position.

La campagne des Banquets avait été suspendue pendant la durée de la session parlementaire, mais un grand banquet fut organisé pour la clôture, le 22 février 1848. Guizot décida d'interdire la manifestation populaire prévue à la suite du repas et il mit des troupes en place dans Paris.

Les députés de l'opposition décommandèrent le banquet et aussi la manifestation, mais cette prise de position se révéla vaine et, le 22 février, des cortèges commencèrent à se former à travers Paris. Sous la pression populaire une motion anti-gouvernementale fut déposée sur le bureau de la Chambre et la Garde nationale, pour protester contre la privation de son droit de vote, se déclara prête à mettre bas les armes et à fraterniser avec les manifestants.

Pour arranger les choses, un changement de ministère parut indispensable. Guizot, brusquement éclairé, démissionna, et le roi appela le comte Molé. Celui-ci alla parlementer avec Thiers, un des organisateurs de la campagne des Banquets, qui réclama logiquement le pouvoir pour lui-même.

Dans la journée du 23 février, la démission de Guizot fut connue, ce qui devait ramener le calme, mais les masses qui avaient envahi les rues, ne faisant pas de distinction entre Guizot et Molé, marchèrent sur le ministère des Affaires étrangères. Les soldats tirèrent sur les émeutiers, faisant seize morts et cinquante blessés. Ce drame fit rebondir la tension car les cadavres furent promenés à travers la capitale.

Louis-Philippe, averti de la situation, céda aux conseils de Molé et désigna Thiers comme président du Conseil. Celui-ci imposa des conditions draconiennes, ce qui fit perdre plusieurs heures. Cependant Louis-Philippe céda sur tout et accorda les réformes demandées, ce qui aurait dû logiquement le sauver.

Mais la nomination de Thiers et les concessions royales furent connues trop tard. Bugeaud avait été nommé commandant en chef chargé d'assurer l'ordre à Paris mais il se trouvait dans une situation malaisée car les émeutiers n'avaient pas désarmé.

Avant de prendre la décision de défendre les Tuileries par le fer et le feu, Bugeaud consulta Louis-Philippe. Celui-ci, qui se disait résolu à résister, émit des réserves quand il sut la nécessité d'une répression violente.

La révolution de 1848 : la prise des Tuileries, le 24 février.

Par suite d'une faute du général Bedeau, la défense des Tuileries se trouva dégarnie. Lamoricière reçut le commandement de la Garde nationale mais ne put se faire obéir. Thiers supplia vainement le roi de quitter Paris pour ne pas être fait prisonnier. Louis-Philippe préféra passer en revue la Garde nationale qui le hua.

Alors il signa un acte d'abdication, se sauva avec la reine, escomptant que la Chambre procéderait à l'intronisation de son petit-fils le comte de Paris.

La duchesse d'Orléans se rendit à la Chambre avec le duc de Nemours pour faire reconnaître la régence. La situation était tragique car une commission provisoire établie à l'Hôtel de Ville prétendait déjà assumer le gouvernement. Odilon Barrot, désigné par Louis-Philippe, défendit les droits de la royauté, Lamartine, appuyé par les légitimistes, réclama la République. Au cours du débat, la Chambre fut envahie par les émeutiers ; les députés se dispersèrent ; Lamartine se rendit à l'Hôtel de Ville pour faire proclamer la République.

La monarchie élective de Louis-Philippe s'achevait dans un désastre au moins égal à celui qui avait provoqué la chute de Charles X.

Dans des conditions très pénibles, Louis-Philippe et Marie-Amélie purent gagner Honfleur où ils se terrèrent jusqu'au moment où un bateau consentit à les mener en Angleterre.

Le roi des Belges, Léopold Ier, mit à la disposition de son beau-père le château de Claremont près de Londres et Louis-Philippe put, dans une paisible retraite, y vivre ses deux dernières années. Il mourut le 26 août 1850, assez désabusé et un peu amer d'un échec qui était en grande partie de sa faute.

Pas plus que Charles X il n'avait su comprendre les aspirations démocratiques de la France nouvelle ; prince d'Ancien Régime, il s'était constamment montré hostile à un élargissement du suffrage qui eût consolidé sa position.

Mais, en dépit de ses préjugés, il fut un des meilleurs rois qu'ait connus la France et sa chute peut paraître injuste bien que l'origine de son pouvoir ait été discutable.

Avec lui se terminent les règnes de la famille de Bourbon ; il y aura lieu cependant de parler des rois virtuels issus de celle-ci.

La reine Marie-Amélie fut aussi grande dans le malheur qu'elle l'avait été sur le trône. Elle devait survivre une quinzaine d'années à son mari et elle vécut dans le recueillement et la dévotion jusqu'à son décès qui survint à Claremont le 24 mars 1866. Avec elle disparaissait la dernière reine de France.

Napoléon III à quarante-quatre ans.
(Peinture de Tissier.)

Neuvième partie

LE SECOND EMPIRE

1852-1870

Napoléon III et l'Impératrice Eugénie

LES BONAPARTE

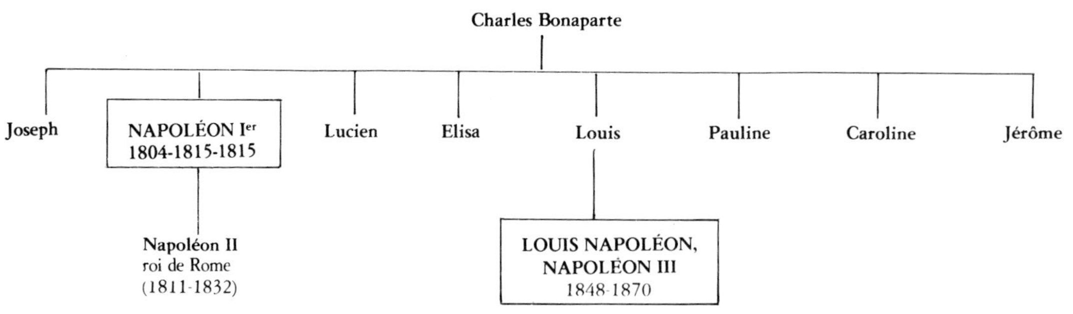

NAPOLÉON III AVANT L'EMPIRE (1808-1852)

TROISIÈME FILS DE LA REINE HORTENSE, fille de l'impératrice Joséphine, et de Louis Bonaparte, frère cadet de Napoléon, Charles-Louis Bonaparte naquit à Paris en 1808, sans que rien ne le prédisposât au trône.

Sa jeunesse fut contrastée ; il passa ses premières années en Hollande dont son père fut roi, puis sa jeunesse au château d'Arenenberg, en Suisse, où sa mère s'était retirée. Il fit ses études à Augsbourg, puis, ayant acquis la nationalité suisse, il prit ses grades à l'École militaire de Thoune.

Les décès prématurés de ses frères, suivis de la mort du duc de Reichstadt, firent de lui un héritier présomptif, puisque Joseph Bonaparte n'avait pas de fils et que les enfants de Lucien n'étaient pas dynastes.

Le futur Napoléon III vint à Paris en 1832 et y fut reçu par le roi Louis-Philippe, à qui il devait donner beaucoup de tracas par la suite, ayant tenté une prise de pouvoir à Strasbourg en 1836, puis à Boulogne en 1840. Si la première tentative n'eut pas de suites judiciaires, il n'en fut pas de même de la seconde.

Louis-Philippe traduisit Louis-Napoléon devant la Cour des Pairs qui le condamna à l'emprisonnement perpétuel. Il fut interné au fort de Ham, où il écrivit beaucoup d'ouvrages politiques à tendances sociales, fit deux enfants à une servante, puis réalisa en 1846 une évasion très habile qui mit l'Europe en joie.

Il s'installa à Londres et fut soutenu par une maîtresse dévouée, Miss Howard. En 1848, il vint en France à la faveur de la révolution et, au lendemain des émeutes de juin, il se fit élire député à l'Assemblée constituante. On y élabora une Constitution : celle-ci, à la demande de Lamartine, qui pensait en profiter, décida que le président de la République serait élu au suffrage universel.

Louis-Napoléon tenta alors des avances aux monarchistes dirigés par Thiers, Berryer et Montalembert, et leur fit des promesses s'ils soutenaient sa candidature. Thiers, qui considérait, à tort, le prince comme un crétin dont il serait facile de se débarrasser, accepta de le faire soutenir.

A l'étonnement général, Louis-Napoléon remporta une majorité de plus de soixante-quinze pour cent et se trouva du jour au lendemain président d'une France qu'il connaissait à peine.

Il prêta serment à la Constitution, nomma Odilon Barrot président du Conseil et fit procéder à de nouvelles élections qui donnèrent une très forte majorité de députés royalistes.

La gauche tenta un coup de force contre la nouvelle assemblée le 11 juin 1849 et les républicains, vaincus, renoncèrent à l'action directe. Louis-Napoléon se trouvait dans une situation difficile et il se vit obligé de faire de nombreuses concessions au parti catholique.

Il dut accorder la liberté de l'enseignement (loi Falloux de 1850) et intervenir militairement en Italie pour délivrer le pape Pie IX, chassé par des révolutionnaires.

Après les élections de 1850, la droite commit l'imprudence de demander une restriction du suffrage universel. Louis-Napoléon combattit cette prétention et demanda une révision de la Constitution, qui fut repoussée.

Élu pour quatre ans, Louis-Napoléon n'était pas rééligible mais il espérait faire modifier cette clause par la révision de la Constitution. Cette révision ayant été refusée, il se décida au coup d'État, avec l'aide de son demi-frère Morny, fils adultérin de la reine Hortense et du comte de Flahaut, lui-même fils naturel de Talleyrand.

Exécuté le 2 décembre 1851, le coup d'État, qui établissait une véritable dictature, fut approuvé à une large majorité par un plébiscite. De ce plébiscite sortit une révision constitutionnelle qui portait à dix ans la durée du mandat présidentiel.

Au cours de l'année 1852, Louis-Napoléon consolida sa position par des voyages de plus en plus triomphaux à travers la France et il y prononça le mot célèbre et inexact : « L'Empire, c'est la paix. »

Un second plébiscite, le 21 novembre 1852, consacra le rétablissement de la dignité impériale héréditaire et, pour marquer la continuité et rappeler le règne éphémère du roi de Rome, Louis-Napoléon devint l'empereur Napoléon III.

Il se trouvait le maître absolu de la France et déclarait bien haut que son intention était de tout faire par lui-même et d'assumer seul toute la responsabilité du gouvernement.

NAPOLÉON III ET LE SECOND EMPIRE (1852-1870)

POUR ASSURER LA CONTINUITÉ DE LA DYNASTIE, l'Empereur devait se marier rapidement. Certain d'être repoussé par toutes les familles régnantes d'Europe, qui le considéraient comme un aventurier, il fit choix d'une Espagnole de grande maison, Eugénie de Montijo, comtesse de Teba. C'était une femme de vingt-six ans, d'une grande beauté froide, qui avait habilement refusé de lui céder. Ce fut un choix détestable, d'abord parce qu'il n'y eut jamais entente sexuelle entre les époux, mais surtout parce que la nouvelle impératrice était d'intelligence médiocre, vaniteuse, dépensière, dépourvue de tout sens politique. Son mari, la jugeant frigide, ne cessa de la tromper ouvertement. Vexée des infidélités impériales, elle s'en vengera par de perpétuelles scènes de ménage qui finiront par décomposer Napoléon III quand une grave maladie de vessie aura fait de lui un aboulique constamment hésitant. L'impératrice Eugénie, dont la beauté en imposa dans ses débuts, devait partager avec Marie-Antoinette le sort d'être la plus impopulaire des souveraines françaises.

Personne, au moment du mariage, ne pouvait prévoir ces calamités. L'Empereur, en pleine possession de ses moyens, voulait la tranquillité à l'intérieur afin de mieux réaliser la politique extérieure dont il rêvait. Mais il était peu soutenu, étant suspect à la fois aux royalistes et aux républicains ; il va gouverner avec un petit groupe d'amis qui se partageront les places, en profiteront pour s'enrichir et n'obtiendront que peu de considération.

Le régime impérial du Second Empire est appuyé par une solide organisation préfectorale, une forte armature policière, un contrôle rigoureux de la presse, une utilisation habile de la pression cléricale. Les élections ne sont que des simulacres de liberté, les réunions publiques sont interdites, la candidature officielle joue d'une manière scandaleuse. L'armée est mise à l'honneur et comme, malgré ses promesses, l'Empereur ne cessera de faire la guerre, elle lui sera entièrement dévouée.

Le monde ouvrier qui avait mis ses espoirs dans Napoléon III sera déçu dans l'ensemble et se verra négligé au profit du grand capitalisme.

Le développement de l'industrie, du commerce, de l'urbanisme, des chemins de fer demeure une des caractéristiques d'une période de progrès qui fut également marquée par un mouvement intellectuel et artistique de tout premier ordre.

Dès qu'il eut estimé que l'ordre intérieur était assuré, Napoléon III passa à la réalisation d'une politique extérieure dont les intentions étaient excellentes : il s'agissait de rendre l'honneur au pays en neutralisant les traités de 1815 ; pour y parvenir, il convenait d'arriver avec l'Angleterre à une entente puisqu'elle représentait l'obstacle principal, la question d'Orient pouvant fournir le prétexte de la réconciliation.

Cette partie du programme était défendable et elle donnera des résultats. Mais une autre idée de Napoléon III lui parut réalisable et elle était néfaste, c'était la théorie que les peuples ont le droit de disposer d'eux-mêmes ; ce principe des nationalités et des minorités opprimées conduira Napoléon III à soutenir les unités nationales, à s'engager en Italie, et à rendre l'unité allemande inévitable. Il aura ainsi entouré la France, si préservée par ce qui restait des traités de Westphalie, de voisins puissants et, de la politique chimérique de l'Empereur, sortiront pour finir non seulement la guerre de 1870 avec l'Allemagne, mais, à plus lointaine échéance, les guerres mondiales du XXe siècle. A ce titre, et d'une manière très fâcheuse, le dernier souverain français est à ranger parmi les hommes qui ont changé le cours de l'Histoire.

Sous prétexte de défendre les Lieux-Saints, idée qui plaisait au parti catholique, l'Empereur proposa, pour faire pièce à la Russie, de maintenir l'intégrité de l'Empire ottoman, ce qui rejoignait la politique de Louis-Philippe.

Au contraire, le tsar Nicolas Ier proposait à l'Europe le partage de la Turquie. Napoléon III rappela l'existence de la convention des Détroits et il envoya une flotte française aux Dardanelles pour protester contre une invasion par la Russie des provinces danubiennes.

Une déclaration de guerre fut notifiée au tsar le 14 mars 1854 et, pour mener une campagne à laquelle elle n'était pas préparée, la France dut consacrer six mois à équiper un corps expéditionnaire en Crimée, où il débarqua en liaison avec les Anglais qui s'étaient associés à la déclaration de guerre.

L'Autriche ayant fait évacuer les provinces

Le mariage de Napoléon III et d'Eugénie. (Gravure de Philippoteaux.)

L'entrevue de Bismarck et de Napoléon III le 2 septembre 1870 à Donchery, près de Sedan, après la reddition de ce dernier.

danubiennes, on se contenta d'étendre la tête de pont en Crimée pour avoir une base de défense pour l'Empire ottoman. Cette expédition, qui avait un peu le caractère d'une guerre coloniale, fut dirigée par le maréchal de Saint-Arnaud, puis, après sa mort, par le maréchal Pélissier. Les noms de l'Alma (20 septembre 1854), de la prise du fort Malakoff par Mac-Mahon, marquent la fin du siège de Sébastopol qui dura près d'un an (1855). La chute de Sébastopol fut considérée par le tsar Alexandre II, successeur de Nicolas Ier, comme une obligation de mettre fin aux hostilités.

La guerre de Crimée devint un succès de prestige parce que la négociation de paix fut marquée par un brillant congrès qui se tint à Paris du 25 février au 16 avril 1856. Le traité consacra la neutralité des Lieux-Saints, et il donna naissance aux royaumes de Roumanie et de Grèce.

Sans attendre, Napoléon III chercha des contacts avec l'Allemagne et eut une entrevue à Stuttgart avec le comte de Bismarck ; l'entrevue de Stuttgart fut marquée par une réconciliation avec le tsar.

En 1858, l'Empereur manqua d'être victime d'un attentat à la bombe perpétré par un terroriste italien, Orsini, qui voulait obtenir l'unité italienne et qui, avant de monter sur l'échafaud, écrivit une lettre pathétique qui frappa vivement Napoléon III.

Quelques mois après cet attentat, Napoléon eut à Plombières une entrevue avec le premier ministre du roi de Piémont Victor-Emmanuel II, le subtil diplomate comte de Cavour (21 juillet 1858). Celui-ci avait fort habilement délégué auprès de l'Empereur une très belle aventurière, la comtesse de Castiglione, qui usa de ses charmes pour décider Napoléon III à intervenir en Italie. Une alliance militaire fut signée avec le roi de Piémont, confirmant les droits du Saint-Siège et promettant à la France la Savoie et le comté de Nice.

Pour mener la guerre, Napoléon III négocia la neutralité du tsar et proposa une conférence en vue de régler les litiges austro-sardes. L'empereur d'Autriche, François-Joseph, répondit aux pourparlers en attaquant le Piémont le 27 avril 1859.

Napoléon III prit part en personne aux hostilités. La victoire de Mac-Mahon à Magenta (4 juin 1859) libéra la Lombardie. Une bataille sanglante à Solférino (24 juin 1859), qui fut à l'origine de la fondation de la Croix-Rouge, ouvrit les portes de la Vénétie. Cavour suscita des révoltes en Toscane, à Parme et dans les Légations qui relevaient du Saint-Siège.

Fort inquiet des suites possibles de ces agitations, l'Empereur arrêta la progression de ses troupes par un armistice signé à Villafranca (12 juillet 1859). Il était temps car, par solidarité avec l'Autriche, la Prusse mobilisait sur le Rhin.

Le Piémont s'agrandit de la Lombardie, l'Autriche conserva la Vénétie et la Toscane resta indépendante. Mais Napoléon III, n'ayant pas tenu tous les engagements de l'alliance, n'osa pas réclamer les territoires qui lui avaient été promis.

Toutefois, sur le conseil de Napoléon III, des plébiscites furent organisés en Toscane, en Émilie, en Savoie et dans le comté de Nice ; ces deux provinces s'étant prononcées en faveur de la France furent annexées. C'était le paiement d'une contribution dangereuse à une unité italienne qui allait s'accomplir entièrement au cours des dix années suivantes grâce à des méthodes tantôt plébiscitaires, tantôt militaires où se distingua l'étonnant condottiere Garibaldi.

L'annexion des Marches et de l'Ombrie ayant confisqué une partie des États du Pape, la France intervint ; les zouaves pontificaux, commandés par Lamoricière furent battus à Castelfidardo (20 octobre 1860), ce qui n'améliora pas les rapports franco-italiens.

Napoléon III, dont la politique extérieure commençait à susciter des inquiétudes, connaissait maintenant des difficultés internes dues à la signature d'un traité de libre-échange qui rendait l'industrie française moins compétitive.

Estimant que sa popularité risquait d'en souffrir, Napoléon III renonça à la dictature de l'Empire autoritaire et fit quelques concessions aux libertés des citoyens. Le régime modifié a conservé le nom d'Empire libéral. Il différait moins de l'Empire autoritaire qu'on ne l'a généralement cru, car en regard des quelques libertés concédées au parlementarisme, l'Empereur conserva un « domaine réservé », notamment en politique extéreure où ses méthodes s'apparentaient à celles du « Secret du roi » pratiqué par Louis XV. Des lettres étaient expédiées aux chefs d'État par-dessus la tête des ministres intéressés et des agents personnels recevaient des missions secrètes en contradiction avec la politique officielle. Ce genre de politique conduit assez naturellement aux catastrophes diplomatiques.

Napoléon III avait cependant une politique coloniale cohérente : il poursuivit la conquête de l'Algérie, fit mener une opération punitive contre les Druses, massacreurs des chrétiens maronites, et fortifia l'emprise française sur le Liban ; l'expédition contre la Chine, marquée par le sac du Palais d'Été (1860), aboutit à un traité économique ; l'occupation de la Cochinchine assura un protectorat sur le Cambodge ; une expédition lointaine en Océanie permit l'annexion de la Nouvelle-Calédonie.

En regard de ces heureuses réalisations, il convient de relater un désastre, cette expédition du Mexique, appelée imprudemment « la grande pensée du règne ».

Un rapprochement avec l'Autriche avait pour dessein de faire céder la Vénétie à l'Italie. Comme compensation, l'Empereur offrait à Maximilien, frère de François-Joseph, la souveraineté du Mexique.

Depuis que, pour satisfaire à d'assez méprisables intérêts financiers, des troupes françaises avaient été expédiées au Mexique, Napoléon III cherchait un prince afin d'asseoir une nouvelle dynastie dans une région qui l'intéressait pour une raison géographique, celle de faire construire un canal reliant l'Atlantique au Pacifique, ambition logique puisque, au même moment, sous l'égide de la France, Ferdinand de Lesseps creusait le canal de Suez.

Ci-dessus : l'entrée de Charles X à Paris, par la barrière de La Villette, le 6 juin 1825, après son sacre. (Peinture du général Lejeune.)

Ci-contre : Louis XVIII, entouré de Monsieur et du duc d'Angoulême, assiste, d'un balcon des Tuileries, au retour de l'armée d'Espagne, le 2 décembre 1823. (Peinture par Louis Ducis.)

Mexico, après des difficultés considérables, fut occupée en 1863 et Maximilien et sa femme Charlotte, fille de Léopold Ier et petite-fille de Louis-Philippe vinrent y recevoir la Couronne au prix d'une renonciation à leurs droits sur le trône d'Autriche. La politique du nouvel Empereur du Mexique n'arriva malheureusement pas à rétablir l'ordre dans un pays ravagé par la guerre civile. Le maréchal Bazaine, chef du corps expéditionnaire français, ne se montra guère à la hauteur de sa tâche. En 1865, les Etats-Unis, libérés de la guerre de Sécession, se mirent, au nom du principe de Monroe, à ravitailler en armes les insurgés mexicains conduits par le président Juarez. Napoléon III, pour ne pas s'aliéner les Etats-Unis, se décida avec regret à retirer ses troupes.

Maximilien envoya sa femme demander des secours à Paris, mais elle se heurta à un refus et, désemparée, elle sombra dans la folie, tandis que l'Empereur du Mexique, fait prisonnier par Juarez, était fusillé à Queretaro (juin 1867).

La politique intérieure de la France subit le contrecoup de ce grave échec d'autant plus qu'une amnistie fit rentrer les opposants. Aux élections de 1863, l'opposition avait réuni deux millions de voix, contre cinq à la majorité, et avait formé un Tiers-parti groupant le quart des députés et vigoureusement animé par Thiers et Emile Ollivier. Son dessein était d'arriver à un vrai régime parlementaire.

Des difficultés ne cessaient de se présenter à l'extérieur : à Rome d'abord, où la France laissait une garnison pour défendre ce qui restait des Etats du Pape, un corps français de renfort se heurta avec succès aux troupes de Garibaldi à Mentana (1867).

Ce n'était qu'un problème accessoire, eu egard au risque qu'avait fait courir un conflit austro-allemand en 1866. L'Autriche avait été vaincue par la Prusse à Sadowa. Napoléon III ne vit pas que, s'il avait alors massé des troupes sur le Rhin, il fût devenu l'arbitre de l'Europe et il laissa fort dangereusement la Prusse mener une politique agressive qui avait pour ultime dessein l'unité nationale, au besoin contre la France.

Dès 1863, Bismarck, ayant habilement brouillé Napoléon III avec le tsar à propos de la révolte polonaise, en profita pour passer un accord avec la Russie. En 1864 et 1865, il avait exploité la succession du roi de Danemark pour partager avec l'Autriche les duchés de Holstein, de Lauenbourg et de Schleswig, puis s'était brouillé avec l'Autriche, à propos de ces dévolutions, brouille calculée qui avait conduit à Sadowa.

Les conséquences de Sadowa furent très importantes pour l'Allemagne intérieure, car Bismarck annexa tous les territoires dont les princes avaient soutenu l'Autriche. Cet ensemble formait un puissant Etat centré sur la Prusse, dit Confédération du Rhin. Napoléon III qui, à l'entrevue de Biarritz, avait laissé les mains libres à Bismarck sur de vagues promesses orales du chancelier, réclama, en payement de sa neutralité, Landau, Bonn, Mayence, puis la Belgique et enfin, en 1867, le Luxembourg, possession du roi de Hollande. Bismarck dénonça ostensiblement cette politique des « pourboires » qui déconsidéra le Second Empire et isola la France diplomatiquement. En cas de conflit, elle ne put plus compter sur aucun allié en Europe.

Ces difficultés extérieures se conjuguèrent avec une crise financière intérieure. Napoléon se crut de nouveau obligé à des concessions tant sociales que politiques. Il légalisa le droit de grève, rendit le droit d'interpellation aux parlementaires et rétablit la tribune, élargit les lois sur la presse, supprima l'autorisation préalable pour les réunions publiques.

L'opposition se fortifiait cependant et espérait des succès électoraux ; le parti républicain prenait un essor nouveau où brillaient les noms de Gambetta, de Grévy, de Jules Ferry.

Pour rassurer le pays, on tenta une réorganisation de l'armée conduite par le maréchal Niel ; il ne put convaincre l'Assemblée ; on se contenta de réduire le service actif mais avec appel intégral du contingent et l'on négligea l'armée de réserve.

L'Empereur eut le sentiment qu'il ne pouvait plus s'appuyer sur personne. Il vieillissait mal, diminué fortement par la maladie de la pierre, qui était peut-être une conséquence de ses excès sexuels.

Sa popularité paraissait baisser de jour en jour et l'impératrice éprouvait douloureusement la désaffection dont elle devenait l'objet bien qu'elle eût été fortement acclamée lors de l'inauguration du canal de Suez en 1869.

Inquiet, Napoléon III, à la suite des élections législatives de 1869 qui donnèrent trois millions trois cent mille voix à l'opposition contre quatre millions trois cent mille à la majorité, décida de modifier complètement le régime. Par le sénatus-consulte du 6 septembre 1869, il transforma le Corps législatif en une chambre à l'anglaise, autorisée à élire son bureau, partageant avec le gouvernement l'initiative des lois, et obtenant le droit d'amendement. Le Sénat fut également remanié et la responsabilité ministérielle devant le Parlement fut enfin établie.

Le 2 janvier 1870, l'Empereur, logique avec lui-même, appelait le chef du Tiers-parti, qui comptait cent seize membres, le Marseillais Emile Ollivier, à la présidence du Conseil. Rouher, que l'on appelait depuis 1863 le vice-empereur sans responsabilité, devenait président du Sénat et le préfet Haussmann qui, depuis dix-huit ans, bouleversait l'urbanisme parisien, était mis à la retraite.

La formation du ministère Ollivier, qui était une énorme concession impériale, ne désarma pas les républicains. Ceux-ci tentèrent une émeute lors des obsèques du journaliste Victor Noir, malencontreusement abattu par le prince Pierre Bonaparte, un petit-fils de Lucien (janvier 1870).

Emile Ollivier fit tout de suite étudier une réforme plus profonde des institutions et le 29 avril 1870 un sénateur consulte soumettait à plébiscite la ratification de la nouvelle constitution. Au contraire de ce que l'on redoutait le plébiscite fut un grand succès pour l'Empire : sept millions trois cent cinquante-huit mille *oui* contre un million cinq cent soixante-douze mille *non*. Napoléon III n'en fut pas moins très sensible à une relative opposition alors que ses adversaires considéraient l'Empire comme définitivement consolidé.

Il n'était pourtant qu'à cent jours d'une chute dont la responsabilité est partagée entre l'Empereur et l'Impératrice.

Une révolution éclata en Espagne en 1868 et chassa la reine Isabelle. Le gouvernement fut assuré par le général Prim, auteur du coup d'Etat qui avait renversé la monarchie espagnole. A la recherche d'une nouvelle dynastie, Prim pressentit le prince Léopold de Hohenzollern-Sigmaringen, frère du nouveau roi de Roumanie. Cette branche Hohenzollern, fort éloignée de celle du roi de Prusse, était soutenue par Bismarck qui cherchait l'encerclement de la France.

Quand les Cortès eurent accepté la candidature Hohenzollern et que Prim la révéla (2 juillet 1870), une vive réaction secoua la France. Napoléon III et Emile Ollivier, après s'être assurés l'appui de la Russie, obtinrent du roi de Prusse Guillaume Ier le retrait de la candidature Hohenzollern (12 juillet 1870).

C'était le plus grand succès diplomatique de Napoléon III et il eût été sage de s'y tenir. Mais, poussée par un véritable vent de folie, l'Impératrice jugea le succès insuffisant et voulut donner une satisfaction à l'opinion publique.

Le duc de Gramont, ministre des Affaires étrangères, ne s'opposa pas à ce que Benedetti, ambassadeur en Prusse, allât demander à Guillaume Ier des garanties supplémentaires, ce qui était chercher une mauvaise querelle. Le roi, en cure thermale à Ems, n'ayant pas soutenu la candidature de son cousin, refusa en termes courtois de donner des garanties pour l'avenir, ce qui laissait la situation en état.

Bismarck, dépité de l'échec qu'il venait d'essuyer à Madrid, publia une version falsifiée de l'incident, et la fameuse « dépêche d'Ems » assura faussement que la Prusse avait fait un affront à la France en refusant de recevoir son ambassadeur.

Au lieu de vérifier l'exactitude des faits auprès de Benedetti, ce qui relevait du sens commun, l'Empereur, après quelques hésitations, céda aux objurgations de l'Impératrice qui voulait une guerre pour rehausser le prestige impérial.

On a retenu le mot fâcheux d'Emile Ollivier demandant les crédits de guerre : « Cette responsabilité, nous l'assumons d'un cœur léger.»

La mobilisation fut décrétée le 15 juillet 1870 et la déclaration de guerre signifiée à la Prusse le 19 juillet.

L'armée française n'était pas prête, le plan de mobilisation était déplorable, l'intendance se montra tout de suite défaillante. On ne possédait aucune armée de réserve ; le commandement était médiocre et, pour la première fois dans l'Histoire, la Prusse se trouvait installée sur le Rhin, ce qui facilitait les débuts de ses opérations.

Les Allemands attaquèrent le 3 août sur la ligne de la Lauter et se heurtèrent à la première armée française, celle de Mac-Mahon, qui fut battue à Froeschviller, en dépit d'une charge héroïque de cuirassiers à Reichshoffen (6 août 1870).

La résistance française reposait désormais sur la deuxième armée, celle du maréchal Bazaine, groupée dans la région de Metz. En une suite de combats sanglants, Borny le 4 août, Rezonville, Mars-la-Tour, Gravelotte (15-16 août), Bazaine se vit interdire le passage lui permettant de rejoindre Mac-Mahon. Le 18 août, les troupes allemandes commandées par Moltke et d'Alvensleben battirent Canrobert à Saint-Privat, ce qui acheva le blocage de Metz.

Mac-Mahon avait reconstitué ses forces au camp de Châlons. Le ministère Emile Ollivier s'était effondré à la nouvelle de Froeschviller et le général Cousin-Montauban, comte de Palikao, avait été nommé premier ministre par l'Impératrice régente. Celui-ci, voulant écarter la guerre de Paris, donna ordre à Mac-Mahon de se porter sur Metz.

Une imprudence de journaliste révéla à Moltke le plan des armées françaises ; il esquissa un mouvement en tenailles sur l'armée Mac-Mahon qui, trompée par des instructions ministérielles, se replia sur Sedan. La ville fut encerclée par les Allemands ; les combats s'engagèrent à Bazeilles ; Mac-Mahon, blessé, dut passer le commandement au général de Wimpfen qui fit charger en vain

Ci-dessus : Napoléon III.

Ci-contre : L'Impératrice Eugénie en 1853, par Édouard Dubufe.

RÉPUBLIQUE
FRANCAISE

Ci-dessus : La famille impériale en exil en Angleterre à Chislehurst, vers 1872.

le général de Galliffet. Pour éviter un massacre inutile, Napoléon III, qui accompagnait l'armée malgré les souffrances causées par sa vessie, fit arborer le drapeau blanc. La capitulation fut signée le 2 septembre ; l'armée était prisonnière et Napoléon III vint rendre son épée à Guillaume Ier qui l'accueillit courtoisement et l'interna au château de Wilhelmshöhe, près de Cassel.

A l'annonce de la capitulation de Sedan, une émeute souleva Paris le 4 septembre. La déchéance de l'Empire fut prononcée et l'Impératrice se sauva en Angleterre avec l'aide de son dentiste

A partir du 4 septembre, la France n'aura plus de souverains et leur histoire s'achève d'une manière tragique.

L'Empereur et l'Impératrice s'établirent à Chislehurst, près de Londres, et Napoléon III, qui espérait toujours reprendre le pouvoir, succomba à l'opération de la pierre, au début de janvier 1873.

Son fils unique, le Prince impérial, né en 1856, suivit les cours des Ecoles militaires anglaises et mourut tragiquement dans une expédition coloniale où il fut abattu par les Zoulous (1879).

L'impératrice Eugénie, la dernière souveraine française, survécut près d'un demi-siècle et ne mourut qu'en 1920. Elle avait eu la joie de voir la France récupérer l'Alsace-Lorraine perdue en 1871 et l'honneur de fournir au président Poincaré, avant la signature de la paix de 1919, de précieux détails sur les négociations qui avaient mis fin à la guerre de 1870.

Ci-contre, en haut : Les troupes allemandes en 1870 au nord de Paris.

Ci-contre, en bas : Le Conseil des ministres, le 4 septembre 1870.

ÉPILOGUE

VOICI TERMINÉE L'ESQUISSE à grands traits des souverains qui ont régné sur la France depuis Mérovée jusqu'à la chute de Second Empire, le 4 septembre 1870.

Toutefois, il paraît nécessaire, pour conclure ce livre, d'étudier le sort des chefs de famille des dynasties qui ont régné sur la France, en dépit de la chute des gouvernements monarchiques.

Pour les Bonaparte, la question est simple à résoudre ; après la mort tragique du Prince impérial en 1879, son oncle à la mode de Bretagne, le prince Napoléon, fils du roi Jérôme, devint chef de la Maison Bonaparte. Il ne revendiqua guère ses droits et ne se posa pas longtemps en prétendant. Il en fut de même de son fils, le prince Victor-Napoléon, chef de famille à la mort de son père en 1891. Le prince Victor-Napoléon (1862-1926), dont la mère était une princesse de Savoie, fille de Victor-Emmanuel II, se maria également dans une Maison royale puisqu'il épousa la princesse Clémentine, fille de Léopold II (1872-1955). De cette union naquit un fils, le prince Louis-Napoléon époux d'Alix de Foresta. Combattant dans la Résistance, ce qui lui permit d'être dispensé de la loi d'exil depuis 1944, le prince Napoléon, qui a des fidèles, n'a jamais fait acte de prétendant.

Il n'en a pas été de même pour les princes de la troisième dynastie et il y a lieu d'étudier deux cas profondément différents, celui du dernier Bourbon de la branche aînée, le comte de Chambord, puis celui des quatre générations Orléans qui se sont succédé depuis la mort de Louis-Philippe en 1850.

Le comte de Chambord (1820-1883), **dit Henri V**

HENRI MARIE DIEUDONNÉ, duc de Bordeaux, est né posthume le 28 septembre 1820, du duc de Berry, assassiné, et de la princesse Marie-Caroline de Bourbon-Sicile.

Le 2 août 1830, après l'abdication de son grand-père le roi Charles X et de son oncle le duc d'Angoulême, le duc de Bordeaux se trouvait roi de France et il passa les troupes en revue à Rambouillet.

Mais comme son cousin le duc d'Orléans ne le fit pas proclamer et se laissa élire roi des Français par la Chambre, le duc de Bordeaux quitta la France avec le siens et vécut en exil, d'abord à Holyrood, puis à Prague, ensuite à Goritz et au château de Frohsdorf, près de Wiener-Neustadt, en Autriche.

A sa majorité, le duc de Bordeaux prit le nom du domaine qui lui avait été offert par souscription nationale et ne fut plus appelé que le comte de Chambord.

En 1843, il organisa à Belgrave Square, à Londres, une manifestation de loyalisme légitimiste qui attira beaucoup de Français et ne fut pas sans inquiéter Louis-Philippe.

La révolution de 1848 rendait toutes ses chances au comte de Chambord qui hésita sur la conduite à tenir et fut dépassé par les événements. La Chambre était royaliste mais divisée entre carlistes et orléanistes, ce qui n'assurait pas une majorité. Le comte de Chambord aurait pu se présenter à la présidence de la République mais, partisan du droit divin, il ne songeait pas à retrouver son trône par une élection. Celle-ci joua au profit de Louis-Napoléon Bonaparte et la proclamation de l'Empire en 1852 parut anéantir définitivement les chances dynastiques du comte de Chambord.

Celui-ci s'était marié médiocrement en 1847 avec une princesse d'Este-Modène, femme acariâtre et jalouse qui ne lui donnera pas d'enfant, ce qui fera rebondir le problème dynastique.

Sous le Second Empire, des tentatives de rapprochement eurent lieu sans succès entre le comte de Chambord et les Orléans. Après le 4 septembre 1870, les chances dynastiques du comte de Chambord se profilèrent de nouveau ; le prince songea à venir combattre dans les rangs français, à la tête d'une chimérique armée formée par les Vendéens, puis il écrivit au roi de Prusse pour faire cesser les hostilités, mais sa démarche n'eut pas de suite.

L'assemblée, élue le 8 février pour conclure la paix, était monarchiste dans sa majorité, mais le parti monarchiste restait divisé en parties égales entre partisans des Bourbons et des Orléans, ce qui ne facilitait pas une restauration monarchique qui paraissait à beaucoup un bon principe de solution.

Alors que les Orléans s'interrogeaient pour savoir s'il ne convenait pas de reconnaître les droits du comte de Chambord, reconnaissance qui leur eût profité par la suite puisqu'ils étaient les héritiers naturels du prétendant qui n'avait pas de postérité, le comte de Chambord prit une initiative spectaculaire.

Il franchit secrètement la frontière française, s'arrêta à Paris où il voulait revoir les Tuileries incendiées par la Commune, puis il se rendit à

Chambord où il reçut une délégation de députés légitimistes à qui il annonça son intention de publier un manifeste.

Ce manifeste fut rendu public le 6 juillet 1871 : il exposait un programme de gouvernement assez libéral qui eût pu satisfaire tout le monde mais il posait comme un point d'honneur le rétablissement du drapeau blanc : « Henri V ne peut abandonner le drapeau blanc d'Henri IV. Il a flotté sur mon berceau, je veux qu'il ombrage ma tombe.» Ce point de vue, assez enfantin, fut pris isolément et il bloqua la tentative de restauration.

Thiers, chef de l'Etat, avec le titre provisoire de président de la République, chercha à profiter de la division qui séparait les orléanistes des légitimistes, et également de l'action des bonapartistes, pour établir définitivement la République.

Les factions royalistes, après de nombreuses concertations au cours de l'année 1872, ne parvinrent pas à se mettre d'accord et le projet républicain de Thiers fut près de s'accomplir. Pour l'éviter, le duc de Broglie, député orléaniste, monta fort habilement une entente entre royalistes qui, par un vote, renversa Thiers le 24 mai 1873.

Le soir même, Broglie faisait élire le maréchal de Mac-Mahon président de la République. L'idée de Broglie était que Mac-Mahon, légitimiste, était simplement un régent disposé à céder sa place à un roi.

Pour mener à bien la restauration, il fallait une réconciliation officielle entre les Bourbons et les Orléans.

Le comte de Paris, petit-fils de Louis-Philippe, et héritier présomptif, en prit l'initiative et, le 5 août 1873, il alla faire allégeance à son cousin à Frohsdorf, le reconnaissant comme chef de famille et seul habilité à ceindre la Couronne.

Honnête homme, peu intelligent et manquant de sens politique, le comte de Paris ne paraît pas s'être rendu compte que son geste le mettait à la merci du comte de Chambord, qui détiendrait désormais la légitimité, et pourrait accuser les Orléans de félonie s'ils ne se rangeaient pas à ses vues ou voulaient lui dénier ses droits.

La restauration monarchique parut à deux doigts de se faire ; des émissaires privés furent envoyés au comte de Chambord pour en régler les modalités ; Mac-Mahon vit les choses de trop haut et laissa traîner imprudemment les pourparlers.

Les parlementaires légistimistes, inquiets du retard, consituèrent une « Commission des Neuf » et déléguèrent un de ses membres auprès du prince.

Ce député se nommait Charles Chesnelong ; c'était un Basque bonapartiste rallié depuis peu de temps à l'idée royaliste. Il demanda l'avis de Mac-Mahon, qui répondit vertement « qu'à la vue du drapeau blanc les chassepots partiraient tout seuls ». Il n'en demanda pas moins audience au comte de Chambord qui, après s'être fait beaucoup prier, convoqua subitement Chesnelong à Salzbourg.

Le 14 octobre 1873, Chesnelong eut avec le comte de Chambord trois entretiens. Les deux premiers parurent donner des résultats positifs : le comte de Chambord admit que l'on ne serait pas obligé de changer le drapeau avant son retour en France et il assura qu'il proposerait à l'Assemblée une solution compatible avec son honneur.

C'était demander un blanc-seing, mais Chesnelong crut avoir gagné la partie. Cependant, dans une dernière entrevue, à la gare de Salzbourg, le prince apporta des réticences inquiétantes.

Chesnelong n'en tint pas un compte suffisant, et, de retour à Versailles, il rendit un compte trop favorable de sa mission ce qui incita un journaliste à écrire que le comte de Chambord était prêt à accepter le drapeau tricolore.

La réaction du prince fut brutale et il envoya une lettre ouverte de désaveu où il affirmait qu'il ne renoncerait pas au drapeau blanc : « On me demande aujourd'hui le sacrifice de mon honneur. Je ne retranche rien de mes précédentes déclarations. Les prétentions de la veille me donnent la mesure des exigences du lendemain et je ne puis consentir à inaugurer un règne réparateur et fort par un acte de faiblesse.»

Ce langage impolitique consterna les royalistes. Le duc de Broglie se décida à demander une prorogation des pouvoirs de Mac-Mahon dans l'idée que l'on pourrait ainsi attendre la mort du comte de Chambord et donner la Couronne au comte de Paris.

Le projet de loi prorogeant les pouvoirs du maréchal fut mis en discussion au mois de novembre 1873 : Broglie demandait dix ans, la commission se borna à sept ans, mais avec réélection possible.

Pendant que se déroulaient les débats, le comte de Chambord se rendit clandestinement à Versailles ; il envoya un émissaire à Mac-Mahon, le priant de venir le trouver au 5 de la rue Saint-Louis pour mener à bien une restauration par une venue à l'Assemblée et proclamation de la monarchie par acclamation.

Mac-Mahon estima cette manière d'agir incompatible avec son serment de président de la République et il refusa l'offre.

Obstiné, le comte de Chambord attendit le résultat du scrutin qui, le 19 novembre 1873, accorda la septennalité.

Le prétendant n'avait plus qu'à regagner Frohsdorf où il se terra, en menant des projets plus ou moins absurdes d'une reprise du trône par des conspirations chimériques, sans paraître comprendre que son obstination avait non seulement ruiné sa cause mais compromis les chances monarchiques des Orléans.

Le comte de Chambord mourut à Frohsdorf au mois d'août 1883, alors que non seulement la France avait voté les lois républicaines, mais encore que les républicains avaient conquis la majorité dans le nouveau régime, ce qui rendait aléatoires les chances de restauration.

Il reçut, avant de mourir, ses cousins d'Orléans et leur donna de bonnes paroles mais il avait pris des dispositions testamentaires à leur détriment et laissé des instructions de préséance qui ne permirent pas au comte de Paris d'assister à ses obsèques.

En raison du traité d'Utrecht qui excluait la branche espagnole, le comte de Paris devenait le seul dynaste possible et il fut considéré comme le prétendant au trône de France.

Les Prétendants Orléans (depuis 1883)

LOUIS-PHILIPPE, comte de Paris, né en 1838, était un homme brave, mais d'intelligence moyenne et il donna la preuve en se mettant, le 5 août 1873, à l'entière merci du comte de Chambord, qui au fond de lui-même, ne souhaitait pas l'accession au trône des petits-fils de Louis-Philippe.

La position du comte de Paris, comme prétendant se trouva donc assez ambiguë bien que, pour marquer son souci de continuité, il ait manifesté le désir d'être appelé Philippe VII et non Louis-Philippe II.

Une imprudence du prince Napoléon fit déposer en 1883 un projet de loi d'exil contre les membres des familles ayant régné sur la France si « leur présence paraissait de nature à compromettre la sûreté de l'Etat ». Le Sénat repoussa le projet, mais, à titre de représailles, le ministre de la Guerre plaça les princes d'Orléans en non-activité militaire.

Les élections de 1885 marquèrent une forte poussée royaliste. L'année suivante, à l'occasion du mariage de sa fille Amélie avec l'héritier du trône de Portugal, le comte de Paris donna une brillante réunion à l'hôtel Galliera (aujourd'hui Matignon). D'imprudents comptes rendus de journalistes alarmèrent le gouvernement et Freycinet, président du Conseil, fit voter une loi qui exilait les chefs de famille et leurs fils aînés des Maisons qui avaient régné sur la France.

Aux derniers jours de juin 1886, le comte de Paris prit la route de l'exil et se retira en Angleterre. Il encouragea assez malencontreusement la tentative du général Boulanger en qui il voyait à tort un Monk possible. Après l'échec du mouvement, le comte de Paris se tint à l'écart de la politique et vécut très retiré. Il mourut à Stowe House le 8 septembre 1894, laissant un fils, le duc d'Orléans, qui devenait prétendant à son tour.

Philippe d'Orléans, que ses partisans nomment Philippe VIII, était né en exil en 1869 et il y passera la plus grande partie de sa vie.

Il connut un moment une grande popularité car il imagina, sur le conseil du duc de Luynes, de se présenter au bureau de recrutement de Paris, en dépit de la loi d'exil, et de demander à accomplir son service militaire.

Il fut éconduit mais parvint, au lieu de se faire expulser, ce qui eût mis fin obscurément à la tentative, à se faire arrêter et à passer en correctionnelle où il fut condamné à deux ans de prison, le minimum de la peine. Il fut interné à Clairvaux sous un régime de faveur ; il eut l'esprit de protester et de demander de manger à la gamelle, ce qui lui valut le surnom de « prince Gamelle » et le rendit très populaire pendant sa captivité. Celle-ci fut brève, car le président Carnot le gracia au bout de trois mois et le fit reconduire à la frontière.

Devenu prétendant, le duc d'Orléans, hors une malheureuse lettre de félicitations à Félix Faure lors de son élection et des sympathies marquées pour le mouvement d'Action française animé par Léon Daudet et Charles Maurras, ne se mêla pas de politique.

Grand coureur de femmes, il se signala surtout par un extraordinaire amour de la chasse qu'il pratiqua dans le monde entier ; il prenait plaisir à faire naturaliser ses plus belles pièces de gros gibier et, en mourant, il fit don de ses imposantes collections au Muséum de Paris, qui les laissa se détériorer.

De son mariage avec une princesse autrichienne, Philippe VIII n'eut pas d'enfants. Le titre de prétendant passait à son cousin germain, le fils cadet du duc de Chartres, Jean duc de Guise, né en 1894, époux de la princesse Isabelle, sœur du duc d'Orléans.

Le duc de Guise (Jean III pour ses fidèles) fut un personnage assez effacé. Il était passionné d'histoire militaire et jouait du tambour avec talent. Il partageait sa vie entre son château du Nouvion-en-Thiérache et un domaine agricole qu'il avait installé à Larache au Maroc.

A la mort du duc d'Orléans, il se trouva frappé par la loi d'exil et se retira en 1927 en Belgique, au manoir d'Anjou, dans la banlieue de Bruxelles, château qui avait appartenu au duc d'Orléans.

Dès qu'il fut chef de famillle, le duc de Guise prit ses responsabilités dans une formule qui fit fortune : « Chef de la Maison de France, j'en assume toutes les responsabilités, j'en revendique tous les droits, j'en accepte tous les devoirs. »

L'année même où le duc de Guise devenait prétendant, l'Action française fut condamnée par le Vatican, ce qui créa une crise dans le parti royaliste.

Le duc de Guise s'en tint à l'écart et montra dans la conjoncture de l'indépendance d'esprit. Agissant en roi, il conféra à son fils unique, le prince Henri, le titre de comte de Paris, à sa majorité en 1929.

La même année, le comte de Paris rencontrait à Bruxelles sa cousine Isabelle d'Orléans-Bragance, en tombait amoureux et l'épousait à Palerme en 1931, au milieu d'une grande manifestation de loyalisme monarchique.

Le duc de Guise, en accord avec son fils, autorisa celui-ci en 1936 à proclamer l'indépendance totale de la Maison de France à l'égard du mouvement d'Action française.

Ce fut à peu près sa seule manifestation politique et il mourut le 24 août 1940 dans son domaine de Larache.

Le titre de prétendant passait à son fils, le comte de Paris (Henri VI pour les royalistes). Celui-ci vivant encore il est malaisé de parler de lui.

La Maison royale de France n'était pas éteinte et certaines de ses branches régnant toujours, notamment en Espagne et au Luxembourg, on ne peut qu'admirer la vitalité d'une race qui compte près de douze siècles d'ancienneté, qui a patiemment fait la France, et dont l'œuvre, que nous avons essayé d'évoquer, ne peut que susciter l'admiration.

BIBLIOGRAPHIE

OUVRAGES GÉNÉRAUX

AUBRY (Octave, de l'A.F.), *Histoire de France* (Flammarion).

BAINVILLE (Jacques, de l'A.F.), *Histoire de France* (Fayard).

CASTRIES (duc de, de l'A.F.), *Histoire de France des origines à 1976* (Robert Laffont, 1976).

DANIEL-ROPS (Henri, de l'A.F.), *Histoire de l'Eglise* (8 volumes, Fayard).

DARESTE, *Histoire de France* (6 volumes).

DARIDAN, *De la Gaule à De Gaulle* (Seuil, 1978).

ELLUL, *Histoire de la Nation française.*

GAXOTTE (Pierre, de l'A.F.), *Histoire des Français* (Flammarion).

LEVIS MIREPOIX (duc de, de l'A.F.), *Le roi n'est mort qu'une fois* (Librairie académique Perrin).

MADAULE (Jacques), *Histoire de France* (2 vol., N.R.F.).

MARTIN (Henri, de l'A.F.), *Histoire de France.*

MAUROIS (André, de l'A.F.), *Histoire de la France.*

MICHELET (Jules), *Histoire de France.*

MIQUEL (Pierre), *Histoire de la France* (Fayard).

LAVISSE Ernest de l'A.F.), *Histoire de France* (Hachette).

SÉDILLOT (René), *Survol de l'Histoire de France* (Fayard).

MÉROVINGIENS

ARQUILLIÈRE (X.H.), *Histoire du Moyen Age* (Fayard).

CLERCQ (C. de), *la Législation religieuse franque de Clovis à Charlemagne,* Louvain-Paris, 1936.

FUSTEL DE COULANGES, *les Articles de Kierzy.*

LAURENT (Henri), *Aspects de la vie économique dans la Gaule franque.*

LOT (Ferdinand, de l'Institut), *Naissance de la France* (Fayard).

CAROLINGIENS

BONNEL, *Origines de la Maison carolingienne,* Paris 1869.

CALMETTE (Joseph), *Charlemagne,* Paris, 1945.

ECKEL (Auguste), *Charles le Simple,* Paris, 1899.

HALPHEN (Louis), *Charlemagne et l'empire carolingien,* Paris, 1947, 2e éd, 1968.

KLEINCLAUSZ (A.), *Charlemagne,* Paris, 1934 ; 2e éd., 1977 (Tallandier).
l'Empire carolingien, ses origines, ses transformations, Paris, 1902.

LAUËR (Philippe), *Robert et Raoul de Bourgogne,* 1912.
Louis IV d'Outremer.

LOT (Ferdinand, de l'Institut), *les Derniers Carolingiens, Lothaire, Louis V, Charles de Lorraine* (1891).
Hugues Capet.

PARISOT (Robert), *le Royaume de Lorraine sous les Carolingiens* (1879).

PIRENNE (Henri), *Mahomet et Charlemagne* (1939).

POUPARDIN (René), *le Royaume de Bourgogne,*
le Royaume de Provence sous les Carolingiens.

VAISSETTE (Dom), *Histoire du Languedoc* (14 volumes.)

CAPÉTIENS

AVOUT (J. d'.), *le meurtre d'Etienne Marcel* (Gallimard, 1960).

BAILLY (Auguste), *les Grands Capétiens* (Paris, Fayard, 1932).

BELPERRON (Pierre), *la Croisade contre les Albigeois* (Plon, 1947).

BOURASSIN (Emmanuel), *Jeanne d'Arc* (Perrin, 1978). 1978).
la Cour de France à l'époque féodale (Perrin, 1975).

CALMETTE (Joseph), *le Réveil capétien* (1948)
les Rois de France (Stock, 1948).

DUBY (Georges), *la Bataille de Bouvines* (Gallimard, 1973).

FAWTIER (J.), *les Capétiens et la France* (1942).

FROISSART, *Chroniques* (éd. Buchon-Desrez, 1837).

GLABER (Raoul), *Chronique* (trad. Guizot, Brière. 1827).

GRANDES CHRONIQUES DE FRANCE (publiées par J. Viard, Champion, 1927).

HELGAUD, *Vie de Robert le Pieux* (trad. Guizot, Brière, 1821).

JOINVILLE (Jean, sire de), *le Livre des Saintes paroles et des bons faicts de Saint Louis* (éd. Melot, Bibliothèque royale, 1761).

LANGLOIS (C.V.), *le Règne de Philippe le Hardi* (Hachette, 1887).

LEVIS MIREPOIX (duc de, de l'A.F.), *Philippe le Bel, l'Attentat d'Anagni* (Gallimard, 1969).

LUCHAIRE (Achille, de l'Institut), *Histoire des institutions monarchiques en France sous les premiers Capétiens* (2 vol., 1891).

MEZERAY, *Histoire de France* (Paris, Guillemot, 1643).

NEWMAN (William Mendel), *le Domaine royal sous les premiers Capétiens (987-1180)* (Paris, 1937).

PACAUT (Marcel), *Louis VIII et son royaume* (Hautes-Etudes, Paris, 1964).

PERNOUD (Régine), *Aliénor d'Aquitaine* (Albin Michel, 1964, nouv. éd. 1978).

PETIT-DUTAILLIS (Charles), *Etudes sur la vie et le règne de Louis VIII* (Emile Bouillon, 1894).
la Monarchie féodale en France et en Angleterre. (Xe-XIIIe siècle) (1933, Paris).

SUGER, *Vie de Louis le Gros* (trad. Guizot, Brière, 1823).

VALOIS

ANCHEL (Robert), *Michel de l'Hospital.*

BASIN (Thomas), *Histoire de Louis XI* (trad. par Ch. Samaran, 1972).

BRANDI (Carl), *Charles Quint* (trad. G. de Bodi, Paris, 1939).

BURNAND (Robert), *la Cour des Valois.*

CALMETTE (Joseph), *le Grand règne de Louis XI* (Hachette, 1938).

CATHERINE DE MÉDICIS, *Lettres* (éd. Hector de la Ferrière, Paris, 1880-1909).

CHAMPION (Pierre), *la Jeunesse de Henri III* (Paris, 1941).
Catherine de Médicis présente à Charles IX son royaume (Paris, 1957).
Agnès Sorel, la dame de Beauté (Champion, 1931).

CHARTIER (Jean), *Chronique de Charles VII* (H. Laurend, Paris, 1902).

COMMYNES (Philippe de), *Mémoires* (éd. Buchon-Desrez, 1837).

DODU (G.), *les Valois, histoire d'une Maison royale.*

DOUËT D'ARCQ, *Comptes de l'hôtel des Rois de France aux quatorzième et quinzième siècles* (Vve Renouard, 1863).

DUCLOS, *Histoire de Louis XI* (De Fain, 1806).

ERLANGER (Philippe), *Charles VII et son mystère* (Paris, Perrin).
Henri III (Paris, 1935).
La Saint-Barthélemy (Gallimard).

ESTOILE (Pierre de l'), *Journal* (Paris, 1875-1878).

FUNCK BRENTANO (Frantz, de l'Institut), *le Moyen Age* (Hachette, 1922).

HELLO (Henri), *la Saint-Barthélemy* (Paris, 1939).

HÉRITIER (Jean), *Catherine de Médicis* (Fayard).

IMBART DE LA TOUR, *les Origines de la Réforme en France* (4 vol., Paris, 1905 - 1935).

JOURDA (Pierre), *Marguerite d'Angoulême* (2 vol.).

JUVÉNAL DES URSINS, *Histoire de Charles VI* (éd. Buchon Desrez, 1836).
Chronique des quatre premiers Valois (Vve J. Renouard, 1861).

LACURNE DE SAINTE-PALAYE, *Mémoires sur l'ancienne chevalerie.*

LEVIS MIREPOIX (duc de, de l'A.F.), *François Ier.*
La France de la Renaissance (Fayard).
Les Guerres de religion (Fayard).

LE GRAS (Joseph), *Blaise de Montluc.*

LUCE (Siméon) *Histoire de Du Guesclin et de son époque* (Paris, 1876).

MARICOURT (A. de), *les Valois.*

MERKI (Charles), *l'Amiral de Coligny.*

MONSTRELET, *Chroniques* (éd. Buchon-Desrez, 1836).

PERNOUD (Régine), *Vie et mort de Jeanne d'Arc* (Hachette, 1953).

PICOT (Georges), *Histoire des Etats-généraux, de 1355 à 1614* (Paris, 1901).

PISAN (Christine de), *Livre des Faicts du sage roi Charles V* (éd. Buchon Desrez, 1936).

ROMIER (Lucien), *les Origines politiques des guerres de religion* (Paris, 1913).
Le Royaume de Catherine de Médicis (Paris, 1922).
Catholiques et huguenots à la Cour de Charles IX (Paris, 1934).

THIBAUT (Marcel), *Isabeau de Bavière* (Perrin, 1903).

VALLET DE VIRVILLE, *Histoire de Charles VII* (Vve J. Renouard, 1862).

VIENOT (John), *Histoire de la Réforme française des origines à l'édit de Nantes.*

VIVENT (Jacques), *la Guerre de Cent ans* (Flammarion, 1954).

BOURBONS

HENRI IV

ANDRIEUX (Maurice), *Henri IV* (Fayard, 1955).

BATTIFFOL (Louis), *Marie de Médicis* (Calmann-Lévy).

CASTRIES (duc de, de l'A.F.), *Henri IV, roi de cœur, roi de France* (Larousse, 1970).

CAZAUX (Yves), *Henri IV ou la grande victoire* (Albin Michel, 1978).

ELBÉE (Jean d'), *le Miracle d'Henri IV* (Lardanchet, 1946).

ERLANGER (Philippe), *la Vie quotidienne sous Henri IV* (Hachette, 1958).
L'Etrange mort d'Henri IV (Perrin, 1957).

FAGNIEZ (Gustave), *l'Economie sociale de la France sous Henri IV* (1897).

LANUX (Pierre de), *la Vie d'Henri IV* (Gallimard, 1927).

LEVIS MIREPOIX (duc de, de l'A.F.), *Henri IV, roi de France, roi de Navarre* (Perrin, 1971).

MOUSNIER (Roland, de l'Institut), *l'Assassinat de Henri IV* (Gallimard, 1964).

REINHARDT (Marcel), *Henri IV ou la France sauvée* (Hachette, 1943).

RITTER (Raymond), *Henri IV lui-même* (Albin Michel).

SAINT-RENÉ-TAILLANDIER (Mme), *Henri IV avant la messe* (Grasset, 1934).
Henri IV, le cœur du roi (Grasset, 1937).

VAISSIERE (Pierre de), *Henri IV* (Fayard, 1928).

ZELLER (Gaston), *Henri IV et Marie de Médicis* (1877).

LOUIS XIII

BATTIFFOL (Louis), *le Louvre sous Henri IV et Louis XIII* (Calmann-Lévy, 1930).
Louis XIII à vingt ans (1909).
Richelieu et le roi Louis XIII (Fayard, 1934).

CANU (Jean), *Louis XIII et Richelieu* (Fayard, 1944).

ERLANGER (Philippe) *Louis XIII* (Gallimard, 1946).
Richelieu (3 vol., Perrin).

MAGNE (Emile), *la Vie quotidienne au temps de Louis XIII* (Hachette, 1964).

MÉTHIVIER (Hubert), *le Siècle de Louis XIII* (P.U.F., 1964).

TAPIÉ (V.L., de l'Institut), *la France de Louis XIII et de Richelieu* (Flammarion, 1967).

VAUNOIS (Louis), *Vie de Louis XIII* (Del Duca, 1961).
Le Roman de Louis XIII (Grasset, 1934).

LOUIS XIV

BRAUDEL (F.), *Histoire économique et sociale de la France (1660-1789)* (Paris, 1970).

CHAUNU (Pierre), *la Civilisation de l'Europe classique* (Arthaud, 1966).

DINFREVILLE (Jacques), *Louis XIV, les saisons d'un grand règne* (Albatros, 1978).

ERLANGER (Philippe), *Louis XIV* (Fayard, 1965).

FUNCK BRENTANO (Frantz, de l'Institut), *la Cour du roi Soleil* (Grasset, 1937).

GAXOTTE (Pierre, de l'A.F.), *la France de Louis XIV* (Hachette, 1946).

GOUBERT (Pierre), *Louis XIV et vingt millions de Français* (Fayard, 1960, nouv. éd. 1977).

LA FORCE (duc de, de l'A.F.), *Louis XIV et sa Cour* (Fayard, 1956).

HASTIER (Louis), *Louis XIV et madame de Maintenon* (Fayard, 1957).

LAVISSE (Ernest, de l'A.F.), *Louis XIV* (Hachette 1911, Tallandier, 1978).

LEVRON (Jacques), *la Vie quotidienne à la Cour de Versailles* (Hachette, 1965).
Les Courtisans (Seuil, 1961).

MANDROU (Robert), *Louis XIV et son temps* (P.U.F., 1970).

MONGRÉDIEN (Georges), *la Vie quotidienne sous Louis XIV* (Hachette, 1948).

SAINT-GERMAIN (Jacques), *Louis XIV secret* (Hachette, 1970).

SAINT-RENÉ-TAILLANDIER (Mme), *le Grand roi et sa Cour* (Hachette, 1930).
Madame de Maintenon (Hachette, 1923).

LOUIS XV

BROGLIE (prince Jacques de), *le Vainqueur de Bergen et le « Secret du Roi »* (Éditions Louvois, 1957).

CASTRIES (duc de, de l'A.F.), *Madame du Barry* (Hachette, 1967).

FLEURY (comte), *Louis XV intime* (Plon, 1899).

GAXOTTE (Pierre, de l'A.F.), *le Siècle de Louis XV* (Fayard ; éd. revue 1974).

KUNSTLER (Charles, de l'Institut), *la Vie quotidienne sous Louis XV* (Hachette, 1953).

LAFUE (Pierre), *Louis XV, la victoire de l'unité monarchique* (Hachette, 1952).

LEVRON (Jacques), *Louis XV le Bien-Aimé* (Perrin, 1965).

MAZE (Jules), *la Cour de Louis XV* (Hachette, 1954).

MÉTHIVIER (Hubert), *le Siècle de Louis XV* (P.U.F., 1966).

NOLHAC (Pierre de, de l'A.F.), *Louis XV et Marie Leczczynska* (Conard, 1928).
Louis XV et Mme de Pompadour (Conard, 1928).
Mme de Pompadour et la politique (Conard, 1930).

PERUGIA (Paul del), *Louis XV* (Albatros, 1976).

RICHARD (Pierre), *la Vie privée de Louis XV*, (Hachette, 1954).

SAINT-ANDRÉ (Claude), *Louis XV intime* (Morancé, 1925).

VALYNSEELE (Joseph), *les Enfants naturels de Louis XV* (Centre d'études et de recherches historiques, 1953).

VRIGNAULT (Henri), *les Enfants de Louis XV, descendance illégitime* (Perrin, 1954).

LOUIS XVI

ARNAUD-BOUTELOUP (Jeanne), *le Rôle politique de Marie-Antoinette* (Thèse de doctorat).

AVENEL (vicomte d'), *la Vraie Marie-Antoinette* (Paris, 1876).

BERVILLE et BARRIÈRE, *Mémoires sur la Révolution* (60 volumes).

CASTELOT (André), *Marie Antoinette.*
Varennes, le roi trahi.

CASTRIES (duc de, de l'A.F.), *l'Aube de la Révolution* (Tallandier, 1978).
La France et l'indépendance américaine (Perrin, 1975).
Mirabeau (Fayard, 1960).

CHEREST (Aimé), *la Chute de l'Ancien Régime (1787-1789)* (3 volumes, Paris 1884-1886).

DARD (Émile, de l'Institut), *la Chute de la royauté* (Flammarion).

FAŸ (Bernard), *Louis XVI ou la fin d'un monde* (Amiot Dumont, 1954).
La grande Révolution.

FUNCK-BRENTANO (Frantz, de l'Institut), *l'Affaire du Collier.*
La mort de la Reine.

GAXOTTE (Pierre, de l'A.F.), *la Révolution française* (Fayard, 1928).

GONCOURT (Edmond et Jules de), *Histoire de Marie-Antoinette.*

HASTIER (Louis), *la Vérité sur l'Affaire du Collier.*

LACRETELLE le jeune (de l'A.F.), *Précis historique de la Révolution française* (Treuttet, Wurtz et Onfroy, Paris, 1803).

LAFUE (Pierre), *Louis XVI et l'échec de la révolution royale.*

LA FUYE (Maurice de), *Louis XVI.*

LA GORCE (Pierre de, de l'A.F.), *Histoire religieuse de la Révolution française* (5 volumes).

LATREILLE (André), *l'Église catholique et la Révolution française* (2 volumes, 1951).

LAVISSE, CARRÉ et SAGNAC, *Histoire de France,* tome IX : *La Révolution* (I : 1789-1792).

LOMÉNIE (Louis et Charles de), *les Mirabeau* (5 volumes).
Beaumarchais et son temps (2 vol).

NOLHAC (Pierre de, de l'A.F.), *Marie-Antoinette dauphine.*
La Reine Marie-Antoinette.

SÉGUR (comte de, de l'A.F.), *Mémoires, souvenirs et anecdotes* (Paris, 1827).

SÉGUR (marquis de, de l'A.F.), *Au couchant de la monarchie* (2 vol.).

SOREL (Albert, de l'A.F.), *l'Europe et la Révolution française* (8 vol.).

TAINE (Hippolyte, de l'A.F.), *les Origines de la France contemporaine.*

VALLOTON (Henri), *Marie-Antoinette et Fersen.*

ZWEIG (Stefan), *Marie-Antoinette.*

NAPOLÉON

AUBRY (Octave, de l'A.F.), *Sainte Hélène* (Flammarion, 1939)
Vie privée de Napoléon (Flammarion 1935, Tallandier 1977).

BAINVILLE (Jacques, de l'A.F.), *Napoléon* (Fayard).
Dix-huit Brumaire (Hachette, 1925).

BENOIST-MECHIN (Jacques), *Bonaparte en Egypte ou le rêve inassouvi* (Perrin, 1978).

BERGERON (L.), *l'Episode napoléonien, aspects intérieurs* (le Seuil, 1972).

BERTAUT (Jules), *Napoléon aux Tuileries* (Hachette, 1949).

BESSAND-MASSENET, *le Chemin de César : I. la France après la Terreur ; 2. les Deux France* (Plon).

CASTELOT (André), *Bonaparte, Napoléon, Joséphine* (3 vol., Perrin).

CHARLES-ROUX (F., de l'Institut), *Bonaparte gouverneur d'Egypte* (Plon, 1936).

DUNAN (Marcel, de l'Institut), *Napoléon et l'Allemagne* (Plon, 1943).

ESTRÉ (H. d'), *Bonaparte, les années obscures* (Plon 1962). *Bonaparte : les années éblouissantes : Italie* (Plon, 1944).

GANIÈRE (Dr Paul), *Napoléon à Sainte-Hélène* (3 vol., Perrin, 1957).

GARROS (Louis), *Itinéraire de Napoléon Bonaparte* (Encyclopédie française, 1947).

GEORGE-ROUX, *M. de Bonaparte,* (Fayard, 1964).

GODECHOT (Jacques), *l'Europe et l'Amérique à l'époque napoléonnienne* (P.U.F., 1967).
Institutions de la France sous la Révolution et l'Empire (P.U.F., 1968).

GRANDMAISON (Geoffroy de), *l'Espagne et Napoléon* (Plon).

LEFEBVRE (Georges), *la France sous le Directoire* (Éditions sociales, 1977).
Napoléon (P.U.F., 1936 et 1969).

LUCAS-DUBRETON (J.), *la France de Napoléon* (Hachette, 1947).
Napoléon (Larousse, 1969).
Napoléon en Espagne (Fayard).
Soldats de Napoléon (Tallandier, 1977).

MADELIN (Louis, de l'A.F.), *Histoire du Consulat et de l'Empire* (16 vol., Tallandier, 1974).
Napoléon (Dunod, 1935).

MASSIN (J.), *Almanach de l'Empire* (Club français du Livre, 1965).

MASSON (Frédéric, de l'A.F.), *Napoléon dans sa jeunesse.*

Napoléon et les femmes.
Napoléon et sa famille (13 vol.).
Napoléon chez lui (Tallandier, 1977).
Le Sacre et le couronnement de Napoléon. (Tallandier, 1978).
Napoléon à Sainte-Hélène.

MELCHIOR BONNET (Bernardine), *Napoléon et le Pape* (Perrin, 1958).
Dictionnaire de la Révolution et de l'Empire (Larousse, 1965).

MISTLER (Jean, de l'A.F.), *Napoléon et l'Empire* (Hachette, 1963).

OLLIVIER (Albert), *le Dix-huit Brumaire* (Gallimard, 1959).

PONTEIL (F.), *Napoléon et l'organisation autoritaire de la France* (Colin, 1956).

SOBOUL (Albert), *le Directoire et le Consulat* (P.U.F., 1967. *Le Premier Empire* (P.U.F., 1973).

TAINE (H., de l'A.F.), *Origines de la France contemporaine* (Hachette).

TARLE (E.), *Napoléon* (Payot, 1937).

TERSEN (E.), *Napoléon* (Club français du Livre, 1959).

THIERS (A., de l'A.F.), *Histoire du Consulat et de l'Empire* (20 vol.).

THIRY (Jean) *Collection Napoléon Bonaparte* (28 vol.).

TULARD (Jean) *Napoléon* (Fayard, 1977). *Nouvelle histoire de Paris : le Consulat et l'Empire* (Hachette, 1970). *Bibliographie critique des Mémoires sur le Consulat et l'Empire* (Droz, 1971).

VALYNSEELE (Joseph), *le Sang des Bonaparte* (1954).

VANDAL (Albert, de l'A.F.), *l'Avènement de Bonaparte* (2 vol., Plon 1902-1907).

RESTAURATION (Louis XVIII et Charles X)

BAGGE (D.), *les Idées politiques sous la Restauration* (Paris, 1952).

BASTID (Paul), *les Institutions politiques de la monarchie parlementaire française* (Paris, 1954).

BERTAUT (Jules), *le Retour de la monarchie* (Paris, Fayard, 1943).

BERTIER DE SAUVIGNY (Père de), *la Restauration* (Flammarion, 1955).

BONIN et DIDIER, *Louis XVIII, roi de deux peuples* (Albatros, 1978).

BURNAND, *la Vie quotidienne sous la Restauration* (Hachette, 1948).

CASTELOT (André), *le Duc de Berry* (1950).

CASTRIES (duc de, de l'A.F.), *Louis XVIII, portrait d'un roi* (Hachette, 1969). *La Fin des Rois* (Tomes I, II, III, Tallandier, 1973). *Les Émigrés* (Fayard, 1962). *De Louis XVIII à Louis-Philippe* (Fayard, 1965).

CHATEAUBRIAND (vte de, de l'A.F.), *Mémoires d'Outre-Tombe* (4 vol., Flammarion, 1948).

DAUDET (Ernest), *Louis XVIII et le duc Decazes* (Paris, 1899). *Le Ministère Martignac* (Paris, 1875).

DUVERGIER DE HAURANNE, *Histoire du gouvernement parlementaire en France de 1814 à 1848* (Paris, 1857-1872).

FOUQUES-DUPARC, *le Troisième Richelieu, libérateur du territoire* (Lyon, Lardanchet, 1940).

FOURCASSIE (Jean), *Villèle* (Fayard, 1953).

GARNIER (J.P.), *Charles X* (Fayard).

LA GORCE (Pierre de, de l'A.F.), *Louis XVIII. Charles X.*

LUCAS-DUBRETON (J.), *Louis XVIII, le prince errant, Le roi Charles X.*

POUTHAS (Charles), *Histoire politique de la Restauration.*

RAIN (Pierre), *l'Europe et la restauration des Bourbons* (Paris, 1908).

ROUX (marquis de), *la Restauration* Fayard).

TROGNON, *la Vie de Marie-Amélie* (1872).

TURQUAN, *la Dernière Dauphine, Madame la duchesse d'Angoulême (1778-1851)* (Paris, 1909).

VAULABELLE (de), *Histoire des deux Restaurations* (8 vol., 1847).

VIEL-CASTEL, *Histoire de la Restauration* (20 vol., 1860-1878).

VIVENT (Jacques), *Charles X, dernier roi de France et de Navarre* (Livre contemporain, 1958).

LES ORLÉANS : Louis-Philippe Ier

AGHION (M.), *les Années d'aventures de Louis Philippe* (1930).

APPERT, *Dix ans à la Cour de Louis-Philippe* (Paris, 1846).

ARNAUD (R.), *l'Egérie de Louis-Philippe* (Paris, 1908).

AUGE DE LASSUS, *la Vie au Palais royal* (Paris, 1904).

BEAUMONT-VASSY (de), *les Salons de Paris sous Louis-Philippe* (1866).

BERTAUT (Jules), *le Roi bourgeois* (Grasset, 1937). *Le Retour de la monarchie* (Fayard, 1943).

BLANC (Louis), *Histoire de dix ans* (Paris, 1846).

BOUNIOLS (G.), *Histoire de la révolution de 1848.*

CALMON (A), *Histoire parlementaire des finances sous la Monarchie de Juillet* (4 vol, Paris, 1895-1899).

CASTILLON DU PERRON (Marguerite), *la Jeunesse de Louis-Philippe* (Perrin, 1963, 2 vol.).

CASTRIES (duc de, de l'A.F.), *la Fin des rois,* tomes IV et V (Tallandier, 1973).

Le grand refus du comte de Chambord (Hachette, 1970).

CHARLÉTY (S.) *la Restauration, la Monarchie de Juillet.* t. V et VI de l'*Histoire de France* de Lavisse, 2e série.

COCHIN (Denys), *Louis-Philippe* (biographie).

CRÉTINEAU-JOLY, *Histoire de la Monarchie de Juillet,*

FLERS (marquis de), *le Roi Louis-Philippe* (Paris, 1891).

FOURNIERE (E.), *le Règne de Louis-Philippe* (Histoire socialiste de Jaurès, 1905).

GIRARD (Georges), *les Trois Glorieuses* (Paris, 1923).

GUIZOT, *Mémoires pour servir à l'histoire de mon temps* (8 vol.).

HAYEM, *le Conseil des ministres sous Louis-Philippe* (Thèse de droit).

LA GORCE (Pierre de, de l'A.F.), *Louis-Philippe.*

LAMARTINE (Alphonse de, de l'A.F.), *Histoire de la Révolution de 1848.*

LANNE (A), *la Fortune des Orléans.*

LOUIS-PHILIPPE, *Mémoires* préfacés par le comte de Paris (2 vol., Perrin, 1975).

LUCAS-DUBRETON, (J.), *la Royauté bourgeoise. La manière forte : Casimir-Perier. Thiers* (Paris, 1948).

MICHON (L.), *Casimir-Perier et le gouvernement parlementaire* (Paris, 1905).

MONTALIVET (comte de), *le Roi Louis-Philippe,* (1 vol., Paris, 1851).

MORAZÉ (Charles), *la France bourgeoise* (Paris, 1846).

NOUVION (de), *Histoire du règne de Louis-Philippe Ier* (1861).

PERNOUD (Régine), *Histoire de la bourgeoisie* (tome II, Paris, 1962).

POISSON (Georges), *Cette curieuse famille d'Orléans* (Perrin 1976).

RECLUS (Maurice, de l'Institut), *Monsieur Thiers* (1929).

ROUBAUD (André), *Les élections de 1842 et 1846.*

ROUSSET (Camille, de l'A.F.), *la Conquête de l'Algérie* (1889).

THUREAU-DANGIN (de l'A.F.), *Histoire de la Monarchie de Juillet* (7 vol., Paris, Plon, 1884 à 1892).

VENDÔME (duchesse de), *la Jeunesse de Marie-Amélie* (1935).
Journal de Marie-Amélie (1938).

NAPOLÉON III

ALLEM (Maurice), *la Vie quotidienne sous le Second Empire* (Hachette, 1948).

ARNAUD (René), *le 2 décembre* (Hachette, 1967).

AUBRY (Octave, de l'A.F.), *l'Impératrice Eugénie. Le Règne de Napoléon III* (Flammarion, 1937). *Président et empereur, Napoléon III* (Fayard, 1951). *Le Second Empire* (Fayard, 1938).

BAC (Ferdinand), *Intimités du Second Empire. La Cour des Tuileries sous le Second Empire.*

BAUMONT (Maurice, de l'Institut), *l'Échiquier de Metz.*

BELLESSORT (André, de l'A.F.), *la Société française sous Napoléon III* (Perrin).

BERTAUT (Jules), *Napoléon III secret* (Grasset, 1939). *L'Impératrice Eugénie et son temps* (Perrin, 1956).

BLANCHARD (Marcel), *le Second Empire* (Colin, 1950).

BOILET (G.E.), *la Doctrine sociale de Napoléon III* (Téqui, 1969).

BOULANGER (Jacques), *les Tuileries sous le Second Empire.*

BURNAND (Robert), *Napoléon III et les siens* (Hachette, 1948).

CASTELOT (André), *Napoléon III* (Perrin, 2 vol., 1973-1974 ; Tallandier, 1975, 3 vol.).

CHRISTOPHE (Robert), *Napoléon III au tribunal de l'Histoire* (France-Empire, 1971).

DANSETTE (Adrien, de l'Institut), *Histoire du Second Empire :*
tome I : *Louis-Napoléon à la conquête du pouvoir* (1961) ;
tome II : *Du 2 décembre au 4 septembre* (Hachette) ;
tome III : *Naissance de la France moderne* (1975).
La Deuxième République et le Second Empire (Fayard, 1942).
Les Amours de Napoléon III (Fayard, 1938).

DECAUX (Alain), *Amours Second Empire. Le Prince Impérial.*

DESTERNES (Suzanne) et Henriette Chandet, *Napoléon III, homme du XXe siècle* (Hachette, 1961) *L'Impératrice Eugénie intime* (Hachette, 1964).

DOLLÉANS, *Histoire du mouvement ouvrier en France.*

DOMINIQUE (Pierre), *le Deux décembre,* (Perrin, 1966).

DUVAL (G.), *Napoléon III.*

DUVEAU (Georges), *la Vie ouvrière sous le Second Empire* (Albin Michel).

FLEURY (comte) et Louis SONOLET *la Société du Second empire* (Albin Michel).

GARROS (Louis), *le Coup d'État du 2 Décembre.*

GEORGE-ROUX, *Napoléon III* (Flammarion, 1969).

GIRARD (Louis), *Napoléon III intime.*

GUERIN (André), *la Folle guerre de 1870.*

GUÉRIOT (Paul), *Napoléon III* (Payot, 1933).

GUÉTARY (J.), *Un grand méconnu : Napoléon III.*

GUILLEMIN (Henri), *Cette curieuse guerre de 1870. Le Coup d'État du deux-décembre* (Gallimard, 1951).

KUHNOLTZ-LORDAT, *Napoléon III et la paysannerie française* (Regain, 1962).

LA FUYE et A. BABEAU, *Louis-Napoléon avant l'Empire* (Amsterdam, 1951).

LA GORCE (Pierre de, de l'A.F.), *Histoire du Second Empire* (Plon, 8 vol., 1894-1905).

OLLIVIER (Emile, de l'A.F.), *l'Empire libéral* (14 volumes).

POUTHAS (Charles), *Démocratie et capitalisme : 1848-1860* (P.U.F.).

PRADALIE (Georges), *le Second Empire* (P.U.F., 1957).

SEIGNOBOS (Charles), *la Révolution de 1848 et le Second Empire (Histoire de France* de Lavisse, Hachette).

SPILLMANN (général Georges), *Napoléon III prophète méconnu* (Presses de la Cité, 1972).

INDEX

* *Proclamé roi par la Ligue. N'a pas régné.*

* *Prétendants. N'ont pas régné.*

* *Prétendants. N'ont pas régné.*

TABLE DES MATIÈRES

Première partie

LES MÉROVINGIENS

450-768

Depuis le mythe tribal
jusqu'aux rois chrétiens

Deuxième partie

LES CAROLINGIENS

768-987

Empire et division

Troisième partie

LES CAPÉTIENS DIRECTS

987-1328

Naissance de la Nation

Quatrième partie

LES VALOIS

1328-1589

Guerre de Cent Ans
et Renaissance

Cinquième partie
LES BOURBONS
1589-1792
Apogée de la Nation

Sixième partie
LE PREMIER EMPIRE
1804-1814
Bonaparte, fils de Clovis et de la Révolution

Septième partie
LA RESTAURATION DES BOURBONS
1814-1830
Le faux printemps

Huitième partie
LES ORLÉANS
1830-1848
Le Roi des Français

Neuvième partie
LE SECOND EMPIRE
1852-1870
Napoléon III et l'Impératrice Eugénie